D1248899

从出生到3岁

婴幼儿能力发展与早期教育

The New First Three Years of Life

[美] 伯顿 · L. 怀特(Burton L.White) 著

宋苗 译

北京联合出版公司
Beijing United Publishing Co.,Ltd.

图书在版编目（CIP）数据

从出生到3岁/（美）怀特著；宋苗译.--北京：
北京联合出版公司，2016.1
ISBN 978-7-5502-6911-8

Ⅰ.①从… Ⅱ.①怀… ②宋… Ⅲ.①婴幼儿—家庭
教育 Ⅳ.①G78

中国版本图书馆CIP数据核字（2016）第003227号

从出生到3岁
著　　者：［美］伯顿·L.怀特
译　　者：宋　苗
选题策划：北京天略图书有限公司
责任编辑：李艳芬　王　巍
特约编辑：高雪鹏
责任校对：杨　娟

北京联合出版公司出版
（北京市西城区德外大街83号楼9层　100088）
北京彩虹伟业印刷有限公司印刷　　新华书店经销
字数328千字　787毫米×1092毫米　1/16　24.5印张
2016年4月第1版　2016年4月第1次印刷
ISBN 978-7-5502-6911-8
定价：39.00元

致　谢

在 37 年的研究生涯中，我一直得到其他人的帮助。随着时间的流逝，为我提供过帮助的人已经数以千计。然而，我对另一种重要的帮助从未正式地表达过感谢——布兰迪斯大学、麻省理工学院和哈佛大学在过去的 20 多年里为我提供的支持是我的研究得以进行的基础。

1976 年，我代表美国参加了联合国教科文组织的会议。毫无疑问，在为儿童发展研究提供支持方面，美国做得是最好的。

在此，我向这些机构表示深深的感谢。

前　言

本书的第一版写于 1974 年，出版于 1975 年。这个第 4 版经过了全面的改写，以反映我对于儿童在头 3 年里的发展的最透彻理解。我十分高兴能够将这本书的内容进行完全更新，正如我期望的那样，写作本书是一件饱含爱意的工作。你们知道，在经过了这些年（确切地说是 38 年）的研究之后，我仍然坚信，没有任何问题比人的素质问题更加重要，而一个孩子出生后头 3 年的经历对于其基本人格的形成有着无可替代的影响。最重要的是，我一向非常喜爱小宝宝。

虽然自 20 世纪 60 年代以来，人们对婴幼儿的早期发展给予了越来越强烈的关注，但是至今为止，这本书仍然是唯一一本完全基于对家庭环境中的儿童及其父母的直接研究而写成的。它也是唯一一本汇集了经过实践检验的养育方法的书（密苏里“父母是孩子的老师”项目——1981～1985 年）。

我有幸能够与数千个普通家庭共同研究父母教育问题，在两年多的时间里，我每个月都定期对他们进行家访。在此工作中，我还得到了数十名才华出众的同事的帮助。

最近 6 年的工作具有特别的意义，因为它使我得以近距离观察我们以前提供的信息对于刚刚开始养育子女的家庭能够带来什么样的帮助。在我们设计的“父母是孩子的老师”新示范项目中，我和我的同事们有机会对我们以前的观点进行提炼，并且补充了很多关于儿童发展与养育过程的细节。例如，现在我得出一个结论，那就是，在大多数情况下帮助一个儿童发展较高的智力和语言能力是非常简单的。而另一方面，要帮助一个儿童在社会能力方面得到良好的发展，并且使之成为一个生活愉快的孩子，却要困难得多。

使我印象极其深刻的是，在孩子7～22个月期间，采取既充满爱意又严格要求的养育方式总是与保持孩子的快乐密切相关的。

能够为新父母们提供建议和支持，帮助他们培养出一个发展良好的2岁孩子，是一件非常有意义的工作。

而且，我们从最近的工作中得出的重要结论之一是——到一个孩子满14个月的时候，我们就可以确定这个孩子在其头3年中是会沿着正确的方向发展，还是已经走上了会遇到麻烦的道路。到满2岁的时候，孩子今后的大体情况就很清楚了。等孩子到了27个月的时候，我相信就很容易看出他是为在6岁时上学做好了最适宜的准备，还是会出现语言、智力和社会行为方面的问题。

在过去的30年中，有关孩子在人生的头几年中如何成长定型的各种新的、有用信息一直在不断增加。这些信息可以帮助父母及其孩子了解早期经历的无与伦比的重要性。如果你将要养育第一个孩子，那么你即将开始体验人生中的一种特别的喜悦。我希望这本书能够使你的养育之路更加顺利。祝你好运。

目　录

第 4 章 第三阶段：3 个半月至 5 个半月

第 6 章　第五阶段：8～14 个月

头3年中的7个阶段

第 *1* 章

出生至 8 个月：第 1～5 阶段的指南

概述

为什么要把前 8 个月从头 3 年中单列出来？

来自世界很多地方的报告都显示，从教育的角度来说，大多数儿童（即使是在较差的条件下长大的儿童）在出生后的头 8 个月中都会有良好的发展。无论是在一年级成绩优异还是严重落后的孩子，在出生后的第一年中都没有表现出任何不同之处[①]。

①这一说法也有例外。大约 15％的儿童在出生时就具有重大的残疾或者在人生头几年中落下残疾。无疑，还有很多孩子出生在条件非常恶劣的环境中，因而情况非常糟糕。这些特殊的例子不在本书的讨论范围之内。

在我们的研究中发现，一旦婴儿学会了爬行之后，要想做好养育工作就变得更加困难。换句话说就是，在宝宝出生后的头8个月中，你只要顺其自然就会收到非常好的效果，但是，在头3年中的其余时间里，仅仅顺其自然就远远不够了。

在出生后的头8个月中，宝宝的良好发展在很大程度上是自然成长的结果。如果父母顺其自然，并且给宝宝充分的爱、关注和身体护理，大自然就会很好地眷顾宝宝的学习过程。我并不是说在这个阶段不可能有很糟糕的养育，愚蠢和冷漠对任何年龄的孩子都可能造成永久性的伤害，尤其是对刚出生几个月的宝宝。我也不是说头8个月的“正常”发展过程无法得到促进。但是，好像大自然已经预料到新父母们会面临着各种不知所措的情况，而竭尽全力地使宝宝的头6～8个月不出现问题。然而，在这个阶段存在着两个重大危险，一旦不慎就可能导致麻烦。这两个麻烦一是会对听力造成损伤的中耳疾病，一是过度的“需求性啼哭”。我会在后面详细讨论这两个问题。

设定目标

如果不清楚自己想要达到的目标，你就无法确定是否取得了成功。我一向认为，设定明确的目标并找到目标实现情况的评估方法是唯一正确的出发点。

大多数父母期望的是，自己的孩子在早期能够得到良好的发展，并且自己和孩子能够享受纯真的快乐。他们还希望避免孩子的不愉快、焦虑，当然还包括对孩子造成的危险。如果宝宝最佳的早期发展与父母和宝宝的快乐不可兼得，那将是一件不幸的事。但是，令人欣慰的是，这种情况并不会发生。特别是在孩子出生后的头几个月中，我所推荐的大量育儿方法都会使宝宝更快乐、使父母更满意。我发现，在随后的婴幼儿时期，发展良好的宝宝是最令人愉快的，也是最快乐的。

但是，只设定一般的目标是不够的。在把目标确定为把宝宝培养成一个发展良好而又快乐的孩子之后，你接下来该怎么办呢？你如何实现这个目标？这个目标实际上意味着什么？让我们先来看一看头8个月的目标。

在宝宝出生后的头8个月中，我们建议父母朝着三个主要目标努力：

1. 让宝宝感受到爱和关心。
2. 帮助宝宝发展具体的技能。
3. 鼓励宝宝对周围的外部世界产生兴趣。

在深入讨论第一阶段至第四阶段宝宝的发展过程时，我会反复提到这些基本目标。让我们具体讨论一下这三个目标。

让宝宝感受到爱和关心

在任何孩子出生后的头两年中，他们都需要至少与一个成年人建立起牢固的关系。显然，一个宝宝要想生存下去尚且需要从一出生就得到成年人的保护和养育，更不用说要获得良好的发展了。

在头8个月中，社会能力方面的发展相对简单。著名的人格心理学家埃瑞克·埃瑞克森（Erik Erikson）把这一阶段的主要社会能力发展目标描述为建立一种“信任感”。我相信这个描述是非常准确的。用充满爱和关怀的方式照顾你的宝宝，使他感受到关爱，或是建立起基本的信任感，这是最自然也是最有益的养育方式。尽管我们没有多少理由相信8个月大的婴儿除了对母亲有最简单的认识之外，还会有更多的感受，但是，大多数研究人类发展的学者都认为，一个孩子个性形成的基础建立在他与养育者之间最早的互动之中。

帮助宝宝发展特有的技能

很少有其他的动物像人类的新生婴儿那样无助。刚出生的婴儿无法思考，无法使用语言，无法与其他人进行交流，无法奔跑、行走，甚至无法有意识地移动自己。在仰面躺着的时候，宝宝无法抬起自己的头；在趴着的时候，他也只能把鼻子稍稍离开所躺的平面。人类几乎所有的能力他都不具备。

那么，一个新生儿能做什么呢？他有一些反射式的感觉运动能力。在趴着的时候，他可以把头抬起来，以避免窒息。他的每只手有0.9千克多的力量，可以抓起一些小东西，但必须由其他人以正确的方法进行引导才能做到。如果一个物体足够大（每一维都大于几厘米），并与背景形成鲜明的对比，距离他在15～20厘米以上、61厘米以下，移动的轨迹经过他的视线，或是移动速度大约为每秒30厘米，他可能就会对这个物体瞥上一眼，并用目光追随它几秒钟。但是，一旦这个物体停止移动，他就会对它失去兴趣。而且，只有当他醒着、处于警觉状态的时候，并且不活动时，这种行为才会出现，但是，在头3个星期中，这种状态在他醒着的每个小时里仅仅会出现2、3分钟。在其他情况下，你会看到，出生后不久的宝宝对身边的世界似乎无动于衷。

新生儿通常能够发现触碰到其嘴唇或是接近嘴唇的小东西（寻乳行为），随后，他们会用嘴衔住并进行吮吸。在感到不适的时候，他们会啼哭。当他们的眼睛被触碰或是有风吹过的时候，他们就会眨眼。如果有适当的刺激，他们会出现膝跳反射（膝盖的反应）。

过于关注婴儿的惊吓反射，会使父母产生不必要的担心。如果新生儿的身体迅速下降，或听到附近很大的声音，甚至昏暗的房间里突然亮起灯光，都会使他们产生惊吓反射。宝宝在安静状态下会比在活动状态下更容易产生惊吓反射。但是，更为有趣的是自发性惊吓，这种反射正如其名称所暗示的那样，无须外界刺激就会产生。在以有规律的呼吸和静止不动为特征的深度睡眠阶段，正常的新生儿每两分钟就会产生一次惊吓反射。在快速眼动睡眠阶段中，自发式惊吓反射的发生频率会比较低。新生儿的状态越活跃，惊吓反射的发生次数就越少。惊吓反射和自发性惊吓通常都会在第3个月末消失。

大约从第6周的时候起，宝宝应对外部世界的能力开始增强。从这时候起，他的发展速度就会加快。到了8个月的时候，他就获得了控制自己身体的很多能力。他可以轻松地把头竖起来并保持稳定。他可以随意翻身，不需要支撑就可以坐着，甚至可以从房间的这头爬到那头。通常，孩子此时还不能够自己站起来，不能走路或攀爬[①]，但已经能够熟练地使用双手去够东西。在100个宝宝中，大约有99个已经拥有了良好而成熟的视力——甚至会超过其45岁以上的父亲。此时的宝宝能够准确地追踪和辨别各种声音。在社会能力方面，他已经非常清楚谁是家里的主要成员，并且会对让谁抱自己表现得非常挑剔。在智力方面，尽管他还远远不能理解和产生各种想法，但是，他已经获得了两个重要的解决问题的能力：会把一个障碍物移开以便拿到他想要的东西，更重要的是会利用哭声让别人到他身边来。

换句话说就是，这个充满活力、使人着迷的小家伙已经获得了不少基本技能。

如果你了解宝宝技能发展的情况以及如何为他提供发展这些技能的机会，你就会把头8个月的养育工作进行得更加有趣且有效。但是，我需要指出，这些技能大多都无需你给予特别的关注。毫无疑问，这些技能是非常基本的，除非条件极端恶劣，否则都会得到正常的发展。鼓励宝宝发展这些技能的重要原因是为了在头8个月中实现下面的第三个主要目标。

---

①在这些方面，有的宝宝的发展速度会比一般的宝宝快很多。我见过一些宝宝在5个月的时候就能在屋里爬来爬去，并且自己站起来。但是，这种情况的发生机率大约只有五百分之一。发展速度的差异是一个非常重要的话题，对此，我会在后面详细讨论。

鼓励宝宝对外部世界的兴趣

一个孩子是在3、4个月的时候学会用手去够东西，还是在5、6个月的时候才学会这一本领，都是无关紧要的。但是，根据我的经验，如果婴儿的环境使他有机会对刚刚出现的技能加以练习，他就会对环境产生更浓厚的兴趣，也会变得更加活泼、敏捷、心情愉快。实际上，对于良好的养育工作，尤其是早期养育工作来说，一条基本的原则是，你应当对宝宝的世界加以设计，使他每天的生活丰富多彩，并且有各种适合其兴趣与能力的活动可供选择。要想成功地创造这样一个环境，就需要详细而准确地了解孩子这些兴趣和能力发展的过程。你会从这本书中得到很多相关的信息。

总的来说，在人生的头8个月中，你的养育方式应当让宝宝感受到浓浓的爱意，让他能够在这几个月中获得所有应当获得的基本能力，并且加深和扩展他与生俱来的学习欲望以及从周围世界获得乐趣的倾向。

第2章

第一阶段：出生至 6 周

概述

人们喜欢把新生婴儿形容为“像小猫一样软弱无助”，但是，与刚出生的婴儿相比，刚出生的小猫的本领要大得多。如果让新生儿依靠自己的能力去觅食，他们根本就无法生存。新生儿似乎对于子宫外的生活还没有完全做好准备，人生最初的 4～6 周更像是两种不同的生存方式之间的一个过渡时期，而不是一个快速发展的阶段。与探索世界相比，新生儿更需要的是寻求舒适。

从婴儿离开子宫的那一刻起，他们所依赖的是以前从未使用过的肺和其他一些身体器官的运动。此外，对于很多婴儿来说，出生过程本身就是一件非常辛苦的事情。新生儿在刚出生后的几周里需要大量睡眠，从这一点不难看出，出生是一种非常耗费体力的经历。

产后阶段婴儿的一般行为

睡觉与易怒

在出生后的头几个星期中，婴儿表现出来的最明显特征除了完全的依赖性之外，就是睡觉。在刚出生后的头几天里，你的宝宝在白天平均每小时只有2～3分钟保持醒着的状态，在夜晚醒着的时间则更短。这种觉醒阶段会在未来一个月中逐渐延长至平均每小时6～7分钟。

即使在宝宝醒着的时候，也别指望他会对你的浓情爱意报以太多的反应，或做出欣喜满足的表示。相反，典型的新生儿通常都表现得非常易怒。[①] 他并没有一点儿针对某个人的意思，当然也不是针对你。给他9周到10周的时间，他就会开始对你报以令人振奋的微笑。你需要做的只是耐心等待。

与新生儿相关的一个术语是“气质”，也就是婴儿天生所具有的一些个性。在纽约阿尔伯特·爱因斯坦医学院的赫伯特·伯奇（Herbert Berch）的指导下，研究者们对气质进行了一些复杂的研究。关于这些研究成果的信息可以在伯奇、蔡斯（Chess）和托马斯

---

①必须注意的是，我在本书中的评论并不完全适用于所有婴儿。通常，0～6个月婴儿的行为在很多情况下都非常相似。但是，人类发展学最为成熟的一条原则是差异性。对于不同的婴儿来说，易怒性就存在很大的差异，易怒性的变化对婴儿及其父母有着极大的影响，尤其是在出生后的第一个月里。如果一个刚出生不久的婴儿表现得非常急躁易怒，可能是由于腹绞痛的原因。与“安静满足”的婴儿相比，照顾这样的婴儿似乎要承受更多的压力。通常，同一家庭里的儿童在刚出生后也会表现出非常不同的易怒性。腹绞痛是一些家庭不得不面对的现实，儿童早期发展和养育必须要讨论这一问题，尤其是对于0～6个月的婴儿。

(Thomas)的著作《你的孩子是个人》中找到。长期以来，人们一直在争论的一个问题是，3岁儿童的性格中有多少是天生的，多少是后天形成的。总的来说，研究气质的人喜欢强调先天性，而研究育儿过程的人，比如我，在承认先天气质重要性的同时，认为3岁儿童的主要性格是受到其经历的影响而形成的，尤其是他们在7、8个月至24个月这段时期的经历。

新生儿行为的另一个有趣的特点是其情绪的快速转变。他们能够异常迅速地从大发雷霆转变为心满意足，反之亦然。在出生第1年内的大部分时间里，这种易变性会始终存在。这种特点以及其他一些迹象表明，你的宝宝与你有着不同的情感世界。

新生儿行为的不连续性

新生儿行为的另一个不同寻常的特点是不连续性。把一个东西拿给6个月大的婴儿，他很可能会看看它，并伸出手去抓。然后，他会把东西翻过来调过去地摆弄一番，并放进嘴里去咬。之后，他可能会把东西换到另一只手中。如果你在他不注意的时候把东西放到他手里，他会马上把注意力转移过来，并开始用上述方式对其进行探索。然而，如果你把这样一个东西拿给一个新生儿，他可能根本不会去注意它。如果你知道怎样把他通常紧紧攥着的拳头分开，你就可以想办法把东西放到他手里。如果你这样做了，他会紧紧抓着它，但是不会看它。在出生后的头两个月里，他的抓握反射是以一种孤立的方式发生作用的。一旦他把东西扔了，就别指望他会注意到东西不见了并去寻找它。出现这样的行为还需要等待很长时间。

在成年人看来，新生儿对小东西的反应可能会令人感到困惑。然而，这种行为在让·皮亚杰(Jean Piaget)的著作《儿童的智力起源》中得到了很好的解释。根据皮亚杰的理论，刚刚出生的婴儿的行为中只包含很少的、笨拙的、不完整的和孤立的反射。那些简单的行为——寻找乳头、吮吸、抓握、频繁地扫视附近的物体——是构成以后全部智力的基本元素。我们有理由相信，这些行为是远古时代的人类行为所遗留的碎片，在很久以前，这些行为曾组成有用的、有组织的和出于本能的人类行为模式。

皮亚杰详细记录了自己的孩子3岁之前的行为发展过程，并对之进行了很有趣的分析，描述了0～2岁儿童解决问题的能力和思考能力的形成过程。但是，对于第一阶段的婴儿来说，还远远谈不到解决问题的能力，他们的反射行为是由自己没有意识的内部或外界刺激所激发的。他们的反应是简单而机械的，并且是完全不受自己意识所控制的。

通过反复的训练，第一阶段婴儿的反射行为开始变得更加可靠而有效。此外，婴儿开始协调自己身体的最初标志就是他越来越频繁地把拳头放进嘴里并咀嚼或吮吸。用同样的方式，他会抓起一个物体，偶尔把它放进嘴里咀嚼或吮吸。但是，如果他把东西扔掉了，他就会忘记它的存在。物体一旦离开了他的手（或嘴），也就离开了他的意识。

这些早期的行为——手指和脚趾的自动抓握反射、嘴巴寻找乳头的反应、经过协调的手臂和腿部动作——可以参照较低等动物的行为进行最好的理解。在我们的育儿教育训练中会放映一部关于红袋鼠宝宝的奇妙电影。远在真正出生之前，袋鼠胎儿就会离开妈妈的子宫，通过宫颈离开妈妈的体内。小袋鼠完全依靠自己，用尽力气从妈妈腹部的阴道口中钻出来，并爬上育儿袋的边缘。随后，小袋鼠会越过育儿袋的边缘，爬进育儿袋，在那里它会找到妈妈的乳头，用嘴衔住，并在里面安家落户，静待胎儿发育阶段的结束。在这个不可思议的旅程中，袋鼠妈妈不给宝宝提供任何帮助，它只是静静地坐着舔自己的阴部，可能是为了将羊水等清理干净。在这一阶段，袋鼠胎儿大约有2.5厘米长，重量不到18克，它的眼睛看不见东西，并且不会使用后肢。与此讨论相关的是，袋鼠胎儿使用了与新生儿相同的反射反应——抓握、寻找乳头、协调肢体和吮吸反射——从而成功地完成了这段旅程。对于袋鼠来说，这些反射以一种非常协调的方式发生作用；对于人类来说，这些反射则是以几乎孤立的方式发生作用的。与这种奇妙的本能反应不同的是，人类的婴儿是依靠父母的帮助来获得食物并使自己的需要得到满足。

袋鼠胎儿的奇妙旅程能够帮助我们了解新生儿为什么拥有某些反射行为。它还能帮助我们了解人类和动物本能行为的差别。总之，诸如我们在红袋鼠胎儿身上，以及蜘蛛织网和鸟类筑巢等行为中看到的成熟的本能行为，在人类生命的任何一个阶段都不会存在。我们所能看到的只是所谓的不完全的、残余的本能行为，尤其是与早期的依恋过程相关的行为。在这个过程中，人类的婴儿在出生后的头两年中形成了与成年人的第一种社会关系。通过这些进化的残余物，我们可以看到，无论是从物种还是从个体角度来说，尽管我们人类具有独特性，但并非与其他哺乳动物完全不同。

缺乏活动能力

如果仰面躺着，处于第一阶段的婴儿就无法自己翻身呈侧躺姿势，也无法移动自己的身体。不过，一些婴儿在生气的时候，可以通过不断地用脚后跟蹬床垫并用力踹腿，从婴儿床的这一端移动到另一端，仅此而已。因此，在婴儿床或摇篮车的内侧壁安装柔软的衬垫是非常必要的。还需要注意的是，即使是新生婴儿，如果把他放在地板的毯子上或其他平面上，如果没有障碍物，他也能移动很长一段距离。因此，父母应当始终保持警惕，以防宝宝这种不被人注意的能力可能带来的不测。

到4周大时，宝宝仰躺着的时候的典型姿势会呈现出双拳紧握的颈紧张反射（TNR）姿势，或称“击剑者姿势”。大约90%的宝宝在85%的时间里都会把头转向右侧。在剩下的15%的时间里，宝宝的头转向左侧。如果轻轻地把他的头从一边转向另一边，你就会发现他的胳膊和腿也会变换为相应的击剑者姿势。这一特点可以在头3个月的大多数宝宝身上看到。刚出生时，颈紧张反射还不明显，或者说还未形成。在4～10周的时候，这一反射表现得最为明显，到婴儿满4个月之前会减弱直至消失。

通常，当第一阶段的宝宝趴着的时候，他只能有片刻使鼻子离开床垫表面。但是，前文已经提及，当他生气时会有更好的表现。还要再等几个月，宝宝才能支撑起他那大得不成比例的头。如果扶着他坐起来，他的头会吓人地耷拉下去。对于第一阶段的宝宝来说，最好始终为他提供头部支撑，尤其是在举起或抱起他的时候。对于所有正常的第一阶段和第二阶段的宝宝来说，不能很好地控制头部是他们软弱无力的表现之一。这一切将在第三阶段得到改变。

颈紧张反射（“击剑者姿势”）

超敏感性

除了软弱、易睡和易怒外，第一阶段的宝宝很可能会具有不同寻常的敏感性。这种敏感性会使敏感的父母变得更加紧张，但是对于刚刚出生几周的宝宝来说，任何刺激的突然变化都会引起惊吓和啼哭，这是非常自然的。附近的尖锐噪音，婴儿床或摇篮车的晃动，或突然改变的姿势都会引发惊吓和啼哭，尤其是当宝宝处于静止状态时。这一阶段宝宝敏感性的另一个不那么明显的表现是，他们会躲避明亮的光线。当进入灯光明亮的房间，或直接暴露在阳光下时，第一阶段的宝宝会紧闭双眼。在较暗的环境中，他才更有可能睁开眼睛打量四周。这一阶段的另一个有趣行为是“洋娃娃的眼睛”现象——有时当宝宝从水平姿势变换到垂直姿势时，他的眼睛会睁开。

微笑

你不能指望第一阶段的宝宝经常露出真正意义上的微笑。虽然新生儿的父母们常常说他们看到宝宝笑了，但我不得不说，情况通常并非如此。有时，此阶段的宝宝可能会展露一个明显的微笑，但是，这种微笑更经常地出现在宝宝睡着的时候，而不是在看着别人的时候。出生后的头几周，宝宝的视觉能力和社会意识都非常有限，甚至无法看清身边的东西，也无法与人进行交流。我们都会一厢情愿地认为自己的宝宝能感受到我们对他深深的爱意，但我认为实际情况并非如此。然而，在宝宝快满月的时候，你会看到他开始对你的脸产生真正的兴趣。对于即将进入第2个月的宝宝来说，人脸从发迹线到鼻子的部分会逐渐对他产生吸引力。

看到自己的手了

一个6周大的宝宝，如果仰面躺着，通常会采用颈紧张反射姿势。尽管他已经能比以前更自由地转动头部了，但还是很少直视上方。宝宝的手，尽管仍然经常紧握着，但此时会经常高高地举起。如果手举起的位置与其头部转动的方向一致，他的手有时就会出现在其视线中，但不管手是静止的还是移动的，宝宝似乎都不会注意到它。这种情况可能会使父母感到担忧，因为在他们看来，宝宝似乎看不到东西。但情况并非如此。第一阶段的宝宝只是还不能很好地看清周围的小东西。他的眼睛还不能聚焦在这样的东西上，并且他还没有形成三维视觉。

在5、6周之后的某些时候，如果仔细观察，你可能会发现，当宝宝的手经过其视线的时候，他会对小手瞥上一眼，甚至可能还会看第二眼，这表明他能够看到东西了。之后的每一天，宝宝看到自己的手的迹象会变得越来越明显，逐渐发展到对自己的手给予注意。

如果在他的手边有可以触碰的东西——例如悬挂在婴儿床上的玩具——你会看到他对这些玩具产生了更浓厚的兴趣。对手的频繁注视，不管是单独的注视还是当手触碰物体时的注视，都表明宝宝的近距离视力发育正常并正在进入第二阶段。

“手-嘴动作”在出生后几天的宝宝身上十分常见，而频繁的“眼-手动作”则出现在宝宝6～10周的时候。“眼-手动作”的发展代表着一个过程的开始——宝宝将学会把手作为一个工具去抓取物体以便拿到自己跟前把玩。从手-眼行为的开始出现一直到宝宝至少两岁的时候，这一行为都是宝宝所面临的挑战和兴趣所在。了解这一过程的每个步骤都将是有趣而有益的，因为你能了解到应该为宝宝安排哪些有趣的活动，以及如何选择适合宝宝的玩具。此外，所有的宝宝都是通过早期的视觉行为开始显示他们天生的好奇心的，而好奇心是我们在宝宝出生后第1年中应当不断培养的非常重要的素质。

第一阶段婴儿的明显兴趣

婴儿摇铃可能是父母买给新生婴儿的最常见的玩具。但不幸的是，非常小的宝宝对摇铃并不感兴趣。他们对毛绒玩具或棒球手套也同样不理不睬。出生后头几周的宝宝对外界环境根本就不感兴趣。如果你把摇铃塞到宝宝的手中，他既不会看上一眼，也不会把它换到另一只手中。几秒钟后，他会撒手把摇铃丢掉，而且根本就不会注意到手里的东西没了。事实上，他在把摇铃丢掉之前，很可能由于胳膊不受控制的挥舞而用摇铃打着自己的鼻子或脸。那么，如果新生儿对摇铃不感兴趣，他们对什么感兴趣呢？

舒适感

通过对新生儿的广泛观察发现，他们所寻求的是舒适感，或至少是对不舒适感的缓解。新生儿很容易感到不舒服，令他们不舒服的很多原因是无法预防的。在喂奶前，宝宝很可能会觉得不安和不满足。大多数宝宝常常在喂奶前以及喂奶中啼哭。当尿布又湿又冷时，他们也会啼哭，但有趣的是，他们对又湿又热的尿布却不介意。任何突然的刺激变化都会引起宝宝的惊吓反应，随之引起宝宝的啼哭。简而言之，新生儿非常喜欢啼哭。当不哭的时候，他们通常都是在睡觉。他们的啼哭似乎要传达这样的信息："我不舒服，快来帮帮我。"注意，他们表达的并不是"我要探索世界"这样的信息。表达这样的信息还要再等上一段时间，但不用等太久。

被抱起来并四处走

人们早就知道，安抚不高兴的新生儿的一个方法就是抱起他，贴近你的身体，摇晃他或抱着他走来走去。有时，坐车能使哭闹不止的宝宝安静下来。这些行为对于第一阶段的宝宝似乎有着极强的安抚作用，至少能暂时掩盖由多种原因所引起的不适。

吮吸

随着第一阶段宝宝的逐渐发育，他渐渐地能够把拳头移动到自己嘴边，并一直放在那里。在他醒着时，不管是自己的拳头还是任何类似的东西放到了他嘴边，他都会去吮吸。如果你有耐心，你可以让宝宝吮吸安抚奶嘴，尤其是当他感到稍有不安时。（正在大发脾气的宝宝对安抚奶嘴不那么感兴趣，也不太可能去吮吸它。）由于吮吸自己的手是这一阶段宝宝的一个非常普遍的行为，因此，我们必须认为这一行为使宝宝很满足。实际上，至少在出生后的8～9个月，所有的宝宝都会咀嚼和啃咬任何能放进嘴里的东西。（这种习惯对于哺乳的母亲来说是有危险的，尤其是在宝宝长牙之后。）

看

在第一个月末期，宝宝会逐渐对观察周围的环境产生一些兴趣。观看的范围主要集中在距离眼睛30～60厘米的区域内。未发育完全的视力会限制宝宝这一兴趣的展现。但是，以视觉探索为表现的好奇心会逐渐显现出来。

有三种东西会吸引宝宝刚刚萌生的视觉兴趣：在与视线平行的位置对着婴儿床摆放的镜子；经过适当设计并摆放在适当位置的描绘人脸上半部分的Mobile玩具；以及宝宝从婴儿床上或仰躺时能够看到的自己面前的东西。后文将会详细介绍需要准备的这些东西。

第一阶段的学习发展

在出生后的头几周里，宝宝的学习过程主要是一个将出生时不稳定、不连续的行为碎片稳定化的过程。这些行为碎片在本章前面曾经提到过。例如，你会发现，在出生后的头几周里，你的宝宝会越来越熟练地找寻和吮吸乳头、把拳头放进嘴里，以及用眼睛捕捉并跟随附近缓慢移动的物体。实际上，在接下来的6周里，那些出生时表现出来的简单反射行为将会逐渐消失。

尽管第一阶段不以明显的学习行为为特征，但是，仍然有必要讨论新生儿的一些主要行为的发展，至少它能使你了解这一阶段的宝宝不会做什么。

智力

研究人类发展的学者们普遍认为，婴儿在刚出生时不具备任何明显的智力，并且至少在其后的几个月内都不会获得。关于智力的定义各不相同，因此，判断婴儿何时第一次显示这种能力取决于以哪种定义作为标准。一个较为普遍的定义与解决问题的行为有关，我们可以据此界定婴儿最早的智力行为。以伊利诺斯大学的J·麦克维可·亨特（J. McVicker Hunt）为代表的学者就持有这种观点，他认为，显示婴儿智力的最早迹象是婴儿有意识地推开一个障碍物，以便拿到想要的东西。这种行为在宝宝满6个月之前并不常见。亨特对此类行为的兴趣来自于其对皮亚杰研究的了解，皮亚杰将上述行为定义为第一个“方法-目的”行为，或婴儿的有目的行为。

大多数成年人认为智力涉及大脑的感知或对心理活动的支配。智力测试的创始人阿尔弗雷德·比奈（Alfred Binet）将智力的核心定义为“良好的判断力”，构成良好判断力的前提是对不同的选择进行比较。众所周知，这一类型的智力要到幼儿将近两岁的时候才开始出现。如果从一般意义上理解“思考“这个词的话，我们没有理由相信第一阶段的宝宝会思考问题。在出生后的头18个月中，宝宝所拥有的大部分智力是在解决问题时以“试错”的模式展现出来的，并且以“手-眼行为”为特征。换言之，在宝宝6～22个月期间，你能够从他的行为中看到解决问题的尝试。

然而，新生儿最初所表现出来的反射行为并非与智力无关。根据皮亚杰的理论，成熟的智力正是从这些简单而互不关联的行为（如抓握和扫视）发展而来的。

情感

第一阶段的宝宝没有太多的情绪状态。无论白天黑夜，其最常见的状态都是睡觉。醒着的时候，他会表现出以下几种组合的情绪行为：懵懂、清醒、静止、安静；或觉醒、清醒、静止、安静；或觉醒、清醒、活动、偶尔发出声音；或觉醒、活动、轻度不安、偶尔大声啼哭；或明显很不高兴（活动和发脾气）。在出生后的第1年里，宝宝会以惊人的速度转换情绪。

运动和感觉能力

在第一阶段中，宝宝的运动能力会明显提高。到4个月的时候，他就可以把头竖起来，并保持一段时间。甚至在6周大的时候，宝宝的头部控制就会比出生时有明显的提高。此时，他已经能够把头从所躺的平面上抬起一点儿并保持几秒钟。然而，很明显的是，相对于其他姿势来说，第一阶段的宝宝更愿意趴着或仰面躺着。

到宝宝6周大的时候，他转动头部和用嘴衔住嘴边物体的行为就会越来越频繁，而且越来越熟练。同样，用眼睛追随缓慢移动的物体的能力也会有一些进步。要对这一能力进行测试，你可以拿一个较大的（直径大于12厘米）色彩鲜艳的物体，与宝宝的眼睛保持30厘米距离，晃动这个物体以引起他的注意，然后很慢地将它从一边移动到另一边。在这个过程中，你可能需要数次反复才能引起他的注意。在这个测试中，新生儿和6周大婴儿的表现通常有很大的差异。

运动能力有所提高的另一个较为明显的表现是，宝宝会越来越熟练地把拳头放到嘴里，并停留在那里。新生儿对于自己的胳膊和手似乎还没有完全的控制能力。但是，到6周大的时候，他就会越来越频繁地把拳头放到嘴里。当然，他的目的是要找到一些可以吮吸的东西。到6周大的时候，一些宝宝已经非常熟练地掌握了这一动作，以至于他们学会了自我安抚。但是，不要依赖于这种好运气。

众所周知，新生儿拥有令人惊讶的抓握力量。尤其是处于觉醒状态时，新生儿每只手通常具有大约0.9千克的抓握力。这一自动“抓握”能力会在宝宝出生后的头6周内延续，并在其后不久逐渐消失。前面曾经提到的袋鼠宝宝的行为可能对解释这一现象有所帮助。

伴随新生儿抓握行为的是典型的双拳紧握姿势。看起来，第一阶段的宝宝对这种行为无法控制，这使得宝宝在前6周中无法进行触觉探索。到3个月的时候，这个限制就会消失，宝宝的脚趾和手指就不会再呈紧握姿势了。

社会能力

从一般意义上来说，新生儿不具备任何社会能力。然而，出生后头6周的宝宝的确会时常发出两个简单的社会性信号。第一个信号是宝宝会倾向于注视抱着他的人的双眼，这可能早在宝宝1周大的时候就会表现出来。第二个则是上文提到过的，宝宝在注视的时候所展露的第一个“微笑”。对于宝宝来说，这些行为是机械的，几乎与人类能力无关，而且在第一阶段很少出现。

语言

第一阶段的宝宝还太小，无法听懂语言，而且在接下来的6个月里也没什么进步。然而，他并不聋。尽管他的听力不如正常的年轻成年人那样敏锐，但他还是能够区分很多不同的声音，甚至刚出生几周的宝宝就有这样的能力。正如我所提到的，各种很大的声响——尤其当宝宝处于深度睡眠状态时——都会惊吓到他。这种特殊的敏感性在出生后的几周里最为突出，而惊吓很可能会伴随着长时间的啼哭。在这种情况下没有反应的宝宝可能具有先天性的听觉缺陷，应尽快请儿童听觉专家进行诊断。

第一阶段的宝宝会发出声音。他们不仅啼哭、尖叫，而且在满足的时候也会发出简单的声音，不过在出生后的头几周里，他们对倾听任何声音都不感兴趣。到3、4个月的时候，他们会在玩耍时发出咿呀声。

第一阶段推荐的养育方法

第一阶段的养育实践应在第一章中所描述的目标的指导下进行，要记住发展宝宝的具体技能和兴趣。记住什么是宝宝不能做的和什么是宝宝不感兴趣的，也是很重要的。

让宝宝感受到关爱

在宝宝出生后的头几周里，你可以通过尽量缓解他不可避免的经常的不适感，使他感受到关心和爱。我建议你经常抚摸宝宝，并且尽可能迅速地对宝宝的啼哭给予回应。你应当养成习惯，经常检查一下是否有什么明显的原因会造成宝宝的不安，但是，如果有时找不到原因，也不要惊讶。要经常留心寻找造成宝宝不安的潜在原因，如果宝宝不安的迹象一直持续或较为严重，应寻求医疗专业人士的诊断。

让你的宝宝感受到关心和爱，是宝宝人生头几年中最为重要的一个目标。研究人类发展的学者大都同意这一观点。

如何安抚第一阶段的宝宝

初为父母的你通常需要3个月左右的时间，才能逐渐胜任照料宝宝的工作。因此，如果你在前几周遇到了麻烦，也不要气馁，这是再正常不过的。据我所知，造成这一阶段宝宝的不适只有几个典型的原因，而且这些原因都是生理方面的，而非心理方面的。饥饿、困倦、寒冷、肚胀、又湿又冷的尿布以及疾病都会使宝宝不安。其他一些不明原因也可能会引起宝宝的不适。如果这种情况经常发生，宝宝可能是得了“腹绞痛”。

如果宝宝刚吃完奶不久，而且吃奶的情况也不错，那么很明显，问题可能出在其他方面，尽管有时宝宝仍然会感到饥饿。如果从上次喂奶到现在已经超过两小时了，宝宝哭闹很有可能就是因为饿了，因为新生儿会在3个小时之内消化掉胃里的食物。

如果问题不是出在饥饿上，并且，如果宝宝刚刚吃完奶，那么导致不安的原因可能是胀气，要试着让他打嗝。如果还是不行，要检查一下宝宝的尿布。当然，这些建议的前提是宝宝没有生病。如果宝宝生病了，你应当向医生咨询。

你需要以很快的速度逐一排查这些原因。如果这些都不是造成宝宝不安的原因，那么，转移注意力（宝宝的注意力，不是你的）是你接下来需要做的。幸运的是，第一阶段的宝宝的注意力很容易转移，并很容易使他感觉舒适。

转移婴儿的注意力并对其进行安抚的一个最常见方法是使用安抚奶嘴。对于大多数0～6个月的宝宝来说，吸吮的欲望是如此的强烈，因此吸吮安抚奶嘴、拳头或手指（宝宝自己的手指，或在紧急情况下也可以使用你的手指），常常能使不舒服的宝宝安静下来。我和儿童牙科医生讨论过使用安抚奶嘴的事情，没有从他们那里听到反对意见，而且也亲眼看到它所产生的效果，因此，我强烈支持使用安抚奶嘴。一些父母无法忍受看到自己的宝宝嘴里衔着安抚奶嘴，我认为，对于这些父母来说，不使用安抚奶嘴只能是失去安抚宝宝的一种方法。顺便说一句，尽管存在例外，但一般的宝宝会在快满1岁的时候主动放弃安抚奶嘴。

新父母们可能不知道何时给宝宝安抚奶嘴。你不应等到宝宝大声哭闹时才给他奶嘴，在那种情况下，他甚至不会注意到它。如果你的宝宝正在大发脾气，而且对你给他的安抚奶嘴不理不睬，这时候你可以试试“升降机运动”。

升降机运动

“升降机运动”是经由我的妻子珍妮特·霍奇森-怀特（Janet Hodgson-White）而得到推广的一个小窍门：把宝宝紧紧地抱在你的胸前，注意要托着他的头，屈膝，使他下降几厘米，然后突然停止，重复这个动作，使他轻轻地上下颠簸。试着达到一架升降机的效果，但是需要以很快的速度停下。这种办法几乎总能使不高兴的宝宝安静下来，然后让他们注意到安抚奶嘴，抓住并吮吸它。

轻轻的抚摸和摇晃能缓解由多种原因造成的不安。在这一阶段中，有一个非常有用的东西——摇椅或摇篮。这种古老的装置不仅能安抚哭闹不止的新生儿，而且也能带给你很多愉悦。摇晃宝宝是一个非常古老的安抚办法，而且常常都很有效。装电池的秋千摇篮在宝宝出生后的3个月到4个月里也是非常有用的。

一些奇怪的办法有时也会起作用。在旁边开动吸尘器发出的声音就是其中的一种办法。流水的声音同样如此。模拟子宫中声音的小装置也能使宝宝安静。让收音机发出很大的静电噪音也值得一试。把宝宝放到正在运转着的干衣机顶端（当然，你千万不能走开）也不失为一种选择。很多父母把抱着宝宝坐车视为安抚宝宝的最后一招。如果你希望既省力又省汽油，你可以买一个能固定在床垫下面使床轻轻摇晃的装置，模拟坐在汽车上的感觉。这种装置配有盒式录音带，可以播放汽车开动时的声音。

掌握了以上方法之后，你就可以在大部分时间里有效地对宝宝进行安抚了。但是，这并不能保证会百分之百成功。有时——我希望不是经常——你可能不得不让宝宝“发泄一下”。如果你决心永远不让宝宝哭闹，你就会为此筋疲力尽，而这对任何人都没有好处。

帮助宝宝发展特有的技能

我并不很赞成在宝宝出生后的头几周里就着手培养他的能力。在这个时候，宝宝还没有做好相应的准备。在这几周里，相对于其他需要来说，宝宝最需要的是休息和舒适。

有效养育的一个基本原则

实际上，如果得到了足够的爱和关心，宝宝在头7、8个月里应当获得的重要技能都会得到很好的发展。良好的视力、越来越熟练的身体控制能力、准确地够到附近物体的能力是如此重要，以至于我们人类的进化使得只有在婴儿受到严重限制的情况下，才会影响这些能力的正常发展。不过，我仍然建议在最初的几个月里为宝宝提供某些类型的玩具和其他东西。为什么？尽管无法证明，但我确信，如果在生长环境中有适合宝宝快速发展兴趣和能力的各种活动可供选择，宝宝就更有可能享受到生活的乐趣，并对学习新东西产生越来越高的热情。在这段非常有趣的时期，宝宝具有很强的可塑性，因此，在本书中，我将尽可能详细地讨论宝宝在出生后的几年中对什么感兴趣。

让宝宝肚子着地趴着，每天进行几次，除非他不愿意，否则这种姿势都能促使宝宝练习抬头。如果宝宝总是仰面躺着，就无法练习这一动作。(顺便说一句，一些医疗人士建议平时不要让宝宝仰面躺着，尤其是在睡觉的时候，因为这样有可能会发生由唾液引起窒息的危险。)

由于新生儿大部分时间都在睡觉，而且他的视力还很有限，此时拿些有趣的东西让他看可能没什么用，尽管这么做也没什么不好。

当宝宝被抱起来的时候，他可能会做出各种身体反应，以适应姿势的改变。然而，除了这些简单的、不连续的行为之外，我不认为宝宝在出生后的头几周里会发展什么特有的技能。快满月的时候，宝宝会逐渐开始显示出对周围世界的兴趣。我们发现，很多3～4周大的宝宝会注视一些设计适当的Mobile玩具。由于这样的东西很难买到，[①] 你最好自己动手制作。

如何为3～9周大的宝宝制作Mobile玩具

Mobile玩具应当放置在宝宝经常注视的地方。通常，在这一阶段，平时仰面躺着的宝宝会在80%～90%的时间里注视最右方，其余时间注视最左方。大约有10%的宝宝较为喜欢看左侧。(还不清楚

---

①最近，绘有黑白两色圆型图案（人脸、棋盘和公牛眼睛图案）的活动玩具比较流行。它的强对比度是可取的，但是单个的图案太小了，而且悬挂在宝宝上方的位置也不是最好的。此外，我不喜欢它的制造商进行市场宣传的方式，他们总是想尽办法让你相信，他们的玩具能够起到某种特殊的“教育作用”。棋盘和公牛眼睛图案之所以被选中，是因为凯斯西储大学的罗伯特·范茨（Robert Fantz）在他20世纪50年代的著作中使用了这些图案，但是，范茨的著作中并没有提到这些图案具有任何教育作用。另一方面，人脸的图案明显更符合新生儿的兴趣。在任何时候，大约花上15美分和15分钟，你就能制作一个更好的Mobile玩具。

这一早期偏好是否与日后使用左右手的习惯有关。）因此，为这一阶段宝宝准备的Mobile玩具不应直接悬挂在宝宝的正上方，而应挂在他的最右方或最左方，或者，你也可以选择在两侧都挂上玩具。

要把玩具放置在一个使宝宝觉得舒服的距离上。在3～9周这一发展阶段，大部分宝宝不会看距离自己13厘米以内的物体，也不会看距离超过46厘米的物体。我建议选择25～30厘米的距离。

Mobile玩具的设计应当使宝宝仰面躺在婴儿床上时能够看到。市场上能买到的大多数Mobile玩具，与其说是为了吸引婴儿床上的宝宝，还不如说是为了吸引那些买玩具送给宝宝的成年人。由于宝宝特别喜欢看人脸从鼻尖到额头的那一部分，因此，Mobile玩具应当画上这样的图案。它还应当使用鲜明的对比色，因为这样的颜色更能吸引这一阶段宝宝的注意，而柔和的颜色和其他差异不大的颜色则不行。图案应当朝向宝宝，而不是朝向站在婴儿床旁边的大人。

不用费什么劲儿，你就能在家里做出一个很好的Mobile玩具，而且，这一阶段的宝宝不会尝试伸手去够它们。因此，你无需担心你的第一个Mobile玩具没有坚固的支撑。你可以使用任何方法把画着人脸图案的玩具悬挂在适当的位置。你可以在纸板上绘制或粘贴图案。此外，尽管这一阶段的宝宝对于细节的观察力不是很强，但在玩具上添加一些你的设计也未尝不可。尽情发挥你的艺术冲动吧。

尽管我建议使用Mobile玩具，但不要指望这些玩具能为宝宝带来什么惊人的发展。然而，由于宝宝对外面世界的最初兴趣与观看周围的环境有关，因此，你也可以开始着手进行一项重要而基础的任务——设计宝宝的世界，使之符合现阶段宝宝的兴趣。除了给宝宝喂奶的人的脸、镜子以及设计得当的Mobile玩具之外，很少有什么东西能满足第一阶段宝宝的兴趣。

另一个有用的东西就是固定在婴儿床一侧的镜子。应选用直径13～15厘米的高质量防破碎镜子，把它固定在婴儿床的栏杆上，这样，当宝宝向左右看时，他就会看到自己。镜子不应完全垂直，而是应当在上部倾斜10度左右，这样宝宝才能直接看到自己的脸。

除了试图抬起头和注视人脸图案之外，不应当鼓励第一阶段的宝宝发展其他特殊技能。有些人对此持不同意见，但我不知道他们的根据是什么。

语言发展的重要事项

从宝宝刚出生就开始和他“说话”，绝对是个好主意，尽管这对你来说感觉并不非常自然。如果你从一开始就整天对宝宝自言自语，那就太好了。然而，我们在研究中发现，很多父母不愿意经常和宝宝说话，不仅是在宝宝刚出生的几周里，而且在宝宝一岁半之前都是如此，大多数宝宝在一岁半的时候就会说话了。在宝宝刚开始能理解词语的意义时就已经养成说话的习惯，这对于语言教育来说是最好的。通常，宝宝在6个月左右的时候就开始懂得词语的意思了。

要养成发现并向宝宝谈论他正在关注的事情的习惯。对0～2岁的宝宝来说，他们的主要注意力都集中在此时此地，而无法理解视线之外的东西或发生在过去和未来的事情。例如，谈论你一两个星期之后要做的一次旅行，不会比谈论宝宝当时正在注视的你的脸或他的手更能引起他的兴趣。

因此，最有效的谈话应当围绕宝宝当时正在关注的事物，并以简单、普通的语言谈论它。换尿布、洗澡和玩要都是很好的谈话内容。

鼓励宝宝对外部世界的兴趣

在宝宝进入下一个发展阶段之前，想激发他们的好奇心是不会有什么结果的。在下一个阶段，宝宝的探索欲望才会高涨起来。当然，你可以给他一个很好的Mobile玩具、一面镜子，每天给他换几次地方，或者经常更换他周围的东西，这就足够了。你还需要知道的是，一个不高兴的、但吸着安抚奶嘴可以安静下来的宝宝，可能会对四处看看表现出一些兴趣。而一个大哭大闹的宝宝则不会。

睡眠

宝宝睡眠不足是父母们经常遇到麻烦的一个典型原因，尤其是在宝宝出生后的第1年。以我们的经验来看，人工喂养的宝宝会在第6个月末之前养成良好的睡眠习惯。这一习惯包括每晚7点到8点之间上床睡觉，并且一觉睡上10个小时左右。此外，宝宝每天通常有两次小睡，加在一起3个小时左右。而吃母乳的宝宝则还要再等两个月左右才能养成这样的好习惯。

这些只是最常见的睡眠习惯，很多宝宝还有着其他各种各样的习惯。一些幸运的父母在宝宝4个月大的时候就解除了烦恼，而其他父母则不幸得很，要在宝宝8个月甚至更晚的时候才能让宝宝有更长的睡眠。不幸的是，对很多父母来说，在他们的宝宝2岁以前，他们都需要面对这个头疼的问题。关于这个问题的书籍和讨论比比皆是，因为由于睡眠不足而引发压力是一件非常普遍的事情。我们所提出的建议取得了很好的效果，在后面的章节中将详细讨论这些建议。

在第一阶段中，你会失去很多睡眠时间。因为宝宝的胃还很小，只能容纳可供他消化3个小时的食物。尽管也有例外，但在宝宝满10周之前，你都不得不在晚上每隔3小时起来一次给宝宝喂奶。

在这一阶段和接下来的两个阶段中，你应在每次宝宝醒来和啼哭时尽最大努力去安抚他，这是十分重要的。不要听信任何关于安抚宝宝会把他“宠坏”的说法。在大约6个月大的时候，宝宝才开始有目的的哭闹，而在此之前，你不用担心会把他宠坏。

不推荐的养育方法

除了告诉你我们所推荐的养育方法之外，我认为还有必要让你了解一些我们不推荐的方法，以便摒弃当前一些错误的养育观念。

为宝宝提供一个精心布置的“丰富”环境

如果有人建议你购买和使用一套“教育”玩具来激发宝宝的所有感官功能，不要轻易相信。“丰富环境”这一观念近些年来开始流行，这种说法有它的可取之处，但必须谨慎应用。一些商业集团和儿童发展人士滥用了这一观念。

对于这种丰富的环境，第一阶段的宝宝是个可怜的旁观者，尤其是在第一阶段的前半部分（0～3周），此时宝宝很少保持清醒。丰富的环境对熟睡的宝宝不会产生什么作用。而且，当第一阶段的宝宝醒着的时候，他有限的感知能力和原始的智力状态对他的学习构成了严重的限制。简言之，此时就开始精心装饰宝宝的环境还为时过早。

让宝宝“发泄一下”

在托幼机构中长大的宝宝会在第1年里变得越来越不爱哭。他们似乎朦朦胧胧地认识到，除了使自己疲劳以外，哭闹产生不了什么作用。而在家庭中长大的宝宝，如果哭闹时通常都能得到回应，他们会比在托幼机构中长大的宝宝更加爱哭，但如果哭闹有时得不到回应，宝宝就更加爱哭。根据约翰·霍普金斯大学M·恩兹沃斯（M. Ainsworth）的研究，对婴儿啼哭做出经常而迅速的回应能够使看护人和婴儿之间建立起更加牢固的依恋关系，其结果比有意或无意地不给予回应要好。有一个很重要的问题需要注意，有时你可能无法安抚第一阶段的宝宝。这时，不得不让他“发泄一下”，但不要让它变成经常性的行为。

不要因为害怕宝宝受到伤害或过度刺激而不去抚摸他

很多证据显示，新生儿非常喜欢被抚摸、爱抚和轻轻地移动。

在宝宝出生时，适合于抚摸所激活的那部分神经系统比那些与意识、眼睛和耳朵有关的神经系统要发育得更好。此外，抚摸对于不高兴的宝宝有着很好的安抚作用。

据我所知，温柔的拥抱和抚摸根本不会对这一阶段的宝宝造成过度刺激。如果出于某种奇怪的原因，坚持不让一个困倦的宝宝睡觉就是一种“过度刺激”，但这样的行为似乎不会发生。

第一阶段宝宝的推荐物品

你应当为出生后头6周的宝宝购买和使用以下物品。

安抚奶嘴

找到合适的安抚奶嘴是一件需要不断尝试的事情。当然，你应该只买优质品牌的产品。安抚奶嘴的价格不算很贵。你可以购买3～4种，找到宝宝喜欢的那一种，然后至少购买6个。最好同时买几个安抚奶嘴的固定链和夹子，一端固定在安抚奶嘴上，另一端固定在宝宝的衣服上。对初为父母的人来说，没有什么比宝宝大哭大闹时找不到安抚奶嘴更让人手忙脚乱的事情了。

Mobile玩具

制作两三个Mobile玩具，放在婴儿床和换尿布的台上。不需要去买，你自己制作的玩具会更好。

一面镜子

如上文所述，买1个或几个10～15厘米的镜子。

这些就是你现阶段所需的东西。以后这个清单还会增加。

标志着第二阶段开始的行为

当你的宝宝从第一阶段步入第二阶段的时候，你要留心观察他有哪些明显的变化。但是，要记住，这些变化不会在一夜之间发生，也不会精确地在某个特定的时间发生。宝宝的发育是一个渐进的过程，发育速度则因人而异，尽管在第一个月的时候这种个体发育的差异较小。

明确的社会性微笑

你不能指望宝宝在某个精确的时间露出明确的社会性微笑。然而，大部分在家庭中长大的宝宝都会在第3个月中频繁地对周围的人展露微笑，甚至早在宝宝6～7周时，你就能看到这种迹象。此时，你也许能看到宝宝对着自己的手或其他熟悉的物品微笑。宝宝的第一个微笑有什么社会含义呢？我们会在后面详细讨论这个问题。

对手的关注

尽管在第2个月，宝宝的手会越来越频繁地出现在自己的视线中，但是当手继续移动时，宝宝似乎对其视而不见。他并非看不见，只是对于注视距离较近的物体还不太熟练。但是，到第3个月的时候，宝宝的视觉能力会有所发展，能够看清自己手的三维图像，尤其当手距离他的眼睛13～23厘米的时候。从那时起，宝宝开始用越来越多的时间研究自己的手及其运动。如果你在地板健身架或婴儿床健身架上悬挂玩具，你会第一次看到宝宝在触摸玩具时注视自己的手。类似行为的迹象可能早在7～8周时就能看到，但通常还要再过几周才能出现。宝宝对手给予关注的第一个迹象可能是对它多看了一眼。当手经过他的视线时，他可能突然地用目光追随它。逐渐地，在接下来的几周里，注视的时间会越来越长，宝宝似乎经常尝试着让手停留在自己的视线之中。

清醒时间的大量增加

刚过第 6 周，尤其是当手-眼动作变得较为频繁的时候，你可能会看到，宝宝每天醒着的时间比以前长多了。1 个月大的宝宝每小时平均有 5 分钟的清醒时间，而 2 个月大的宝宝则增加到白天每小时有 15～20 分钟的清醒时间。在此，我还要提醒一下，宝宝的发育速度因人而异。可以说，第一阶段的宝宝大部分时间都在睡觉，但是大部分 2～3 个月大的宝宝在白天经常保持清醒状态。同时，宝宝在晚上的睡眠周期会相应延长。

第3章

第二阶段：6～14周

概述

与新生儿不同，第二阶段的宝宝会对身边的事情产生一种真正的兴趣。这种兴趣最明显的表现，就是宝宝清醒的时间越来越长。在这一阶段中，宝宝的社会性反应也会真正开始显现出来。谢天谢地，这一阶段也是宝宝开始一觉睡到天亮的时期。

第二阶段开始的最明显的标志之一是，宝宝开始频繁地露出真正的社会性微笑。第二阶段的另一个标志是，不管是单独注视还是用手触摸或击打周围物体的时候，宝宝都能用眼睛看到自己的手，随后会久久地注视它；在随后的几个星期里，宝宝还会在手举过头顶的时候注视自己的手指。这两个有趣的事件——社会性微笑和对手的注视以及对周围物体的探索——在逐渐延长的清醒期的出现，显示着宝宝开始对探索世界产生了真正的兴趣。

然而，第二阶段的学习在数量和类型上仍然比较有限，因为这一阶段的宝宝不仅面临着巨大的障碍，而且所拥有的技能也很有限。

毕竟，这一时期的宝宝还不能以任何真正的方式移动自己，对仍然大得不成比例的头部也难以很好地控制。实际上，即使是对于学习来说十分重要的视力，在这个特定阶段的大部分时间里也只是得到了部分发育。然而，对环境的适应和掌握已经开始了。

第二阶段宝宝的一般行为

身体和头部控制

尽管第二阶段的宝宝在许多方面的能力还很有限，但是，这个特殊的阶段是宝宝在其人生第1年中发展速度最快的一个时期。第二阶段的宝宝还不会自己翻身、用手够东西，甚至把身体从一侧转到另一侧，但是，与第一阶段相比，他的行为要协调得多，而且在很多方面与第一阶段都不同了。

对于6周大的宝宝来说，胳膊的姿势取决于头的位置。为了证明这一点，你可以轻轻地把宝宝的头从一侧转到另一侧，你会看到，他的胳膊也会相应地变换位置。在第一阶段和第二阶段的早期，宝宝对此还没有控制能力。

在6～14周之间，宝宝最喜欢的休息姿势会逐渐从不对称的侧向位置（脸颊贴近床垫）转变为脸颊离开床垫表面，起初只是离开很小的角度，然后逐渐增加，而后，到第4个月时，他已经能长时间地把头摆正了。

到了第14周，头的位置不再决定胳膊的位置了。另外，宝宝的两只胳膊似乎能够或多或少地单独活动了。与6周大的宝宝不同，14周大的宝宝开始喜欢中线对称姿势，但他不会局限于这个偏好的姿势。6周大的宝宝对头部运动的细微控制能力还很弱，而14周大的宝宝在仰面躺着的时候，可以把头自由地转动180度。如果观察一个14周大的仰面躺着的宝宝，你常常会发现他采取头部对准中线的姿势，双臂和双腿弯曲，腿部略微离开婴儿床的表面。

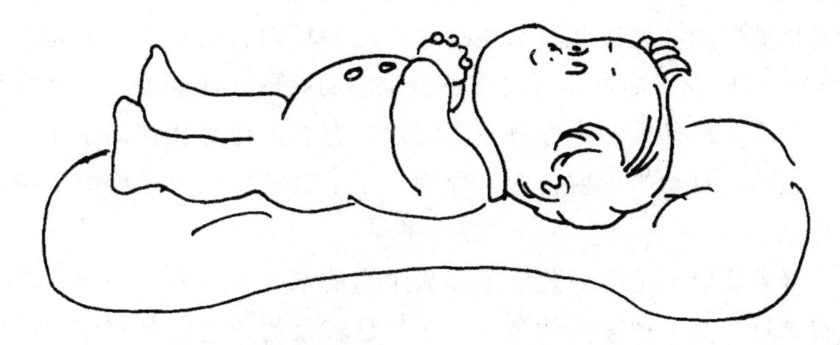

第二阶段后期宝宝的中线姿势

社会能力

另一个显著的变化出现在社会性方面。6 周大的宝宝是个很严肃的小人儿。除了偶尔稍纵即逝的微笑之外，有时在没有注视人脸或听到任何声音的时候，宝宝也会露出些许微笑。但 14 周大的宝宝就不是这样了。这个时期的宝宝会经常微笑，这对父母来说是多么美妙的礼物啊！当然，这些一般性的说法总是会有例外，如果你的宝宝不是经常露出欣喜的表情，你也用不着紧张。然而，大体上来说，这是一个宝宝会慢慢变得兴奋的时期。频繁展露的社会性微笑通常会在宝宝 8～10 周大的时候开始出现，随之而来的是对注视人脸的浓厚兴趣，尤其是人脸从鼻尖到额头的部分，这一点前文已经提到了。

运动行为

在第二阶段，宝宝显示出的一个不那么明显但同样重要的变化是运动行为质量的提高。6 周大的宝宝在很多方面都像一台小机器。如果你轻轻地把他的头从一侧转到另一侧，他的手和腿也会跟着转动。如果你用手指轻轻触摸他的嘴唇，尤其是在他醒着的时候，你会看到他突然把头转向你的手指，衔住它并开始吮吸。这种寻乳行为是机械性的，就像儿科医生所测试的膝反射行为一样。但是，到14周大的时候，如果你再用手触摸宝宝的嘴唇，他就不会突然发生寻乳反应，而是可能在停顿一下之后，有意识地寻找你的手指。那种机械的、自动的反射行为已经消失了。这种变化似乎反映出神经的成熟。

寻乳反应不是第一阶段宝宝显示出的惟一的机械行为。在前面我提到过，如果把某些物体——尤其是较大的、色彩对比强烈的物体——拿到宝宝面前，它们就能引起宝宝的注视并用目光跟随。

尽管让第一阶段的宝宝注视并用目光跟随一个物体通常是一件很困难的事，但是，6～10周大的宝宝却会非常熟练而稳定地用目光追随这样的物体，尽管这种行为也同样具有机械的性质。我曾经看到过好几个第二阶段早期的宝宝，一个挨一个地用目光追随在他们头顶上来回晃动的一个18厘米直径的大红色圆圈好几十次。这明确地显示出，这个阶段的宝宝确实对自己的行为没有控制力。对6周大的宝宝来说，如果把一个较大的物体放到距离他30～46厘米远的地方，稍稍离开他的视线，然后轻轻晃动，这时候宝宝的注意力就会被吸引过去。如果随后把这个物体缓慢移动，宝宝通常就会用目光追随它。

然而，到宝宝14周大的时候，他就能很好地——并且很感兴趣地——追随较小的不规则形状的彩色物体。在这个年龄，你会看到，他的追随行为不再像以前一样是不由自主或自动的了。这种变化与这个特定时期视觉能力的极大提高有关。

研究者们曾经在实验室对另一个引起机械性自动反应的现象进行了研究。把一个直径8厘米的黑色绒布圆盘放在距离宝宝的眼睛91厘米的位置，然后缓慢向他靠近，在理想状态下，当它到达距离宝宝的眼睛大约46厘米的位置时，会吸引6～8周大的宝宝的注意力。宝宝似乎是被迫地注视到这个物体的，直到物体移动到离他20～25厘米远的位置时，宝宝就会停止注视。逐渐地，在接下来的几个星期里，宝宝对同一物体保持注意力的范围扩展至最大，可从 10 厘米到 61～76 厘米。快到 14 周的时候，宝宝的行为有了新的变化。他不再被迫地注视某个物体，而是通常在物体离他 61 厘米左右的时候对它瞥上一眼，然后就完全失去了兴趣。

这些各种类型的行为使研究早期人类发展的学者们确信，2 个月大的婴儿不会主动寻求与环境的接触，而是被迫对刺激做出反应。与此相反，3 个半月的婴儿（第二阶段结束时）不再是被迫做出反应了，他似乎对自己的行为拥有了更多的控制力。

力量的增长

第二阶段宝宝的另一个明显变化是从无力到有力。尽管与新生儿相比，6 周大的宝宝力气要大得多，但他仍然只是一个相对软弱的小人儿。为了证明这一点，你只需把宝宝翻过来让他趴在床上，你就会看到，他通常会努力把头抬起，但只能抬起几厘米。不过，到 14 周的时候，宝宝就能轻松地把头垂直地抬起。另外，他还能在 10～20秒或更长的时间里保持这个姿势并向四周看看。

14 周大的宝宝的胳膊和腿也比以前强壮多了。你会发现，在这个阶段，宝宝很喜欢锻炼他刚长出的肌肉，尤其当你让他站在你的大腿上时。随着体重的显著增加，此时宝宝的肌肉也开始发育，所以这一阶段的宝宝会变得更胖、更强壮。

视力发育

第二阶段的另一个显著变化与视力有关，而视力是学习过程的核心。第一阶段宝宝的视觉聚焦系统还缺乏灵活性，只能将眼睛的焦距清晰地对准非常有限范围内的物体。对于大部分第一阶段的宝宝来说，距离眼睛 18～23 厘米是理想的聚焦范围。然而，由于视觉系统的其他不成熟之处，即使在最佳聚焦范围内，宝宝也不容易看清楚东西。

但是，到第一阶段结束的时候，大部分宝宝的眼睛都能在 15～30 厘米的范围内清晰聚焦，并能看清楚物体的细节。在第二阶段中，大部分宝宝的视觉聚焦系统会得到充分的发育。14 周大的宝宝可以对各种距离的物体调整视觉焦距。

另一个主要的视觉能力也会在第二阶段得到基本的发展。这就是双眼同时聚焦，它能使我们在看 1 米以内的较小物体时获得三维图像。新生儿不具备将双眼同时聚焦在一个正在向自己靠近的物体上的能力，这一能力要到宝宝接近 10 周大时才会出现，到那个时候，宝宝似乎是一下子就获得了这种能力。2 月龄以下的宝宝，当注视 13～18 厘米远的物体时，不仅不具备完善的聚焦能力，而且无法使双眼同时对准这一物体。他看到的东西是重影的。而 3 个半月大的宝宝的视觉能力已经近乎成熟。

在宝宝出生后的 3 个半月之中，如果你注意观察他注视附近较小物体的方式时会发现，在他 7～8 周大之前，即使他对这样的物体给予注意，也只是对它瞥上一眼。与此不同的是，在 8 周之后，他就会更加仔细地观看附近的小物体，当他注视这些物体的时候，会熟练而快速地查看它们的特征。这时，宝宝已经长成一个具有复杂视觉能力的小人儿了。

手的位置和对手的关注

另一个很容易看到的显著发展和宝宝的手有关。6 周大的宝宝的双手通常呈握拳姿势，如果他的头转向手的一方，他也不会看它。然而，在第二阶段中的某些时候，宝宝会开始注视自己的手，有时是单独注视，有时是在用手触摸附近物体的时候注视。到 3 个月的时候，宝宝会每次注视自己的手 5～10 分钟，并且每天注视好几次。这种对手和手指越来越关注的新习惯，通常出现在宝宝具备了视觉聚焦和能够形成三维图像的能力之后。

另一项有趣的发展是伴随着手-眼联系而产生的。在第二阶段，宝宝的双拳紧握姿势有时会变成手指稍稍松开的姿势，有时，手指甚至会完全伸直。这样的姿势能为宝宝提供更有趣的视觉形象，因为 4 个手指和拇指有很大差异，看起来比一个拳头有趣得多。因此，在宝宝出生后的第 3 个月，你会看到他经常活动手指，并饶有兴趣地注视它们。

在第二阶段结束时，大部分宝宝具有的一个普遍动作是“双手在中间相扣”。除了极个别的时候之外，6 周大的宝宝以颈紧张反射姿势躺着，根本无法把双手放到一起，但当宝宝到了 3 个月左右的时候，你可能会看到他在仰面躺着的时候把双手都放在胸前并相互接触，之后宝宝会因这种有趣的双手相触的感觉而对其进行注视。

在接下来的几个星期里，白天的时候，你会看到宝宝经常把双手放到胸前相互触碰。他可能会把双手放到嘴里去咬，然后再把它们移开并仔细地看，此时他的双手可能是相互扣握在一起的，或是以其他的方式相互接触的。

腿的姿势

第二阶段会有众多显著变化，腿的姿势变化就是其中之一。在宝宝第 4 个月时——通常在第二阶段结束的时候——宝宝的腿已经发育到一定程度并增长了一些肌肉组织，有时能够把腿抬离床面 2.5～5厘米。此外，宝宝能够用腿蹬踹，如果他的双脚遇到了阻力，弯曲的双腿就会用力反复蹬踏。到第二阶段末期，如果你把宝宝竖直抱着，让他用脚踩在你的大腿或其他坚硬的表面上，宝宝就能够支撑起自己身体的大部分重量，从这一点可以看出宝宝双腿力量的增长，也可以看出宝宝脚底感觉到压力时会进行蹬踏的趋势。

好奇心

第一阶段早期的宝宝寻求的是平和宁静，你可以把第一阶段末期的宝宝称作一个“观察者”，而第二阶段的宝宝则是个很不一样的小人儿。6～14 周的时候，宝宝的双手会逐渐在他的探索过程中扮演重要的角色。从2个月开始一直到2岁左右的时候，宝宝对自己的手的兴趣将是其日常生活的一个中心特征，对此你一定不要低估。我们发现，在宝宝8～10周大的时候，如果你把一个较小的，对宝宝有吸引力的东西（例如摇铃）放到距离宝宝眼睛13～15厘米的地方，并向右边移动，他就会盯着这个东西，在很多时候，他的右手会突然抬起，伸向那个物体，并击打它。这种“击打”或“挥击”行为通常出现在宝宝第一次对自己的手产生持续兴趣之后的1～2周。从这时起，宝宝就不再仅仅满足于“看”了。他们希望在探索过程中手眼并用。但是要记住，尽管具有强烈的好奇心，但由于身体尚未完全发育，第二阶段宝宝的探索行为仍然受到很大限制。你必须把世界展示在他们面前。想象一下，如果你处在一个丰富多彩的环境中，并且具有强烈的好奇心，但却无法通过自己的行动去了解周围的环境，那么你就会在一定程度上理解一个普通的3个月大的宝宝的处境了。

3个月大的宝宝在很多方面都会显示出其好奇心。他会饶有兴趣地对你的脸进行一番研究，不论是单独注视还是在用手探索物体时，他都会研究一番自己的手。他还喜欢触摸衣服和床单，并把物体放进嘴里。由于第二阶段的宝宝喜欢用手去抓所有能抓到的东西，因此，在宝宝6～7周之前所使用的用来悬挂玩具的不牢固的支撑物已经不再适用了。在第二阶段，应当为宝宝选用婴儿床健身架或地板健身架，而且这些支架必须足够牢固。

行为的协调性

新生儿只不过具有几种互不相关的反射行为。例如，新生儿会握住放在他手中的摇铃，但不会去看它。而第二阶段的宝宝在动作协调性方面有了很大进步。一个10周大的宝宝会用手击打一个他够得着的物体。在看到周围的物体时，更大一点儿的12～14周宝宝会做出其他的手、臂动作。如果把一个东西放在他手里，10周大的宝宝很可能会看看它，然后把它放进嘴里咬。根据皮亚杰的理论，这些面对较小物体进行反应时的行为组合显示，一些动作系统——抓握、注视和吮吸——在某种程度上已经具有协调性了。

当宝宝12～14周大的时候，体现行为协调性的另一个有趣迹象就会显现出来。在看到一个能伸手够到的较小物体时，14周大宝宝的通常反应是把双手放在胸部下方并握在一起。此外，在这一阶段往宝宝的任何一只手里放一个东西，他都会把手移到身体的中线位置，而另一只手也会伸过来，用手指拨弄那个物体。这样的行为是一种触觉探索，再次显示了宝宝是如何协调地用另一只手、眼睛和嘴一起探索手中握着的物体的。

第二阶段婴儿的明显兴趣

探索

如果要描述第二阶段宝宝的主要兴趣，可以使用“探索”这个词。与大部分时间都在睡觉的第一阶段宝宝不同，第二阶段的宝宝，尤其是从第二阶段中期开始，以其明亮的眼睛、越来越长的清醒时间和越来越灵敏的反应而给人留下深刻印象。这一阶段的宝宝会以几种有趣的方式进行他的探索。

观看

这一阶段的宝宝首先是一名观察者。他尤其喜欢观察人脸或人脸的照片。他对距离眼睛13～30厘米的小而精细的物体很感兴趣。他尤其喜欢看缓慢移动的物体。他仍然不太喜欢看房间另一边的物体，但是他对较远处物体的兴趣在逐渐增长。

触摸

观看对第二阶段的宝宝来说意义重大，同时他也对使用自己的双手显示出了同样强烈的兴趣。不论他是被抱着、抬头看着你的脸、拿着一个小物体，还是看着在他伸手可及的范围内的任何东西，在两个半月的时候，宝宝都会尝试用自己的手去探索各种表面和形状的物体。

啃咬

这一阶段宝宝的第三种探索方式是把东西放进嘴里。啃咬是他们最喜欢做的事情。起先，他啃咬的最常见的小东西是自己的拳头。随着他的长大，宝宝会啃咬和吮吸自己的手指。实际上，他会啃咬任何能放进嘴里的东西。他这样做是出于两个明确的原因：(1) 他的嘴巴是一个用来探索的器官；(2) 在长牙之前，他很嫩的牙床可能会有些疼痛。他可以通过啃咬物体来缓解这种不适。

倾听

到第二阶段末期，宝宝探索世界的另一个比较微妙的迹象开始显露出来。现在，宝宝开始对倾听自己用口水在嘴巴里发出的声音感兴趣了。从这时起，他对声音的兴趣会不断增长。

运动

第二阶段开始出现的另一个兴趣是运动。此时的宝宝变得更加活跃了，他胳膊、腿和脖子上的肌肉也比几个星期前有力多了。如果在这一阶段中不时地把宝宝翻过来让他趴着，你就会发现，他抬头的能力会不断提高，从与水平线呈30度角逐渐抬升到呈90度角。这种能力和更加完善的视觉能力相结合，使3个半月大的宝宝能够在更加广阔的范围里进行探索。在这一时期，宝宝练习抬头的趋势会很明显。在醒着的时候，他会比出生后的头几周做出更多的手臂和腿部动作。

第二阶段的教育发展

与刚刚习惯在子宫外生活的第一阶段宝宝不同，第二阶段的宝宝开始熟悉他周围的环境了。从某种意义上来说，对他的教育可以开始了。在宝宝 6～14 周的时候，他们的发育速度非常快。所有的重大进步，如颈紧张反射和抓握反射的消失、视觉运动能力的成熟，以及社会行为的出现，都对第二阶段宝宝进一步的学习有所帮助。

第二阶段也是宝宝的各种简单动作系统开始相互协调的阶段。宝宝已经能够更加熟练地把手放进嘴里吮吸，会花很多时间观察自己的手。在满 3 个月的时候，宝宝常常会在对自己的手进行了一番观察之后，把它放进嘴里吮吸。这时，他的手成了一种可以看、可以动、可以放进嘴里，也可以吮吸的东西。在宝宝开始频繁地注视自己的手之后不久，他会抓起你放在他手里的任何东西，然后通常会把它放进嘴里吮吸。以这种方式，看到的东西变成了吮吸到的东西，而两个主要的动作系统也变得相互关联了。

另一类协调性也会在第二阶段出现——在听和看之间建立起联系。听到的东西成为了宝宝用来看和用来倾听的东西。在第一阶段，宝宝会对附近的大部分声音做出警惕的表示或显示出倾听的迹象，但通常不会伴随看的动作。新生儿只是偶然会向发出声音的地方转头，但是，到第二阶段结束时，你的宝宝已经会频繁地这样做了。

另一个学习的迹象：在你走近时安静下来

当一个新生儿因为不适而啼哭时，如果你走近他，他通常会继续啼哭。只有当你抱起他，并试着安慰他或让他吮吸安抚奶嘴时，哭声才会减弱或停止。然而，到第二阶段末期，你可能会看到有趣的变化。当宝宝在啼哭但还没有大发脾气时，你会发现，当看到或听到你走近时，宝宝有时会停止啼哭。随着时间的流逝，这种行为会变得更加普遍。这种现象有两种可能的解释：哭声的停止可能表现出一种期待，这与同阶段的宝宝在看到奶瓶或奶嘴时通常会做出吮吸的动作相似；或者，是因为听到你的声音或看到你而转移了宝宝的注意力。这两种解释都反映了宝宝适应能力的提高。期待是一种明确的学习表示，而注意力转移则体现了宝宝对周围环境越来越多的关注。

一个非常独特的经验循环

从出生时开始，所有的宝宝都要反复地经历一个非常重要的学习过程。不管宝宝有多健康，每天都会有很多次感到不舒服，而他们会用哭声来表达不舒服的感觉。宝宝的哭声通常会引来父母或看护者的安抚。由于宝宝本身的特点，并且由于他们的需求都很简单，安抚通常都会成功。在出生后的第1个月，宝宝每天都要经历上百个这样的过程。等到宝宝进入了第二阶段，他就能把具有特定长相、感觉、声音或气味的人与获得安慰联系起来。这种通过相互联系进行的学习是至关重要的，它贯穿人的一生，不过在很小的婴儿身上，这种学习与意识或思维无关。这种重复的经验可以为以后所有发展奠定良好的基础。

研究心理健康的专家一致认为，婴儿从这些经历中学到的东西，对于形成良好的情感基础异常重要。同时，这些经历会让婴儿与看护者建立起一种特殊而重要的依恋关系。不管照看宝宝的是亲生父母、养父母，还是和他完全无关的人，这种依恋关系都会建立起来。到宝宝3个半月的时候，就会有迹象显示，他已经朦朦胧胧地认识到或“学习到”谁是他的主要看护者。

还有其他证据显示，这一阶段的宝宝进行了一定的学习。例如，你可能会看到此时的宝宝明白了一些和吃奶有关的事情。当一个12～14周大的宝宝看到妈妈要给他喂奶而停止活动或啼哭时，他是在用行为表示期待。此外，如果你观察宝宝的吮吸动作就会看到，在给这一阶段的宝宝喂奶之前，如果宝宝看到奶瓶、乳房，甚至看到妈妈开始解开乳罩准备喂奶时，他就会加快嘴巴的吮吸速度。在这些方面，宝宝的行为和前几个星期有了很大不同。

情感

到第二阶段末期，大部分宝宝都会迅速而频繁地对每个人展露微笑。实际上，他们已经成了微笑机器。我们对这些频繁出现的微笑所具有的社会含义以及宝宝在微笑时的情感状态还不十分清楚。研究显示，一张画有从鼻尖到额头部分人脸的黑白画（见下图），就能很容易地使大多数 10 周大的宝宝频繁露出微笑。事实上，如果你有很好的设计能力，你就可以让宝宝在看到图画的时候比看到妈妈的脸时露出更多的微笑。从 6～7 周大的宝宝身上可以看出，看到一定距离内尤其是 20～30 厘米之内的人脸或类似的物体时微笑，似乎是人类的一种遗传行为。

第二阶段的宝宝会对着这样的图案微笑

这个事实，以及另外一个事实——大多数人都能将一个 12 周大的宝宝逗得朝自己笑——提出了一个有关种群生存的有趣观点。早期阶段的婴儿似乎天生就会对着与人脸相像的物体微笑。仔细想一想，你就会发现这种行为的意义。每个婴儿都需要从另一个能够为他的生存提供保障的人那里获得一些积极的回应。典型的 3 个月大宝宝的微笑对于父母或看护者来说是非常有力的武器。但是，婴儿的微笑与社会性之间的关系是一个比较复杂的问题。

皮亚杰的研究使这种关系变得更为复杂。他观察到，在这一阶段，他的孩子不仅会对着人脸微笑，而且有时也会对着自己的手、床上熟悉的玩具微笑，甚至还会对着挂在上方不断摇摆的一缕线微笑！通过这些现象，他得出了结论：婴儿最初的微笑是其认知或智力发育的表现，是对熟悉物体的认知，而并不是对爱、友谊、快乐或社会性的表示！

一旦宝宝的微笑与他们真正的情感状态建立起联系，问题就不再像表面上看到的那样明显了。当成年人微笑时，通常是因为他们感到舒适或快乐，或者是为了向另一个人表示友爱。而对于一个两个月大的宝宝来说，我们只能得出这样的结论：当他微笑时，他至少是舒适的，而这种微笑的含义最多只是表示他生理上的舒适。第二阶段的宝宝还不会发出笑声，他们要到下一个阶段才能做到。

第二阶段的宝宝经常表现出的另一个明显的情绪状态是哭闹。但和最早的微笑一样，宝宝的哭闹也不是针对某个人的。在这一阶段，宝宝的哭闹似乎只是反映了身体上的极大不适，而非针对任何人表示愤怒。到宝宝快满1岁的时候，他就会经常对你发脾气了。

好学

第二阶段的宝宝只会表现出有限的几种表情状态：感觉舒适时，他们会露出甜美的微笑；情绪平静时，他们会露出清醒而警觉的表情；感到很不舒服时，他们会有不安或哭闹的行为；最后一种，也是需要我们给予极大关注的一种有趣表情，就是3个月大的宝宝会凝视自己的手或手指的活动。在第二阶段的宝宝身上，我们经常可以看到这样的行为。他们在长时间凝视自己的手或手指的时候，所表达的意思似乎是探询而不是担忧。

运动与感觉运动的能力

第二阶段的宝宝在 6～14 周的时候会增加很多运动能力。这一阶段的运动能力可以分成两类：宝宝出生时就具有并逐渐消失的能力，以及刚刚获得的能力。

与生俱来的运动能力

寻乳

宝宝天生的运动能力之一是寻乳能力，这一能力让宝宝能够找到妈妈的乳头并吮吸它。此类行为似乎是机械性的，这种能力在宝宝出生后的头 6 周里变得越来越熟练，并且在第二阶段的早期依然是熟练而机械的行为。但是，到宝宝 3 个月大的时候，他用嘴寻找乳头的行为就变成了以多个步骤完成的、有意识的行为。

视觉追踪

连接宝宝成长的第一阶段和第二阶段的另一个有趣行为是视觉追踪。第一阶段的宝宝天生就会注视稍稍离开视线、缓慢移动的、与背景色彩对比明显的较大物体。当很小的宝宝注视这样的物体时，他会试图使物体处于视野中央。这是因为宝宝正对着物体才能更好地对其细致观察。但遗憾的是，对于很小的宝宝来说，他们的视力还没有发育完全，无法进行细微观察，因此，即使物体在其视野中央，他也没办法看清楚，所以宝宝很快就对它失去了兴趣。即使对于不到 6 周的宝宝，每次将物体移动几厘米，如此反复移动以吸引并保持他们的（眼睛的）注意力，他们的眼睛通常也能够追随这个物体几英尺远（1 英尺约为 30 厘米——译者注）。

像寻乳行为一样，在第二阶段，宝宝的视觉追踪行为也变得较为熟练。实际上，在6～8周的时候，宝宝的视觉追踪行为最为熟练，其后会逐渐被其他更为成熟的行为所代替。10周大的宝宝会稳定地追踪在头顶缓慢移动的物体。如果仔细观察宝宝的眼睛，你就会看到，他的视线移动会比物体的移动稍稍超前一点儿，正像更大的孩子或年轻的成年人一样。其原因之一是宝宝已经具有了更好的头部控制能力；另一个原因就是上文提及的行为转变，即宝宝对移动物体的注视已经从不由自主的行为转变为更能得到控制的行为。

手指的位置

连接宝宝成长的第一阶段和第二阶段的另一个运动能力的发展与手指有关。第一阶段宝宝的抓握反射和双拳紧握的姿势在进入第二阶段时逐渐消失。到宝宝快满3个月的时候，他已经能把一个手指放到嘴里吸吮了，而以前，他只能吸吮整个拳头。

惊吓反应

在第一阶段宝宝身上常见的惊吓反应到第二阶段会逐渐消失。当宝宝进入第二阶段的时候，深度睡眠时的自发式惊吓反应和外界引起的惊吓反应都会逐渐减少。

第二阶段出现的能力

随着出生时就具有的运动反射行为的逐渐消失，第二阶段的宝宝开始获得更多的能力。例如，6～8周大的宝宝最多只能把头抬得与水平面呈45度角，并保持几分钟。而随着宝宝不断发育，到14周的时候，他已经能把头抬成90度（完全垂直），并保持几分钟。

到第二阶段末期，如果没有慢性呼吸疾病或过敏症，宝宝就会获得几乎发育成熟的视力和听力，而且对手和身体的控制能力也会大大提高。宝宝的胳膊和腿会变得比以前更加有力，这是宝宝在随后的几个月里学会坐和站立并最终学会走路所需要的。

3个半月：头抬成90度的姿势

视觉能力

在这一阶段，灵活对焦能力、双眼聚焦能力和熟练追踪的能力这三种基本的视觉能力会得到很大的发展。灵活聚焦能使人在注视距离眼睛 8～10 厘米至 1 米的物体时，始终保持聚焦。在第一阶段，这种能力还十分有限，但到第二阶段结束时就已经发育完全了。“双眼聚焦”是指眼睛转动以使双眼都聚焦在一个正在靠近的较小物体上，使之在 30 厘米或更短的距离内更加清晰。双眼聚焦是三维成像的必要条件。宝宝的双眼聚焦能力会在 8～10 周大的时候获得快速发展。追踪能力是指用视线跟随在不同距离内以不同速度移动的物体的能力。到第二阶段结束前，随着头部控制力的增强，大部分宝宝都能很好地用目光追踪物体了。

社会能力发展

照顾第一阶段的宝宝通常是令人兴奋而又疲惫的，总是有做不完的事情，你永远没时间睡个好觉。当你就要耗尽最后一点儿力气的时候，通常会迎来两个重大转变，但情况也并非一向如此。在8～12周大的时候，大部分宝宝都会开始延长每次的睡眠时间，他们在夜里能一觉睡上5、6个小时，而且，他们也越来越喜欢露出甜美的微笑。如果他们曾患有轻微的腹绞痛，在这个时期通常也会有很大好转。

此时，宝宝的微笑具有强大的力量。宝宝的父母或任何成年人，都会为他们的微笑着迷。这是多么有效的生存技能啊！

不论是对于宝宝还是对于你来说，第4个月都是个奇妙的时期。此外，摄影师都会拍摄这一时期的宝宝作为他们的广告作品。这一阶段的宝宝不仅时刻都在微笑，而且他们长得胖乎乎的，出生过程中所造成的任何外观上的缺陷也都已经消失。3个半月大的宝宝通常都是活泼而漂亮的。

与父母的特殊关系

英国的塔维斯托克诊所进行的研究显示，到14周的时候，如果宝宝平时是由父母照顾的，相对于其他人而言，他们在看到父母时会以更快的速度露出微笑，并且微笑持续的时间也会更长。人们认为，不论是父母还是其他人，宝宝都会对自己的主要看护者做出这种特殊的反应。尽管宝宝最喜欢的是平时照顾他的人，但他也会在接下来的几个月里对所有人微笑。这样的反应似乎是一种保证，确保在宝宝出生后的几个月里，任何花了大量时间陪伴宝宝的人都会爱上他。毕竟，宝宝要想生存下去，就至少要有一个人与其建立起这样的关系。

语言发展

作为父母，你一生中最迷人的经历之一就是听到宝宝的声音，当宝宝独自一人并感觉舒适时，会以一种明显具有实验意味的方式，用口水发出声音。这种行为通常出现在早晨宝宝第一次醒来，但还没有感觉不舒服的时候。宝宝要想充分享受自己制造声音的乐趣，就必须拥有良好的听力。真正的语言学习（理解词语的意思）要在6～8个月的时候开始。我们都希望宝宝在出生后的头3年里拥有良好的听力，听觉定位反射有助于我们了解宝宝的听觉能力。

如果怀疑宝宝有严重的听觉问题，可以在第4个月的中期请专业人士进行听力诊断测试。现在，儿童听觉专家可以通过条件反应技术进行听觉测试——这种测试要在这一阶段进行才比较可靠。

第二阶段的宝宝每天都会发出更多的声音。他不仅对自己制造的声音越来越感兴趣，而且他已经进入了一个兴奋期，并至少在接下来的几个月或更长的时间里延续这种状态。当然，宝宝的情绪状态因人而异，但是，如果宝宝没有什么身体上的不适，例如消化不良、长牙或其他问题，从第二阶段后期开始，他会在大部分时间里表现得非常兴奋。当宝宝和你玩耍时，或者当他有很多机会看到镜子里的自己时，这种兴奋的情绪表现得尤为明显。

第二阶段推荐的养育方法

让宝宝感受到关爱

你应当将我们的养育建议与你的目标联系起来。在第一阶段，为了让宝宝感受到你的爱和关心，你需要做的只是在他每次感到不适的时候尽力去安抚他。这种需求将在第二阶段延续，但是你的工作会变得更加轻松，因为宝宝逐渐适应了子宫外面的生活，而且你对照顾宝宝的工作也更加熟悉了。一旦宝宝开始微笑，你就要增加第二种方式来使他更多地感受到关爱，那就是和他一起玩耍。所有的宝宝都会产生这种需要，而这也是头几年中最重要的目标。

由于宝宝的身体越来越强壮，你可以越来越多地和他一起享受玩耍的乐趣。到第二阶段末期，宝宝已经长得比以前结实多了，你可以轻松地把他抱起来，或让他在你的腿上蹦蹦跳跳。当然，你仍然要多加小心。除了宝宝发生了变化之外，你对自己的信心也比以前大大增强了。你已经对宝宝在饥饿、困倦和其他不适时发出的信号有了更多的了解，对于自己的宝宝，你已经成了真正意义上的专家。

帮助宝宝发展特有的技能

让我们来看看这一阶段宝宝所发展的技能——要记住，不论你做什么，你的宝宝都会获得这些技能。换句话说就是，你无需为宝宝的这些能力担心。

头部控制

到第二阶段末期，大部分正常的宝宝都能把头抬起呈竖直角度，每次至少坚持几秒钟。与那些经常有机会俯卧的宝宝相比，总是仰面躺着的宝宝实现头部控制的时间较晚。如果宝宝不反对，你应当每天让他俯卧几次，这样能够帮助他练习抬头。在宝宝前面15～20厘米远的地方放一面镜子，会使这样的练习变得更加有趣。

宝宝自己的脸对于他有着特殊的吸引力，这是因为，与其他人的脸不同，在镜子中看到的自己的脸会随着他自己的运动而发生变化。出于这个原因，放置在适当位置的镜子对第二阶段的宝宝很有吸引力——对更大一点的宝宝也同样如此。

镜子应当放在距离宝宝的眼睛大约18厘米远的地方。如果镜子放置的距离超过了18厘米，效果就会削弱，因为宝宝与镜中影像的距离是他与镜子距离的两倍。换句话说就是，如果你把镜子放在距离他的眼睛18厘米远的地方，他与镜中的自己的距离就成了36厘米。与距离较近的物体相比，距离超过46厘米的物体较难吸引并保持住第二阶段宝宝的兴趣。如果放置在适当的位置，一面镜子也能够使你和宝宝度过愉快的换尿布时间。

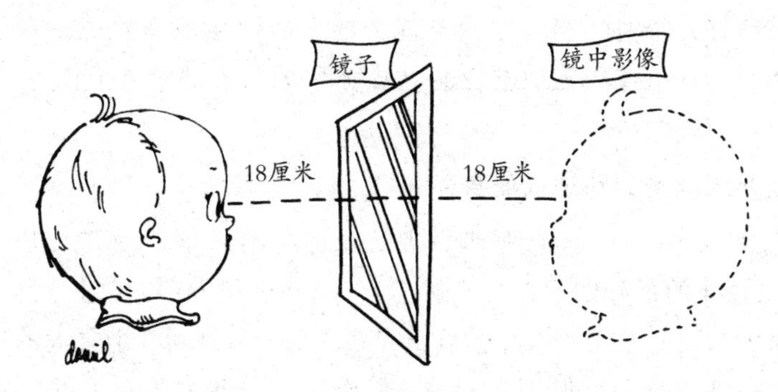

在第二阶段的宝宝面前放置一面镜子

视觉能力

除非你让宝宝在黑暗中长大，否则，三种基本技能——灵活对焦、双眼聚焦和追踪——都会在宝宝身上得到很好的发展。不要轻信玩具制造商所谓的他们的玩具能“激发”或“提高”这些能力的说辞。这样的说法根本毫无道理。

手-眼技能

手-眼技能也会在这一阶段得到很好的发展。可能由于这些技能与视觉技能一样，对每个宝宝都是如此重要，因此它们都能无一例外地得到充分的发展。如果你从来没有给过宝宝任何玩具，我也可以保证，这些技能在宝宝身上得到的发展一点儿也不会亚于你让他玩了所有能“激发”这些技能的玩具。

这是否意味着给这一阶段的宝宝买任何玩具都毫无意义呢？不是的。但我希望你能区分哪些能力是宝宝肯定能够获得的，哪些能力不是。我希望你从一开始就明白，什么是你需要关注的，什么是你不需要担心的，尤其是在宝宝出生后的头几年里，你会不断地受到毫无根据的广告的骚扰。

我曾建议你给第一阶段的宝宝准备Mobile玩具和一面镜子，这两样东西同样会使进入第二阶段的宝宝感兴趣，他们对镜子的兴趣还会持续好几个月。当宝宝视觉能力的发展促使他开始观察自己手的动作时，你就应当为他准备能够鼓励手-眼行为的玩具了。

婴儿床健身架和地板健身架

直到20世纪80年代早期，婴儿床健身架都是帮助婴儿开始练习手-眼技能的最好的玩具。实际上，在20世纪60年代时，我曾经为一家大型玩具公司设计了这样的产品。2个半月到5个月大的宝宝都喜欢这种健身架！但不幸的是，曾经有过一些关于较大的宝宝在试图拉着健身架坐起来的时候被缠绕而导致受伤的报道。最初，玩具公司的反应是在玩具包装上印上警告，说明婴儿床健身架不适合5个月以上的婴儿使用。但很快，有人发明了地板健身架。很快，其他一些公司纷纷仿效。现在，已经很少有玩具公司生产婴儿床健身架了，而地板健身架却有很多种类可供选择。在宝宝5个半月以前，婴儿床健身架是个很好的玩具，但是，一旦宝宝开始试图拉着婴儿床的栏杆使自己坐起来的时候，就应当把婴儿床健身架拆掉了。而大部分地板健身架也能很好地固定在婴儿床上。

尽管目前能买到的健身架在设计上都存在或多或少的缺陷，但大部分都是相当不错的玩具。要挑选一个能够方便地悬挂玩具的健身架。链环不如塑料挂钩甚至绑带有用。你的宝宝会用手触摸挂着的玩具，感觉它们的轮廓和表面，并试着把它们放进嘴里咬。从宝宝2个半月的时候开始，这样的行为会变得更加频繁。另外，不要指望你18个月大的宝宝会像某些玩具制造商所说的那样玩儿这样的玩具。

这些玩具也会带有一面没用的镜子。因为它太小了，而且它的安装方式也无法让宝宝看到镜子中的自己。这里有一个小窍门：最好不要让宝宝躺在健身架下面，而是要把他放在健身架前面的婴儿椅上。在坐着的时候，宝宝不用克服重力就能活动他的胳膊。

给6个月以下宝宝的玩具不应发出尖锐的或很大的声音，也不应有任何突然改变的刺激，例如明亮而闪烁的灯光。我们注意到，对于儿童来说，尤其是第二阶段早期的宝宝，很容易因为突然改变的刺激而受到惊吓。因此，具有以上特点的玩具应当等到宝宝大一点儿的时候再给他玩儿。

当宝宝快要能够拉着东西坐起来的时候，婴儿床健身架就必须拆除了。出于安全考虑，这个建议是非常重要的。

激发宝宝对身边世界的兴趣：好奇心

如果利用适当的 Mobile 玩具、地板健身架或婴儿床健身架、镜子、婴儿椅，或改变周围的环境来激发宝宝特殊技能的发育，你就会发现宝宝表现出强烈的好奇心。即使你没有做这些事情，宝宝也会观察自己的手和手指，观察自己的双手相互触碰并表现出越来越强烈的好奇心。换言之，你很难阻止宝宝好奇心的增长。但是，如果你按照本书的建议为宝宝提供更多的刺激，我相信，你将看到宝宝会表现出更加强烈的好奇心，而此时的宝宝也会变得更加热情和快乐。

睡眠

对于大多数父母来说，在第二阶段，宝宝会出现一个令人欣喜的变化：宝宝在夜里醒来的次数越来越少了。注意，我说的是大多数父母，不是所有的。从第 10 周开始，越来越多的宝宝开始“一觉睡到大天亮”。也就是说，宝宝从原先的一觉睡上 5～6 个小时，发展到在第 4 个月中期的时候，能够一觉睡上 7～8 个小时。这里有一个小窍门：随着宝宝第二阶段的发育，你会对他的“睡眠信号”有越来越多的了解。在宝宝小睡或夜里睡觉的时候，你一定要注意这些信号，这是非常重要的。在你把他放在床上的时候，宝宝越困，就越容易入睡。你要尽快让宝宝养成在他的婴儿床上睡觉的习惯，这一点也同样重要。你应当让他在自己的房间里睡觉，并把门关上，不要使用婴儿监听器。新父母们，尤其是妈妈们，会对宝宝的声音过于敏感。如果你和宝宝睡在同一个房间，或者隔着一条走廊，或是使用了监听器，那么每个人都别想睡好觉了。

由于宝宝在这个阶段还没有出现有意识的行为，因此你可以确信，如果宝宝在半夜醒来并大声啼哭，肯定是出于某种生理上的需要。你要迅速回应，尽最大努力安抚他。如果你尝试了30分钟都没起作用，那么最好让他大哭一场。但这种情况很少发生。

是否应当让宝宝睡在你的床上呢？如果你想这样做，你就需要向其他人寻求睡眠指导。这并不是说我反对这种做法。实际上，我非常理解这样做的动机。只是，以我的经验来看，当你再想让宝宝回到他的床上睡觉的时候，就会遇到很大的困难。你当然可以选择这样做，但是，对于这种做法导致的复杂后果，我就爱莫能助了。

不推荐的养育方法

在对第一阶段宝宝的讨论中，我建议你要对诸多错误的育儿信息多加小心。我还建议，如果你没有为刚出生的宝宝布置一个昂贵的装饰环境，也不要感到内疚。在第二阶段，我的建议仍然如此。尽管你可以为第二阶段的宝宝做更多的事情，但如果你仍然什么也没做，在我看来，也不会对你的宝宝造成什么严重的影响。实际上，宝宝的大部分基本学习过程都会顺利进行。

我在前面的讨论中提出的第二个要点是，不要担心在第一阶段会把你的宝宝宠坏。这一点也同样适用于第二阶段的宝宝。我强烈建议你对宝宝发出的表示不安的任何信号给予自然而迅速的回应。要试着找出问题出在什么地方，确保没有什么严重的问题，并且尽你最大的努力减轻宝宝的不适。让小宝宝“尽情发泄一番”只是你在走投无路时的最后一招。有时，让宝宝尽情哭闹一下也是必要的。我曾经在很多父母那里听到，他们因为尽量不让宝宝哭而搞得精疲力竭。你要接受这样一个事实，也就是有时你根本无法使宝宝得到安抚。我们所能做的只是希望这样的情况很少发生。

我提出的第三个要点是，宝宝天生就喜欢你的爱抚和拥抱，而你也没有任何理由不去满足宝宝的这种需求。这个观点在第二阶段仍然适用。

第二阶段宝宝的推荐物品

婴儿床健身架和地板健身架

你会发现，婴儿床健身架没有多少种类可供选择。它们已经被地板健身架所取代了，有一些地板健身架也同样适合于安装在婴儿床上。如果你买到了一个这样的健身架，应当使用遮蔽胶带以防止其部件从宝宝身边荡开。

市场上能买到的地板健身架都大同小异。大部分都是不错的产品，但没有一种是完美无瑕的。你可以使用遮蔽胶带来防止它在地板上滑动。那些能够折叠的、便于携带的健身架相对于其他的产品来说更为方便。最好让你的宝宝坐在健身架的前面，而不是躺在下面。这样，宝宝在玩耍的时候就无需把胳膊举过头顶。

地板健身架

在婴儿床的床头放置一面大镜子

由于宝宝的俯卧抬头能力在不断增强，现在，他会对面前15～20厘米远的地方垂直放置的镜子表现出一些兴趣。你应当把镜子固定在婴儿床的床头。你的宝宝在趴着的时候，会抬起头，偶尔看一眼镜子中的自己。这可以诱使他重复这样的行为，并把头抬得更高，以便看得更清楚。在宝宝3个半月或更大的时候，你会看到他对着镜子中的自己微笑并发出高兴的声音。

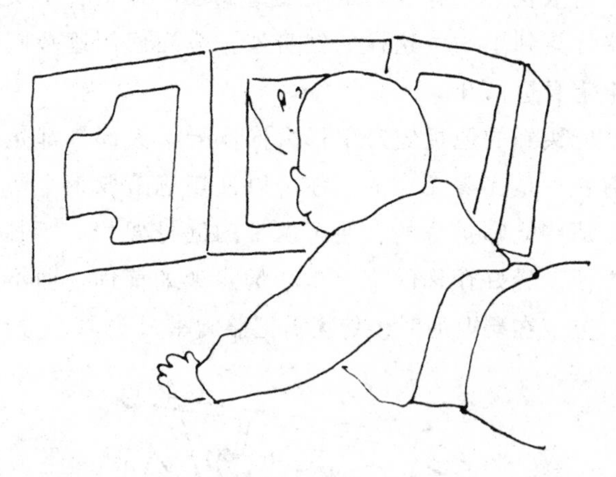

在第三阶段的宝宝面前放置一面镜子

标志着第三阶段开始的行为

头部控制

当宝宝趴着的时候，他能把头抬起与地板呈垂直状态，并且稳定地保持这一姿势15～30秒或更长的时间，这是一个显著的标志，表明宝宝正在进入第三阶段。

身体控制

在大约满14周之前，宝宝对自己的上半身还没有什么控制能力。与他们所获得的对头部、眼睛、手、手指和腿的控制力不同，直到第二阶段结束，宝宝对自己躯体的控制能力还是非常有限。在14周左右的时候，当宝宝仰面躺着时，他会开始把身体转向一侧。在第三阶段中，宝宝将学会翻身。

踢腿

表明第三阶段宝宝身体控制能力增长的另一个迹象是，当他仰面躺着的时候喜欢把脚抬起几厘米高，然后用力踢蹬，尤其是当他的脚底感到一些压力的时候。通过不断锻炼这种刚刚获得的腿部力量，最终会促使宝宝在站立和走路时能够用腿支撑身体的重量。

对熟悉的人脸和声音做出特殊的反应

尽管有时不那么明显，但随着宝宝社会能力的发展，14周大的宝宝会对他的主要看护者的脸和声音做出特殊的反应。

发出咯咯的笑声，表现出欢快的情绪

这种现象预示着宝宝正在进入愉悦和欢快的发展状态，而这种状态是第三阶段宝宝的特征。尽管第二阶段宝宝已经进入一个兴奋期，但在这方面，表现得最为明显的是第三阶段的宝宝。

第4章

第三阶段：3个半月至5个半月

概述

这一阶段不仅是宝宝的一些有趣生活方式和行为逐渐消失的时期，而且是宝宝的情绪状态高涨的时期。

在很多文化中，很小的宝宝在一天的大多时间里都被竖直地抱着，不过在我们的社会里，宝宝在出生后的3个半月里大部分时间都是躺着或趴着的。然而，从第14周左右开始，宝宝会在越来越多的时间里保持竖直或接近竖直的姿势，但在整个第三阶段中，宝宝还需要别人的帮助才能做到这一点。在满8个月之前，我们都不建议让宝宝在没有协助的情况下独自坐着。

在第二阶段中，宝宝发现了自己的双手并开始学习如何控制它们。而从第三阶段开始，他将会发现并开始玩儿自己的脚。

在第二阶段中，宝宝把大部分注意力都放在周围小范围的环境中，之后，他的注意范围开始变得更为广泛。第二阶段的宝宝对几英尺（1英尺约为30厘米——译者注）之外的任何物体和任何人都不怎么感兴趣。3个半月以前的宝宝不会花很多时间看房间另一边的东西，也不会打量窗外的世界，但是，在第三阶段，宝宝对周围环境的兴趣有所扩展。从此时开始，宝宝开始注意整个房间了，当他身在室外、超市或其他新鲜的地方时，宝宝注视的范围甚至会更加广阔。

最后值得一提的是，第三阶段的宝宝有着非常高涨的情绪。只有长牙和偶尔的疾病或消化不良才会影响他们的好心情。

第三阶段宝宝的一般行为

第三阶段的宝宝在白天差不多有一半时间是醒着的，这对他来说是件好事，因为他在醒着时有很多事情可做。无论做什么事情，宝宝在大部分时间里都会显得很高兴。在玩玩具或做简单锻炼的时候，宝宝会显得很高兴。不过，在看到别人的时候，宝宝会显露出最高兴的表情，尤其是在看到爸爸妈妈的时候。例如，如果有镜子或宝宝喜爱的其他玩具，你会发现第三阶段的宝宝即使在独自一人的时候也会度过愉快的时光。

第三阶段的宝宝比以前更加活跃了。宝宝在3岁以前的大部分时间里都将保持这种高度的活跃性。在这一阶段，宝宝还会更经常地发出声音，他们会发出笑声、高兴的声音，以及其他一些前所未有的声音。

大肌肉群的运动

在这个阶段，令人印象深刻的是宝宝的胳膊和腿已经可以进行有力的运动了。尽管宝宝胳膊和腿上的肌肉刚刚具有了力量，但是他似乎很喜欢运动，经常兴趣盎然地进行活动。每当获得一种新的运动技能，你都会看到宝宝会进行不断地练习。一旦能够把身体从一侧转到另一侧，宝宝就会在白天醒着的时候经常练习翻身。他会勤奋地练习这个新获得的技能，并且也会饶有兴致地练习从仰卧到俯卧的翻身动作。当呈俯卧姿势的时候，他会不断地抬起头并保持更长的时间，从而对身边的世界进行观察。

小肌肉群的运动

在第三阶段，手-眼运动变得更加频繁，并且会在整个第1年的时间里成为宝宝的主要行为。在以后的时间里，你可以利用宝宝的手-眼运动为他选择适当而有趣的玩具和活动。

在第三阶段，你还会看到宝宝逐渐学会了在视觉的引导下伸出手去够东西。你的宝宝会进行很多此类手的活动，并最终掌握这个重要技能。当宝宝试着把双手在胸前合拢，手指交叉或用手触摸他的衣服、床单或婴儿床围的时候，他会表现出非常集中的注意力。他会仔细察看每个物体的所有细节。此时，宝宝的基本视觉能力已经基本发育完全，在视觉能力的指导下，宝宝才具有了这种手的运动能力。

探索的欲望

第三阶段宝宝的另一个共同特点是日益增长的探索欲望。当宝宝练习用手触摸物体的时候，很显然这是一种探索行为。当宝宝趴着的时候，也会进行视觉探索，他会抬起头四处看看；当宝宝仰面躺着或坐在婴儿椅上的时候，如果有人走近，他也会仔细观看。除了视觉探索之外，你还会发现宝宝执着地对自己的声音进行探索，尤其是当他嘴里有口水的时候。（最好在宝宝没有意识到旁边有人的时候观察他的这一行为。）

触觉是另一种主要的探索方式。如果仔细观察，你就会看到宝宝花很多时间去探索触摸物品时的感觉——有时，很奇怪地，宝宝会在看着其他地方的时候触摸物体。通过用手指触摸并把东西放进嘴里咬，宝宝用手指和嘴巴探索接触物品时的感觉。

总之，这一阶段的宝宝会花很多时间进行运动，锻炼他们的运动能力，对走近他们的人给予回应，倾听各种声音，尤其是他们自己制造的声音，并且会积极地对周围的东西进行探索，尤其是他们自己的身体和双手。

第三阶段宝宝的明显兴趣

第三阶段的宝宝可以被形容为一个面带着令人无法抗拒的微笑的行动家、社交家和享乐主义者。把他称为行动家是因为他变得比以往任何时候都更加活泼、好动；把他称为社交家是因为他能够做出非常敏感的反应；把他称为享乐主义者是因为他似乎比任何其他年龄的人更能享受生活的乐趣。

视觉探索

在第三阶段，宝宝会继续显示出对观察周围世界的兴趣。他会非常积极地观察和探索自己手、脚所及范围内的任何东西，以及所能看到的所有东西，尤其是距离他91厘米左右的东西。

掌握新技能

宝宝的另一个主要兴趣是对新技能的掌握。我们已经讨论过关于身体控制、头部控制和翻身等主要运动技能，另一个非常重要的感官运动能力——视觉定向——对于宝宝的运动也是不可或缺的。第三阶段的宝宝不仅对探索身边的世界感兴趣，而且对掌握伸手够物体这一技能的过程也很感兴趣，这一行为对于他有着重要的意义。毕竟，没有其他动物能够拥有和人类一样灵巧而多样的手-眼运动能力。

社会化

宝宝的第三个明显兴趣与人和社会性活动相关。对于婴儿来说，与一个照顾他的成年人建立起稳固的依赖关系是至关重要的。宝宝在这一阶段的社会行为能够确保他与看护者建立起依恋关系，并能确保看护者对宝宝产生强烈的感情和责任感。

对身体机能的兴趣

宝宝的第四个兴趣与身体力量或简单的身体机能有关。从这个阶段起，宝宝开始对运动行为发生兴趣。

第三阶段的教育发展

我曾经在第1章里强调过，如果父母和其他育儿者没有在宝宝出生后的几个月里为他提供复杂而昂贵的玩具来促进他的教育发展，也不必感到内疚。在第三阶段，这一建议仍然适用。我相信，一般的环境中都包含了儿童学习发展所需的大部分元素。因此，父母们应当参考我提出的有关教育方法方面的建议。

然而，毫无疑问，对婴儿教育发展的详情了解得越多，你就越有可能为宝宝设计一个有趣的环境，并为他安排有趣的活动。我的研究经验告诉我，在宝宝出生后的头几年里，应当经常为他提供一些有趣的选择。尽管我无法加以证明，但我想如果这样做，宝宝就能更多地享受生活的乐趣，保持更加强烈的好奇心，而且不容易被宠坏。

智力行为的出现

如果从“智力”的一般性定义，即解决问题的能力来看，第三阶段的宝宝还不具备这种能力。但是，这一阶段的宝宝正在朝着这个目标进发，而且正在成为一个具有智力的生物。在涉及婴幼儿智力发展方面的研究内容中，你会经常看到皮亚杰的名字，他是这方面的权威专家，皮亚杰在其研究中对婴幼儿智力发展所经历的过程进行了描述。

在第3章中，我描述了早期婴儿孤立、反射式的行为是如何在第二阶段中发展成协调行为的。这个相互关联的过程还会在第三阶段继续，其中最显著的特点是在视觉引导下熟练运用自己的双手，这是皮亚杰研究的重点。这种熟练运用双手的能力通常在宝宝出生后的第6个月形成，尽管最近的研究发现，利用适当设计的玩具，宝宝可能会在3个半月的时候就能获得这一能力。但是，就其本身来说，获得这种能力的早晚并没有太大意义。

当宝宝最终掌握了伸手够东西的能力时——通常是在5个半月至6个月的时候——他就表明了自己的一些行为系统已经能够相互协调了。首先，在伸手够东西之前，他必须用眼睛找到东西在哪里。然后他必须迅速伸出手去，并准确地到达物体所在的位置。如果宝宝的动作较为熟练，在刚刚要接触到物体的时候，他会略微张开或并拢手指来抓取物体。一旦抓到物体，宝宝就会对其进行一番探索。通常，他会对拿到的东西注视一会儿。有时可能把东西前后移动并转动方向，以便从各个角度观察它，并从不同的位置用触觉进行探索。此外，宝宝的另一个典型行为是把物品放进嘴里咬。

宝宝拿到一个物品后，可能会把它拿得近一些，以便用另一只手对其进行触摸。在触摸物体的时候，宝宝可能会把物品从一只手换到另一只手。

在第三阶段，宝宝会比前两个阶段做出更为复杂和专注的手-眼行为。与较小的婴儿相比，第三阶段的宝宝会在行动的时候对物品本身表现出越来越强烈的兴趣。从第三阶段开始，对物品的探索——尤其是对可以抓、可以咬、可以转动、可以击打的小物品——开始成为宝宝越来越重要的行为。

情感

4个月大的宝宝是一个快乐的、令人喜爱的小人儿。在2～3个月时开始展露的微笑现在已经随时可见了，而且，除非宝宝生病或不舒服，否则，每天长时间展现的愉悦微笑都会点亮你和他的生活。这一时期是巩固宝宝与父母之间亲密关系的时期。现在，除了经常出现的迷人微笑和一贯的良好情绪之外，宝宝还会表现出另外两种情绪变化。在这个阶段，你会第一次听到宝宝咯咯地笑出声来。

对呵痒的反应

在第三阶段，宝宝会开始对呵痒有所反应。我一直对14周以下的宝宝对呵痒没有反应这一事实很感兴趣。这可能与成年人不会因对自己的呵痒而发笑这个事实有关。（如果你以前没有试过，可以试一试。）呵痒的效果取决于“被呵痒者”感觉到了另一个人对他的刺激。你不会因对自己的呵痒而有所反应，是因为你知道这不是另一个人对你的刺激。14周以下的宝宝的社会性意识还未发育完全，因此无法意识到其他人的刺激，也就不会产生呵痒反应。

运动技能的发展

翻身

有时，在出生后的第4个月或第5个月，宝宝就能学会把身体从平躺改变为侧躺的姿势。把身体从一侧转到另一侧的能力通常会在第三阶段末期形成，随后，宝宝会完成第二个重要的动作——翻身，即从仰卧改变为俯卧的姿势。一旦宝宝获得了这一能力，他就会反复地练习。

大部分宝宝都会在5个半月之前学会从仰卧到俯卧的翻身。几个星期后，他会获得从俯卧到仰卧的翻身能力（有些宝宝先学会从俯卧到仰卧的翻身）。尽管宝宝能够越来越熟练地翻身，而且能够平衡地坐一会儿，但是还要再等几周才能站起来，并独立保持站姿。

踢腿

在这个阶段，宝宝将会获得值得注意的第三个运动能力，也就是踢腿动作。在第三阶段，宝宝的腿部肌肉开始变得比以前更加有力，而这只是宝宝变得更强壮的表现之一。当平躺着的时候，宝宝常常会把脚抬起来。此外，当他的脚底感觉到压力的时候，他会用力蹬踏，并乐在其中。随着时间一天天过去，当你让宝宝站在你的大腿上时，他会变得一天比一天有力，渐渐能够支撑起自己的重量。到9～10个月的时候，宝宝强壮的肌肉已经可以使自己站起来，之后宝宝还会开始练习向前迈步，不久后宝宝就学会走路了。

使用手臂肌肉

第三阶段的宝宝不仅对使用腿部的大肌肉群有着越来越强烈的兴趣，而且也越来越喜欢使用胳膊上的大肌肉群。你会看到，他们的这些肌肉已经变得比以前强壮多了。如果你给他机会锻炼这些肌肉，他会表现得非常高兴。

感觉运动能力的发展

尽管感觉运动和运动能力之间的区别在一定程度上是属于技术性的，但仍然值得注意。感觉运动能力不仅与肌肉运动密切相关，还与感觉系统诸如视觉、听觉和触觉等有关。典型的运动技能是爬行、攀登和走路。尽管这些运动技能也和感觉有关，但主要是肌肉控制的能力。

视觉引导下的伸手够东西的动作

第三阶段宝宝最重要的成就之一就是掌握了视觉引导下伸手够东西的动作。这种能力对于宝宝来说是十分基本的能力，通过这种能力，宝宝会在接下来一年左右的时间里逐渐熟悉周围的环境。视觉引导下伸手够东西的动作，对于宝宝的智力发育也是至关重要的。与语言和文化一样，成年的人类在视觉引导下熟练使用双手的能力也是人与其他动物的一个重大区别。

眼睛-耳朵的相互协调

第三阶段另一个有趣而重要的感觉运动能力的发展，是眼睛与耳朵相互协调性的极大进步。在刚出生时，宝宝寻找声音来源的能力还很有限，但是在第三阶段中，他们会非常准确地将眼睛和身体转向附近发出声音的地方。和他们表现出的其他大部分早期能力一样，对附近声音的定位也是一种反射式的行为。如果第三阶段的宝宝不是正在全神贯注于其他事情，或是在非常困倦的情况下，他就会迅速而准确地转向附近发出的任何声音，包括较小的声音。

通过这种新出现的感觉运动能力，可以帮助我们在18～20周的时候发现宝宝轻度至中度的听觉损失，因此这种能力尤其重要。现在我们已经知道，日常呼吸疾病和过敏反应是对良好听觉能力十分常见的威胁，能够识别出这些障碍具有十分重要的意义。在推荐的养育方法中，我们还将具体讨论这一话题。

触摸

感觉运动技能的第三个主要方面与触觉有关。在第一阶段和第二阶段，宝宝的双手在大部分时间里呈握拳姿势。紧握的双手使他们无法对物体的表面进行探索。自从进入第三阶段，宝宝就开始用手指进行这样的探索，从这时起，宝宝会用手指、嘴和眼睛共同对所有能够触摸到的物体进行探索，感受物体的质地、硬度和形状。

社会能力

第三阶段的宝宝良好的情绪会令父母心情愉悦，尤其是第一次生孩子的父母。宝宝迷人的微笑会加深你和孩子之间的亲密感情。如果你总是迅速地对宝宝不舒服或高兴的表示给予回应，宝宝就能学会对这种回应进行期待。如果你对宝宝长时间的啼哭不予回应，他也会逐渐习惯这样的情况。

从这点来看，宝宝具有极强的适应能力。我曾经观察过一家国家机构幼儿园中的婴儿，发现宝宝们在第三阶段中啼哭的次数越来越少，到6、7个月的时候，已经很少啼哭。从表面上看，这种情况似乎不错。但实际上，由于哭闹没有得到及时的回应，这些孩子明白了他们的哭闹换来的只是疲劳，从而减少了哭闹。

吸引成年人的注意：故意啼哭的出现

我们发现的标志着3～6岁的孩子发展良好的一些基本社会技能是，他们通过一些被社会接受的行为引起并保持其他人尤其是成年人的关注的能力。有关吸引他人注意的能力，或者更重要的是，有关宝宝是否被宠坏的早期迹象，在第三阶段末期的宝宝身上能够看到令人着迷的发展。

我们在前面讨论过婴儿都要经历的一个经验循环。这个循环始于由各种原因所引起的不舒服。紧随不舒服而来的通常是宝宝的啼哭，在大多数情况下，总会有个成年人或早或晚地听到孩子的哭声，并通常会努力使宝宝舒服一点儿。由于宝宝在头几个月中会无数次出现不舒服的情况，而且由于一些尚未完全搞清楚的原因，把宝宝抱起来抚摸并轻轻摇晃通常就能使宝宝得到安抚——即使引起不安的原因并未被发现或解决——婴儿会获得大量这样的经验，即当他不舒服时，这种不适很快就会得到缓解。尽管宝宝不明白发生了什么事，但他们的确会从中朦朦胧胧地学到一些经验。他们学会了把经常照顾他们的成年人的样子、气味、声音和感觉与获得安抚联系起来。结果就是，宝宝的啼哭在第三阶段发生了一个重大变化。最初，在第一阶段和第二阶段，宝宝只有在感到不适时才会啼哭，而到了第三阶段末期，宝宝的啼哭出现了第二个重要的原因——把成年人吸引到自己身边来，以便被抱起来爱抚。啼哭的这个用处是宝宝出现故意行为的最初标志。换句话说就是，宝宝在满5个半月之前是因为不适而啼哭，而第三阶段后期的宝宝开始为了吸引别人的注意而啼哭。

这个新的工具——为获得陪伴而故意啼哭——会很快发展为一种要求，当宝宝感到无聊和失落的时候很容易会使用这个工具，这种情况在第三阶段开始变得频繁起来。

从大约4个半月开始，宝宝开始能够靠着东西舒服地坐起来并打量整个房间了。尽管他对世界充满了好奇，但仍然无法靠自己的行动去接近那些吸引他的东西。随着时间一天天过去，宝宝会有越来越长的时间保持清醒并向四周观看，他会把小玩具扔掉但没办法再捡起来，这样，他通常会感到遭受了挫折，而后会感到厌倦。怎么办呢？啼哭就成为了宝宝有事可做的惟一工具。

在第三阶段无事可做的宝宝，很可能到7个月大的时候为了被大人抱起来而经常啼哭。这种行为很令人烦恼，并且预示着宝宝会变得越来越难以相处。尽管如此，大多数专家宁愿看到一个7个月大的婴儿为了引起大人的注意而频繁啼哭，也不愿看到由于其啼哭经常被忽视而不怎么哭。

对宝宝的早期社会化过程的了解，特别是对故意啼哭的了解，可以省去你和你的宝宝的不必要的压力，尤其是在睡觉问题上，这在宝宝出生后的头两年中是一个引起烦恼的普遍根源。

语言

当宝宝大约4个半月的时候，你可能会欣喜地发现，在你叫他的名字时，他会有所反应。如果你在宝宝的视线之外大约183～244厘米远的地方叫几声他的名字，他很可能会停下来，转向你，并露出一个漂亮的微笑。但是，如果你等几分钟，当宝宝又转回头去看别的东西的时候，朝他叫罗弗或是费多，或是白雪公主，或者思尼斯，他还是会停下来转向你。引起他反应的不是自己的名字，而是附近任何突然发出的较大声音。电视节目中的敲门声同样也会引起宝宝的注意，但是，宝宝当然不会对着电视微笑。

此类行为被称作“听觉定向反应”，与第二阶段宝宝表现出的视觉定向反应类似。从出生时开始，宝宝就具有一定的听觉定向反应，但是，只有到了第5个月时才变得明显而可靠。我们利用这一行为对0～2岁的宝宝进行听力损失筛查，可以发现从轻度到中度的听力损伤。从4个半月开始，对宝宝进行听力筛查变得重要起来。

之后很快，通常在6～8个月的时候，宝宝就能听懂一些词语。我们可以对这一月龄的宝宝进行听力理解测试，给宝宝几个熟悉的东西，然后让他们分别指认，当然要给他们犯错误的机会。尽管第三阶段的宝宝还不能真正理解语言，但在一些方面正在取得进步。

在第4个月中，宝宝开始对声音产生兴趣，尤其是他自己用口水发出的声音。你会在经过婴儿床的时候注意到，宝宝会重复发出一些小的声音，似乎在进行声音试验。在宝宝第4个月之后经常可以看到这种令人愉快的情景。从这时起，健康的宝宝就会变得越来越喜欢发出声音。

推荐的养育方法

在宝宝出生后的前8个月中，养育宝宝的目标主要有三个：使宝宝深深地感受到你的爱和关心；鼓励宝宝简单技能的发展；维护宝宝天生的好奇心。在第三阶段，有两种危险需要你给予特别的注意：可能的听力损失和过度的需求性啼哭。需求性啼哭是从宝宝为了获得陪伴而发出的故意啼哭发展而来的，而且是宝宝在头几个月里健康的社会经历的自然结果。需求性啼哭是心理发育良好的标志，但是也标志着一个新过程的开始，在宝宝出生后的头几年中，需求性啼哭会比任何其他问题都令你烦恼，因为，它的出现预示着到了防止宝宝被宠坏的时候了。

让宝宝感受到爱和关心

就像在第一阶段和第二阶段一样，我建议在无法避免的情况下可以让宝宝尽情哭上一会儿。如果宝宝哭个不停，你要试着去寻找造成他不适的原因并采取一些补救措施，尽最大努力去安抚他。如果安抚奶嘴能够起作用，不妨使用它。

我曾提到，婴儿秋千对第一阶段和第二阶段的宝宝十分有用，但在第三阶段开始时会逐渐失效。这是因为秋千的座椅角度太小。而4～5个月大的宝宝出现了正位反射（对直立的迫切需要），在以30～60度的角度躺着的时候，他们会觉得不舒服。

除了对宝宝的不安给予迅速的回应之外，我强烈建议你多花些时间和宝宝一起玩耍。在你这样做的时候，要充满爱意，并多和宝宝说话，尤其要谈论宝宝当下正在注意的东西。

让父母和自己的宝宝一起玩耍似乎是个毫无必要的建议，但是一些人却有着不同的想法，他们通常害怕这样会把宝宝宠坏。我确信6个月以内的宝宝无论如何都不会被宠坏。经常和宝宝一起玩儿根本不会宠坏宝宝。

帮助宝宝发展一些特有的技能

在此，我还要重申一点：在宝宝出生后的头6个月里，即使父母对宝宝的特殊技能发展给予极少的关注，甚至毫不关注，宝宝也照样会获得应该具有的全部技能，而且丝毫不会比别人落后。但是，我认为宝宝最好能够获得与他自然的技能发展相符合的经验。如果你对此有所了解，并给他们机会获得这样的经验，我确信宝宝的教育发展会更加顺利，而且会增加宝宝的生活热情。但是，要记住一点，例如，如果视觉引导下伸手够东西的动作（一个主要的特殊技能）没有按时出现，也没有必要担心。此外，如果宝宝比其他宝宝早一两个月开始伸手够东西，也没有什么非常值得高兴的。宝宝早期学习的复杂性远远不止于此。

手-眼技能

如果要促进宝宝的手-眼技能的继续发展，只需为他提供地板和婴儿床健身架，以及其他各种安全的、能够放进嘴里咬的小东西就可以了。而且正如我所说的，如果你不为他提供这些东西，宝宝可能会没有那么多事情可做，但他的技能还是会得到提高。

对身体的控制

宝宝需要大量的练习，才能学会控制自己的身体。这种能力的获得也是无需担心的，但是如果你在地板上铺上毯子，每天把宝宝放在上面几个小时，你就会看到他努力练习控制自己的身体，起初他会反复地从一侧转到另一侧，然后练习翻身。

让宝宝有机会锻炼腿部肌肉也是一个不错的主意。大约从4个半月开始，宝宝的脖子和背部肌肉已经发育得足够有力，可以给他使用弹跳椅了，就是那种悬挂在门口的练习器。在你的看护下，每天配合学步车一起使用这种练习器1个小时左右，对于减少过度的需求性啼哭很有帮助。我们会在后面继续讨论这一话题。

语言

要尽量养成多和宝宝说话的习惯，尤其要和他谈论他当前正在注意的东西。这将使得宝宝自然而然地对包括语言在内的各种声音产生兴趣，这是一种非常有益的练习，一旦宝宝开始学习真正的语言，父母就可以充分发挥自身的教育作用了。

社会技能

在婴儿阶段的任何时间里，如果宝宝剧烈地啼哭，你都应当尽快地给予回应。此外，你也要养成习惯，对宝宝发出的微小声音快速地给予回应。这样，宝宝会逐渐将发出声音和你的到来联系起来，将表达声音与愉快（或至少能缓解他的不适）联系起来。

这些经验将可能导致宝宝为获得陪伴而故意啼哭，这是宝宝在出生后的头9个月中获得的第一种也是惟一的一种社会能力。

鼓励好奇心

尽管在好奇心这个问题上只有很少的研究结果，但我确信你可以在宝宝身上培养这一特质。我建议你最好让宝宝在大部分时间里都有他感兴趣的事情可做，这比你想象的要容易。从这一阶段起直到3岁，无数的事情都会令宝宝感兴趣。你需要做的只是找到这些事情，然后为宝宝进行一番安排，为他提供大量合适的选择。

第三阶段的宝宝对什么感兴趣？

这时的宝宝喜欢探索和啃咬小东西，喜欢练习新的运动技能，喜欢四处打量各种东西，喜欢与人（尤其是你）进行交流，并使自己的好奇心得到满足。你应当为他提供各种安全的小玩具，并在玩具掉到他够不着的地方时为他捡回来。如果有条件，可以使用地板健身架或婴儿床健身架。使用婴儿座椅，并在白天的时候经常更换地方，这样宝宝就能看到不同的东西。[①] 他会特别喜欢看你。经常让他照照镜子，带他出去散步，带他在院子里玩儿，带他去商场或公园。

在地板上铺上毯子，让宝宝在上面玩儿。每天用一个小时，分成3次或4次让他使用弹跳椅——用绳子和长约30厘米的承重弹簧悬挂在门口的椅子。一旦宝宝能够舒服地坐在这种练习器上（通常在4个半月的时候），它就会变得非常有用。我对玩具一般都不怎么热心，但是这种玩具，如果使用得当，会有非常好的效果。我推荐那种带有衬垫的塑料框架座椅的练习器，它比那种完全用布做的练习器要好。座椅离地面的距离非常重要。宝宝的脚底必须能感觉到一部分身体的重量，以激发他的伸腿反射，促使他跳跃。让宝宝光着脚也很重要，无论冬天还是夏天。这种练习器在木地板或瓷砖地板上使用时效果比在厚地毯上使用要好。

如果第一次使用弹跳椅时宝宝不喜欢，要立即把他抱出来，不要让他对练习器产生反感。但是，大部分宝宝会立刻喜欢上这种练习器，尤其是快到5个月的宝宝。这种玩具的各个型号都有重量限制，一般会在座椅上标明。重量范围从10.5千克到11.3千克。因而，大部分宝宝都能在8～9个月大的时候使用这种练习器。

在宝宝能够熟练使用弹跳椅之后，如果你在旁边助兴，或为他播放节奏感强烈的音乐，会使宝宝更高兴。很多6、7个月大的宝宝会兴奋地随着音乐起舞，使所有在场的人度过一段快乐时光。

---

①使用婴儿座椅时的重要警告：在市场上可以买到很多不同种类的婴儿座椅，有一些座椅的品质明显高于其他产品。宝宝在第三阶段力量的增长是十分惊人的，他们在练习控制自己的身体时所做出的努力也同样惊人。在使用婴儿座椅时，你必须确保两件事：第一，座椅的质量必须过关——它的重心必须足够低，座椅足够结实，不容易翻倒；第二，永远不要把第三阶段的宝宝独自留在放置在高出地板几厘米的任何地方的婴儿座椅上。关于这一阶段宝宝的更多信息将在本章后面给出。

让你的宝宝每天使用一会儿学步车，但要时刻小心看护。仅在1992年，有关婴儿学步车的意外事件就有28000起。不管怎样，出于一些重要的原因，我仍然强烈建议你在小心看护的情况下使用学步车。从宝宝第一次能够靠着东西舒服地坐起来，到他能够从房间一头爬到另一头，通常需要3个月时间。这个过程大约始于4个半月，到7个半月或8个月时完成。4个月大的时候，宝宝已经能看清房间另一头的东西了。他们对看到的大部分东西都很感兴趣，但是自己无法移动，因此他们每天会有越来越多的时候感到无聊和失落。然而，一旦学会使用学步车，这种无聊和失落就会有所缓解，他们的好奇心也能得到满足，同时这也是一种锻炼。

我建议每天和弹跳椅一起使用1个小时左右的学步车，可以分成3次或4次进行，你需要做的所有事情就是陪伴在左右！有了你的陪伴，就不会发生什么危险。

如果接受了这个建议，你就需要比通常情况更早开始考虑防止意外的问题。我们曾经告诉父母们，要在宝宝6个月大的时候开始采取防止意外的措施，因为这个年龄的宝宝已经开始学习爬行。但是，如果宝宝学会了利用学步车从房间这头走到那头，你就必须考虑到会移动的宝宝可能发生的意外。只要你听从我的强烈建议，在宝宝使用学步车的时候始终陪伴左右，这个重要的问题就不难解决。当宝宝在学步车里走路的时候（通常要到5个半月以后），如果你看到他朝着潜在的危险走过去，你就能知道如何使家庭变得更安全。例如，宝宝可能会朝着门的边框或悬挂的绳索走过去，但只要有你在旁边，就能防止意外的发生。

你应当选择轻巧的高品质学步车。你要做的第一件事就是把带有一些小玩具的条形物拿开，它通常只需很小的力气就会被折断。学步车应当被用来激发宝宝对远处物体的兴趣。而横在宝宝面前的那些没有意思的东西只会挡住他的路。

第一次使用学步车的时候，如果宝宝是赤脚，并且将学步车调整到合适的高度，宝宝的脚底会感受到压力，并开始学习迈腿。在最初的一两个星期里，4～5个月大的宝宝可能只会坐在学步车里，或者更有可能的是，宝宝只会向后退。再过几个星期，宝宝就能学会在伸腿前把身体前倾，这样他就能向前移动了。从这时起，宝宝就会越来越熟练地在房间里走来走去。

如果你遵从这些方法，我可以保证，你的宝宝就会始终保持充沛的好奇心。

避免两个主要危险

避免过度的需求性啼哭

为了获得陪伴而故意啼哭，最先出现在宝宝5个半月至6个月的时候。这种啼哭一旦出现就具有持续性和需求性的特点。在接下来的几个月里，宝宝的这种需求性啼哭将会变得比其他任何行为都令人感到头疼。要对宝宝获得注意和安抚的方式加以引导，使其采用一种可被接受的方式行使自己的权力，这一点怎么强调都不过分，否则其他不当的做法将会使情况变得十分糟糕。在第三阶段，你就应该开始试着引导宝宝。如果从这一阶段起，你能想办法让宝宝一直都有感兴趣的事情可做，等宝宝长到14个月大的时候，他就不会成为一个好发脾气、永不满足的小家伙了，甚至还能避免以后可能出现的更糟糕的情况。

怎样完成这个任务呢？在很大程度上，这个问题的答案在于前面提到的培养宝宝的好奇心。5个半月大的宝宝如果在过去的1个月里总是感到无聊，就会开始出现过度的故意啼哭。应当让宝宝始终有小玩具可玩儿，有有趣的东西可看，让他使用弹跳椅，在学步车里进行探索，并且和你一起玩耍。这样就能使问题得到解决。

我还要再提出一点建议。在第三阶段，即3个半月到5个半月，并且直到宝宝开始爬行（通常在7个半月至8个月），要尽量主动和宝宝一起玩儿，而不要等到他开始哭闹以求得你的陪伴。你每主动跟宝宝交流一次，就会减少一次宝宝意在寻求陪伴的啼哭。

预防听力损失

对于父母们来说，应了解对宝宝的听觉能力进行监测的重要性。只是在最近的几十年中，人们才知道，婴儿时期反复出现的轻度到中度的听力损失大大延缓了大量本应正常的婴儿的发育——他们未曾接受过治疗。造成这个问题的原因似乎有两个方面：婴儿对病菌感染的抵抗力较差，以及一些婴儿容易受到过敏症的感染。根据可靠的统计，在整个美国有1/4到1/3的婴儿反复受到中耳炎和中耳积液的侵扰。有些地方空气中的花粉含量在某些时候很高，这些地方患中耳炎的婴儿比例将会更高。

最近有一些报告指出，那些每天被集体看护的婴儿比家庭看护的婴儿患中耳炎的可能性高3～4倍。这个比率与日间看护的质量无关，因为这种疾病会通过空气传播，而且到目前为止还无法阻止这种传播。0～2岁的宝宝抵抗病菌感染的能力还很差。不幸的是，这种反复发生的微小损害常常会对他们的学习过程造成极大的危害。

从第3个月开始，宝宝会对声音表现出浓厚的兴趣，这种兴趣会逐渐发展为学习语言的能力。这种能力不仅构成了日后学习的基础，还是早期语言和智力发育的基础，而且有趣的是，这种能力也是社会能力发展的基础。毕竟，我们教给宝宝如何与其他人交往在很大程度上是依赖于语言的。

不幸的是，听觉系统因病菌感染和积液引起的暂时性听力损失并不总能够得到充分的医治。如果一个婴儿在出生时就存在一种严重的缺陷，这种缺陷会很快被发现，如果医生没有发现，也会很快被看护婴儿的人发现。有50～60分贝以上听力损失的儿童被认为具有严重缺陷，而这种情况通常都能在几周内被发现。即使在那些对婴儿健康不怎么注意的家庭里，这种缺陷也能很快被发现并得到治疗。但不幸的是，更多的儿童患有轻度到中度的听力损伤，但在出生后的头几年里被发现并得到治疗的却很少。

很多家长曾痛苦地告诉我们，尽管他们的孩子从一出生起就进行定期的体检，但是，直到孩子6、7岁的时候才被诊断出具有听觉缺陷。通常的情况是，父母中的一人或两人开始怀疑孩子的听力存在问题，并把这种怀疑告诉孩子的儿科医生或全科医生，而医生却告诉他们不需要担心。通常的解释是这样的："在很多方面，婴儿的行为都非常奇怪，在大多数情况下，这些行为根本没有什么意义。没有必要过分担心。别管他，孩子会自己好起来的。"

这种情况是儿科语言和听觉专家十分痛恨的，但并不罕见。如果你遇到了同样的情况，也不要感到吃惊。它每天都会发生。我们在密苏里州开展的示范项目，尽管得到了全国儿科联合会领导人的支持，但仍然无法得到一些家庭儿科医生的通力合作。

听力正常的儿童，大约从18周开始，就会准确地转向附近的声源（听觉定位反射），这种反应为我们进行早期听力筛查提供了一个有用的工具。任何人都能进行这样的听力筛查。

如何对18周或更大的宝宝进行轻度至中度听力损失筛查

在宝宝清醒、感觉舒适而且没有专心做什么事的时候，在他视线之外183～305厘米远的地方用正常的声音叫他。宝宝应当会在几秒钟之内停下动作，准确地转向你，并通常会对你微笑。过一会儿，再从另一个地方，仍然从183～305厘米远的视线之外的地方叫他，重复这一测试。宝宝应当以同样的方式做出回应。如果你从不同的地方进行了三次测试，而宝宝每次都能很好地回应，就说明他已经开始把这当成一种游戏了。

接下来，重复这个过程，但是这次要用耳语般的声音。18周以上的宝宝会以同样的方式回应。如果宝宝没有回应，你也不需要立刻跑去找听觉专家或开始担心。婴儿行为多变，在某些情况下，即使他们能够做到，也不会按照你的预期做出反应。迟些时候再重新测试一下，第二天再进行一次。如果在2、3天里进行过3、4次测试之后，你的宝宝还是不能适当地回应，就要把这些情况告诉医生。

如果医生建议你找儿童听觉专家进行听力检查，最好听从这个建议。所有的大医院都有这样的专家，或者可以为你推荐一个。但是，你的医生也可能不这样做。他可能会尽力向你保证没有什么好担心的。他可能会告诉你，中耳问题在婴儿当中很常见，它不会造成终生影响，很可能几天后就会消失，尤其是在宝宝没有高烧的情况下。

一些执业医生之所以如此，其原因是0～6个月的健康婴儿有时候会表现出十分令人担忧但实际上却没有什么意义的行为。例如，婴儿的惊吓反应会使父母担心；40℃高烧会使父母担心；一些正常的小婴儿会有轻度的惊厥。这就难怪做父母的总是神经紧张了。

这些问题的根源似乎是，人类婴儿的出生提早了6个月。婴儿的脑电波——例如，就像在脑电图中所看到的那样——直到婴儿6个月时才开始稳定。这么多虚假的警示信号，再加上父母们很难为养育宝宝做好完全的准备，也就难怪如此多的儿科医生都要试图安慰初为父母的人们了。不幸的是，听力障碍不应被当作无关紧要的问题，也不是无关紧要的事情。

的确，中耳积液，尤其是在没有高烧的情况下，很少会发展为造成损害的疾病。但是，对于此种情况是应采取积极的治疗措施，例如使用抗生素或通过外科手术在鼓膜中植入压力平衡管而减轻症状，还是应当任其发展，目前医学专业人士仍存在分歧。这种争论至今仍没有结果，但事实是，反复出现的中耳问题经常会导致听力损失。

如果孩子反复出现中耳感染或过敏反应，并伴随充血，其学习障碍就可能变得很严重。我们强烈敦促所有父母应坚持让医生像对待发烧一样对待潜在的听力损伤问题。医生不会对焦虑的父母说发烧的宝宝会自己痊愈。从教育的观点来看，我们认为医生不应该让父母对反复出现的中耳问题掉以轻心。

我建议父母们尽一切可能确保宝宝在出生后的头3年里具有完好的听力。这些努力将确保你的宝宝有一个良好的人生开端。

第三阶段宝宝的推荐物品

可以啃咬的物品

从第三阶段开始，一直到 1 岁，宝宝都会试图把任何能拿到的东西放进嘴里。造成这种行为的一个原因是，宝宝有着强烈的吮吸欲望，尤其是 6 个月以下的宝宝。此外，随着宝宝一周周地长大，在他快要长牙的时候，他的牙床会变软，啃咬硬物会明显缓解长牙期的不适。最后，有理由相信，宝宝是在利用他们的嘴对物体进行探索，尽管我不能肯定是不是这样。

除了吮吸和啃咬小东西的欲望之外，第三阶段的宝宝还会勤奋地练习手-眼技能，他们会触摸物品的形状和表面，把东西从一只手换到另一只手，然后放进嘴里。出于以上这些原因，应当尽量为第三阶段的宝宝提供大量安全的小东西。这些小东西不需要都从商店购买。塑料量勺或装长统袜的椭圆形容器都可以成为这一阶段宝宝的很好的玩具，只要是不会被打破且小得足以让宝宝拿住，但又不会小到能够吞下的东西，统统可以派上用场。为了防止宝宝吞咽玩具而造成窒息，你可以购买一个“防吞咽管”（一个用来测量小物体尺寸的简单装置）。

这一阶段的宝宝会对摇铃表现出兴趣，尤其是金属摇铃，特别是纯银制成的摇铃。其原因在于金属尤其是纯银能够使宝宝的牙床降温，缓解他们的不适。有趣的是，第三阶段的宝宝还喜欢串成串的塑料钥匙，可能是因为钥匙可以在钥匙圈上滑动，为他们制造一些小小的挑战。

弹跳椅

要记住：让宝宝赤脚，脚踩坚硬的表面，双腿略微弯曲，双脚着地。

儿童矫形外科专家已经向我们保证，这种玩具对于身体健康的婴儿非常安全。如果你仍然担心，可以向你的健康医师咨询。

摇滚乐

一旦你的宝宝成了一个“快乐的跳跃者”，你就可以给他播放摇滚乐——他会非常喜欢。你可以试试“宝宝摇滚”。

轻巧的高品质学步车

不要选择大而笨重的学步车，它们不适合小宝宝使用。由于学步车只能使用几个月，因此，旧的或借来的学步车也是不错的选择。

睡眠

在通常情况下，到第三阶段的末期或之后不久，宝宝会在晚上7点半到8点时睡觉，睡眠时间大约为10个小时。他们每天还要有两次小睡，加在一起3个小时左右。有些宝宝白天不睡觉。大约1/30的宝宝仍然受到腹绞痛的困扰，无法一觉睡到天亮。如果你的宝宝属于这种情况，我对你表示同情。除此之外，如果确定你的宝宝不是为了得到你的陪伴而故意哭闹，那么他一定是感到了不适。再过2、3个月的时间，你的宝宝可能会养成让你在夜间陪伴的坏习惯，但是目前还不会这样。在第三阶段结束时，以寻求陪伴为目的的有意啼哭一般还不会出现，尽管之后可能很快会出现。在这期间，如果你的宝宝一觉醒来后大声啼哭，我仍然建议你迅速给予回应，并尽力安抚他。等到宝宝进入第四阶段后，我的建议会有所改变。

第三阶段宝宝不推荐的物品

我建议父母不要轻易相信所谓的教育型婴儿玩具，即使是那些由大公司生产并获得儿童发展主管部门认可的玩具。至今为止，没有任何一种所谓的教育型玩具的效果经过了验证。甚至我所设计的玩具也不能发挥什么重要作用。任何玩具的价值仅仅在于，它具有良好的设计，并且适合于宝宝特定的发展阶段，它能帮助你为宝宝创造一个有趣的环境。这种作用也是不容忽视的，但是，不应据此认为它具有重要的教育功能。

玩具行业广泛缺乏专业性的一个表现，是对玩具适用对象的年龄标注常常是错误的。玩具制造商常常不知道他们制造的玩具的价值。另一种现象是，制造商标注的儿童对某种玩具感兴趣的时间常常比实际时间要长得多。当然，如果一个玩具标明适合0～18个月的宝宝，它的销售情况肯定比标明只适合宝宝玩几个月要好。在这些年里，我从来没见过玩具的推荐使用时间比儿童感兴趣的实际时间短的情况。

然而，我们可以看到，在过去的20年里，婴幼儿玩具的质量有了很大提高，很多玩具从教育的角度改进了设计。

随着人们尤其是有文化的家长越来越关注婴儿的早期学习，必然会出现强行推销和不实推销的现象，这一问题一时还难以得到解决。

标志着第四阶段开始的行为

视觉引导下伸手够东西的动作

进入第四阶段的一个更为明显的标志是宝宝能够用自己的手去

够视线之内的物体。宝宝通常在5个半月的时候能够掌握这种基本技能，早晚可能相差几个星期。我们对这种能力的研究发现，如果有适当的玩具可供宝宝锻炼，例如地板健身架或婴儿床健身架，他够东西的能力甚至早在15周时就会形成。但是，如果宝宝在满6个月前仍然没有获得这一能力，无论是出于教育的考虑还是其他原因，你也不需要担心。

翻身

你需要留心的第二个标志性能力是宝宝学会了翻身，他可以从仰卧到俯卧或者从俯卧到仰卧。有时，宝宝会在更早些时候完成翻身动作，尤其在他们发脾气的时候。很小的婴儿在发脾气的时候会伴随强有力的蹬腿动作，这会导致宝宝从仰卧变成俯卧的姿势。

第5章

第四阶段：5个半月至8个月

概述

第四阶段是宝宝的最后一个前运动阶段。在很多方面，宝宝的能力都比出生时有了很大提高。这时候，宝宝已经能够更好地控制自己的身体，眼睛和耳朵已经能够发挥与年轻成年人同样的功能。此外，这一阶段的很多宝宝已经能轻松地完成从仰卧到俯卧或从俯卧到仰卧的翻身。你的宝宝现在已经能够很好地控制头部运动，能用双手在视觉的引导下够东西。他还能找到声音的来源，并来回扭转身体。但是，有一件非常重要的事他还不会：他无法移动自己。例如，如果把他放在房间中央的毯子上，他还无法使自己的身体向前移动。当然，也有例外。有些宝宝通过不断地翻滚很早就掌握了移动自己的能力。当然，一些仰面躺着的宝宝在大发脾气的时候可以用脚后跟蹬踏床垫，然后用力踢腿使自己移动。由于你的宝宝会在婴儿座椅或其他东西上越来越多地保持竖直的姿势，因此，他的视野比以前宽广了许多。当然，宝宝对探索自己所看到的一切东西的兴趣也更加浓厚了。

如果你接受了我在上一章中提出的一些建议，知道如何满足第三阶段宝宝的兴趣，你的宝宝可能会在大部分时间里都保持愉快的心情，并且不会出现过度的需求性啼哭。现在，你仍然必须为他安排各种有趣的活动，直到他能够移动自己。

这个年龄的正常宝宝对于身边的世界会有强烈的学习欲望，就像小猫小狗一样。在视觉和听觉范围都有所扩大之后，他会极其希望接近身边那些看起来非常有趣的东西，但是依靠自己的力量还办不到。

在第四阶段末期，宝宝可能会克服两个主要障碍。此时，宝宝将能够坐起来并自己保持平衡，也将能够通过爬和挪，或是用胳膊推动自己向前移动。这些能力的获得将使你和宝宝的生活都发生很大改变。

如果不了解这一阶段宝宝的兴趣所在，父母们通常会觉得这个阶段是一个非常麻烦的时期。因为他们不知道应该和宝宝玩儿些什么，而且宝宝为了让人抱而哭得越来越频繁，这样的父母常常会发现，自己每天要花大量的时间抱着越来越重的宝宝。

我和我的同事把第四阶段形容为暴风雨前的平静期。我们会经常提醒父母们，一旦宝宝获得了移动自己的能力，生活就会发生极大的变化。因此，对于父母们来说，第四阶段是一段很好的休整期，他们可以在这个阶段为接下来3年的育儿工作做好准备。在这个阶段，他们也可以为很快将要发生的令人兴奋的事情做好准备。

还有一点值得注意，一些正常的宝宝即使到了7个半月或8个月，也不会移动自己，而是还要再等上几个月才能做到。如果你的宝宝属于这种情况，你会发现和他一起生活是一件更加使人疲惫的事情。对于一个较晚学会爬行的宝宝来说，要防止他的过度依赖和过度需求的性格相对较难，但也能做到。

第四阶段的一般行为

第四阶段的头几个星期对于父母们来说通常较为轻松。宝宝的好情绪还在延续，除非他们感到不适——例如长牙造成的不适。我的建议是：尽量享受这段时期，因为一旦你的宝宝掌握了在房间里爬来爬去的本事，情况就变了。你会发现，在接下来的14个月里，养育宝宝所面临的压力将大大增加。

小玩具

第四阶段的宝宝是什么样的？手和眼将继续成为他们行为的焦点。要记住，宝宝仍然面临着身体上的障碍，他还无法移动自己。但他对探索世界有着浓厚的兴趣。

此时，如果仔细观察宝宝，你就会发现一切活动都在围绕着他的手和眼睛而进行。在醒着的时候，宝宝在大部分时间里会保持身体竖直的姿势。有时，当宝宝在等你的时候——例如你为他准备食物的时候——你可以给他一些小玩具或其他东西玩儿。这个阶段的宝宝，一旦把什么小东西放在他能拿得到的地方，他就会饶有兴趣地把它们扔到地上。这一阶段的宝宝开始研究用东西敲击不同表面所发出的声音。我们会在有关智力发育的部分详细讨论这些行为。现在，我只告诉你，玩小东西是这一阶段宝宝的主要行为。

对微小物体的浓厚兴趣

在这一阶段快要结束时，宝宝的一个常见行为是对特别小的东西产生特殊的兴趣。在7个月的时候，你会看到宝宝有时会目不转睛地注视着某个表面上的碎屑或其他特别小的东西。这种非常特殊的行为只会持续几周。它似乎显示出宝宝良好的视力已经发展完善。

通过一些不寻常的试验，人们对宝宝这种对微小物体感兴趣的现象进行了研究。在一项试验中，试验人员准备了一些大小不同的球，直径从1.6毫米到6.4毫米，并以特殊的方法来吸引7～8个月宝宝的注意。由于这些球很容易被婴儿吞下，因此试验者把其中的一个球放进有透明玻璃盖的盒子里。试验者在盒子底部放置了一块强力磁铁，这样就可以通过移动盒子下的磁铁来使球移动。如果球的直径是6.4毫米，出于对微小物体的兴趣，大部分宝宝会在小球移动的时候仔细观察。随后，球的尺寸逐渐减小，一直减小到宝宝不再用目光跟随小球的移动或试图用手指去触摸小球。试验者得出结论，此时的小球已达到了宝宝视觉辨别力的极限。

体操运动员宝宝

第四阶段宝宝的另一个普遍特点是对运动的热爱，尤其是对刚刚获得的运动技能的热衷。在出生后的头两年里，宝宝会非常投入地对新获得的技能加以练习，直至能够熟练使用。我们会在后面的章节中讨论宝宝这种兴趣的教育意义。这种强烈、普遍、自然的趋势促成了婴儿操的诞生，这种体操已经在全美国广为流行。很多这样的体操课程都承诺会带来很多好处。实际上，我们认为他们的承诺有些夸张。但是，那些由可靠而富有爱心的人们开设的体操课程还是能够使父母和宝宝们度过一段快乐时光的。

胳膊和腿的练习

在第四阶段，宝宝继续对锻炼腿部肌肉饶有兴趣。正是因为宝宝的这种兴趣，设计良好的学步车能够对宝宝的练习发挥功效，而且弹跳椅也能使宝宝从中获得乐趣。

除了踢腿动作之外，你还会发现，一旦有机会，第四阶段的宝宝就会对他们刚刚长出的手臂肌肉进行锻炼。

翻身

宝宝在第四阶段获得的另一个运动能力是从仰卧到俯卧再到仰卧的翻身动作。在这10周的时间里，宝宝会反复练习这一技能。还要记住，第四阶段的宝宝有时还会使用新获得的身体控制能力，他们会朝着一个方向不停翻滚，从而移动很长的距离。

保持独立坐姿

这一阶段形成的另一个运动技能是保持坐姿。到了第6个月的时候，宝宝就会开始练习这一技能。到第7个月的时候，大部分宝宝都可以坐得很稳了，但是还无法依靠自己的力量站起来。到第四阶段末期，即第8个月左右的时候，大部分正常的宝宝已经能站起来了，但也有例外。

对声音的兴趣

这一阶段宝宝的另一个特点是，他们对外界的声音产生了越来越浓厚的兴趣。第三阶段的宝宝对自己制造的声音就会表现出兴趣，尤其是他们用口水制造的声音，这种兴趣在第四阶段会持续增长。这种对声音的兴趣预示着在这一阶段中宝宝真正的语言学习的开始。

重要警告

尽管按照我们的预期，宝宝会在7个半月到8个月的时候开始爬行，但你的宝宝也可能会比这要早。实际上，我们也曾听说过有的宝宝在不满6个月的时候就会爬，在不满8个月的时候就会走。不过这种情况并不常见。

第四阶段宝宝的明显兴趣

新的运动技能：在各种物品上测试其效果

宝宝对小东西的兴趣要经历四个时期。第一个时期是从宝宝出生至第 5～6 周，这时候，宝宝对小东西根本不感兴趣。如果能成功地打开宝宝紧握的拳头，你就可以让他抓住一个摇铃，但是他不会看它。过一会儿他可能会把摇铃扔掉，仍然不会看它。你所做的只是激发了他天生的抓握反射。如果这一时期的宝宝正好感觉舒适且处于清醒状态，同时那个东西的直径大于 8～10 厘米，且颜色与其背景形成鲜明对比，宝宝也可能会对你拿给他的东西瞥上一眼。不过，一般来说这种兴趣是很短暂的。

第二个时期从宝宝 8～10 周大的时候开始。此时，宝宝进行持续视觉探索的能力已经有了提高，这是因为从第 3 个月开始，宝宝的视力有了很大的提高。在用手触摸挂在地板健身架上的玩具时，这个时期的宝宝会注视自己的拳头或手。大约 10 周大的时候，你会发现宝宝的视觉能力有提高的迹象，因为他们开始审视物体的细节。在扫视物体的时候，你会看到宝宝的眼睛会细微而快速地运动。

第三个时期是一个过渡期，此时，宝宝会在各种物品上测试他刚刚获得的运动技能。现在，他注意的焦点开始从运动行为本身——例如伸手去够并击打一个物品——转移到该动作在物体上所产生的效果。6 个月大的宝宝会反复地把东西从他的婴儿椅上扔下去，并观察它们在开始坠落时的样子，这个例子表明了宝宝的兴趣从运动行为向目标物体的转移。

第四个时期从宝宝 8 个月左右的时候开始，会持续几个月，在这个时期，宝宝的运动行为——伸手够东西、击打、敲击、释放等等——已经非常熟练了，他们能够迅速而准确地完成这些动作（皮亚杰对婴儿的这一发展阶段进行了很好的描述)。现在，宝宝的注意力集中在物体的特点及其运动上。在第五阶段的讨论中会更多地涉及到这些内容。

第四阶段的宝宝正处于第三个时期。他对于自己新获得的运动技能作用在目标物体上的效果有着特殊的兴趣，因此他会把物体弄掉、扔出去，击打它或是把它放进嘴里。也是在这一阶段，你还会发现宝宝开始对视觉控制下的双脚动作感兴趣。当然，宝宝更多地是进行眼-手控制活动，而较少协调地使用眼-脚进行玩耍。

在兴趣转移阶段的早期，宝宝对物体运动方式的关注会仅仅局限在物体刚刚开始运动的瞬间。如果宝宝把一个东西从婴儿椅的托盘上扔下去，他可能不会观察物体掉落在地上并弹起的过程。他更感兴趣的是松开手释放物体的动作，以及物体刚刚开始掉落的样子。但随着他一周周地长大，如果仔细观察，你就会看到他逐渐开始观察物体掉落的整个过程。

人际关系与亲情交流

在第四阶段的头几个星期里，宝宝在第三阶段中的好心情还会持续。除了这一时期长牙造成的不适，或是其他身体上的不适，例如高烧、极度疲劳或饥饿之外，你的宝宝会继续保持愉快且善于交际的状态。他会向几乎所有人展露出迷人的微笑，会发出笑声和表示高兴的声音，尤其是向照顾他的人。任何和他在一起的人都会爱上他。从生物学的角度来看，这种几乎无法形容的吸引力具有重大的意义。要想生存下去，此时的宝宝仍然需要得到很多帮助，因此对于他们来说，在学会爬之前，让一个较年长的人深深地爱上自己是至关重要的。第四阶段之后，宝宝有时会变得更加令人头疼和难以对付。

但是，到了第四阶段末期，通常会发生一个重大的变化。这个从前令人喜爱、面带微笑、会发出咯咯笑声的美丽小东西，突然之间开始对那些试图接近他的较为陌生的人摆出拒绝的姿态。稍后我们会继续讨论这一话题。

逗引第四阶段早期的宝宝，他们就会做出高兴的表示，这是因为他们很喜欢和成年人一起玩耍。这一阶段的宝宝非常喜欢同父母交流微笑和声音。这些行为表明了宝宝在出生后的头几年里与一个成年人建立起稳固关系的重要性。

对陌生人的不安

大约在6个月的时候，你可能会看到宝宝的社会行为发生了一个重大转变。此时，宝宝不再像以前一样看到任何人都会露出甜蜜的微笑，有些宝宝开始对较为陌生的人表现出谨慎的态度。不幸的是，前来探望的爷爷奶奶或外公外婆也可能会受到这样的待遇。一开始，宝宝可能会严肃地注视这些人，并持续几秒钟或几分钟。在这一过程的早期，这种注视通常会以微笑结束。微笑前的这段时间似乎是一段预热期。但是，如果宝宝不熟悉的人迅速接近他或发出较大的声音，他很可能会有明显的害怕反应。

随着时间一周周地过去，宝宝的预热期可能会越来越长，而害怕反应也会出现得越来越频繁。这种状况通常会持续大约两个月。但是，一些宝宝——大概1/20的宝宝——不会经历这一时期。

声音

在第四阶段，宝宝会对声音表现出越来越浓厚的兴趣，包括和他一起玩的人发出的声音，以及他自己发出的声音。由于这种兴趣很快会发展为真正的语言学习，因此你一定要继续对宝宝的听力给予密切关注。通常，宝宝对声音的注意是语言学习的序曲。

在第四阶段开始的时候，你的宝宝会对声音做出反应，但是无法理解任何词语的意思。然而，在第四阶段快要结束的时候，他会开始有选择地对一些简单的词语做出反应。对于以英语为母语的宝宝来说，他们听懂的第一个词几乎是相同的，这些单词通常是“妈妈”（或其代称）、“爸爸”、“拜拜”和“宝宝”。在这个阶段，你的宝宝所使用的词语不一定都是字典上的词语。如果你每次拿给他奶瓶时，他都说“Ba-ba”，而在看到其他任何东西、人或宠物时从来不说这个词，我们就可以说，他已经掌握了一个词语。

在第四阶段的前半期，宝宝不会对词语表现出任何明显的兴趣。但是，宝宝会对自己制造的声音以及你同他玩耍时发出的简单声音做出很多反应。你会特别注意到，当宝宝嘴里有口水的时候，他会发出与平常不同的声音。在宝宝独自一人或有人陪伴的时候，他可能会饶有兴趣地尝试着用口水发出各种不同的声音。对于初为父母的人来说，一个非常愉快的经历就是听着宝宝自得其乐地发出这样的声音。

练习运动技能

伸手够东西

在第四阶段开始时，大部分宝宝已经掌握了伸手够东西的能力。一旦这种能力得以形成，至少在第四阶段的前半期，你的宝宝就会试图抓取他手臂所及范围内的任何东西。这一阶段的宝宝不会伸手抓取152厘米以外的物体，即使这些物体又大又有吸引力。但是，当宝宝仰面躺着或坐在婴儿座椅上的时候，他会尝试抓取任何离他20厘米以内的东西。

由于很多原因，伸手够东西的动作对宝宝来说非常重要。同任何其他动物相比，人类能更好地将手作为抓取物品的工具，而且在皮亚杰关于智力发展的理论中，伸手够东西的动作被视为婴儿开始对客观世界进行探索并为智力发育打下基础的一个重要方式。

第四阶段的宝宝抓取一个物体时，可能会把东西放进嘴里咬，或是使之与自己的眼睛保持一个舒服的距离——通常为15～20厘米——并注视它。他还可能把东西从一只手换到另一只手，或者移动并注视它。

另一个与伸手够东西动作相关的普遍行为是双手并用。在这一阶段，至少有4/5的宝宝喜欢使用右手，如果你从左边拿给他一个东西，宝宝可能会伸出右手抓取。如果他用左手拿到了东西，或是你把东西放在了他的左手中，他可能会用左手拿着并用右手触摸它，或是把东西换到右手里。在这一阶段，这种视觉引导下的双手触觉探索十分常见。

有趣的是，此时如果你的宝宝把手中的东西丢掉，他会注意到东西不见了，而2个月大的宝宝则不会这样。然而，在第四阶段的早期，宝宝还不会用目光追随物体的掉落轨迹，也不会把它捡回。

翻身和坐起

除了练习伸手够东西的动作之外，这一阶段的宝宝也很热衷于练习翻身。到这个时候，他们已经熟练掌握了这个动作。在第四阶段中期，你会开始看到宝宝努力练习坐起来。到这一阶段结束时，他可能就会拥有这种能力。他会花很多时间反复练习每一个新获得的能力。

爬行

这一阶段的最后一个运动技能是爬行。当宝宝开始练习爬的时候，他们有时会以传统的方式进行，即用双手和双膝支撑身体，协调四肢向前爬。但是，有些宝宝一开始会利用胳膊使自己前进，而把双腿拖在后面。有的宝宝会通过翻滚来移动自己。重要的不是宝宝选择哪种运动方式，而是大部分宝宝尽力想要从一个地方移动到另一个地方这个事实。宝宝想移动自己的部分原因在于他们希望对新获得的运动技能进行练习，而更重要的原因是他们在强烈的好奇心驱使下希望亲自对几个月以来看到而无法接近的很多远处的东西进行探索。

智力发展：第四阶段的学习

与前几个阶段一样，宝宝在这一阶段的经历对他以后的智力发育有着重要的影响。这方面的信息主要来源于皮亚杰关于智力发展的研究。

对物体的兴趣

在第四阶段，宝宝的兴趣焦点似乎从自己的运动技能逐渐转移到了手中的物体上。宝宝掉落、击打和扔出物体的行为预示着他开始对物体的特征及其运动产生了兴趣。一个典型的例子是，7个月大的宝宝会把勺子或其他小东西从婴儿椅上扔下去，然后观察它掉到哪里。宝宝对自己动作所产生的结果有异常强烈而持久的兴趣，这导致了宝宝对手-眼动作结果的关注。这种趋势始于10周大时的宝宝对手的观察，直到宝宝出生后第二年的后半年，这都将是健康宝宝的主要兴趣所在。了解宝宝对此类行为的迷恋，对于为0～2岁的宝宝选择玩具非常重要。

对因果联系的兴趣

第四阶段宝宝智力发育的第二个方面是他们开始对因果关系——原因和结果的关系——感兴趣。婴儿床健身架和地板健身架可以直接为宝宝的眼-手行为提供结果，可以让宝宝看到自己的行动效果，从而激发他们对促使事物发生运动的兴趣。宝宝会对那些能够发声的玩具，以及带有简单机械连接的玩具（拉动这种玩具的某个部分就能带动另一个部分的运动）发生兴趣，对那些同时能够发出适中声响的玩具更感兴趣。这种普遍的兴趣使得宝宝在这一阶段快要结束的时候会爱上弹出式玩具。

宝宝对引发一些简单的事情的兴趣是贯穿整个第四阶段的另一个主题，而且这种兴趣在头三年里会一直延续下去。从第四阶段开始直到2岁的时候，宝宝会花很多时间探究自己行动所产生的结果。再过几个月，宝宝会开始探究自己推动一个大球或一扇门时会发生什么。宝宝还会扮演“研究者”的角色，反复地按动电灯开关，看看会发生什么。在这一阶段末期，宝宝会为了听到你发出大声抗议，而去敲打你的眼镜或是揪你的头发，或者做出其他的让你不太好受的无辜举动，这些行为都表现出了宝宝的好奇心。

对因果联系认识的另一个相关主题是宝宝对时间和事件顺序的认识，这在皮亚杰的研究中也有描述。任何因果联系都会涉及事件的时间顺序。宝宝推动玩具的一个部分，其另一部分就会发出声音，或跟着一起移动。宝宝从自己坐着的高脚椅子上丢下一个物体，然后观察其后所发生的一连串事情。我们没有理由认为新生婴儿会懂得因果关系或事件的时间关系。但可以肯定的是，在婴儿时期，宝宝会从他们所经历的无数简单行为中学到关于因果联系的基本东西，尤其是在探索或观察小东西的时候。

记忆

有关智力发育的另一个非常有趣的话题是记忆。研究人类记忆最常见的方法就是让被研究对象向你描述他们过去所经历的事情。很显然，这种方法不适用于婴儿。但是在亨特（J. McVicker Hunt）的一些电影中，对记忆这个主题进行了认真地探讨，并反映了皮亚杰关于早期智力发育的观点。亨特和艾娜·阿格利斯（Ina Uzgiris）拍摄了一部名为《客体永存》（Object Permanence）的电影，在影片中，让婴儿去寻找藏在围巾、其他织物或枕头下面的小玩具。1岁的婴儿通常不费什么力气就会拿开围巾，找到玩具。但是，如果玩具上面盖了3条围巾，1岁的婴儿通常会揭开第一层围巾，露出困惑的表情，然后放弃。而2岁大的婴儿会继续揭开下面的围巾，直到找到玩具。相对于1岁的婴儿来说，2岁的婴儿对不见了的玩具的印象要更为持久。

体现宝宝对小物体的有限认识的一个最显著的例子是皮亚杰的一个试验，试验的内容是在一个8个月大的婴儿面前藏起一个玩具。如果你在婴儿的右侧把玩具藏在枕头或围巾下面，大部分8个月大的婴儿都会迅速找到它。如果你连续4、5次以同样的方式藏起玩具，宝宝每次都能成功地找到玩具。但是，如果你紧接着在他的左侧藏起同样的玩具，却在其右侧放上枕头或围巾，宝宝通常在略微犹豫之后，会试图从右侧，即以前找到玩具的地方寻找，而不是从左侧。第一次看到这样的行为可能有点令人惊讶，但是，皮亚杰利用它解释了这样一个事实，即起初这个小物体的存在被宝宝与他所参与的行为联系在了一起，而不是与物体存在的任何一般性规律联系在一起。顺便说一句，这只是皮亚杰进行的无数有趣的“小试验”中的一个，目的在于研究婴儿的头脑是如何工作的。

在我看来，皮亚杰是个天才，而且是有史以来惟一一个研究婴儿行为的天才。尽管皮亚杰仅仅是以自己的3个孩子为试验对象进行的研究，但是迄今为止仍然是对婴儿出生后头几年中每周智力发展情况最为全面的研究。有趣的是，他的兴趣不在于帮助婴儿开发智力，而在于了解智力的发展过程。

在皮亚杰研究成果的指引下，洛克菲勒大学的研究者们对6个月至2岁婴儿的短期记忆发育进行了研究。研究显示，短期记忆从婴儿7、8个月时开始出现，并在其后稳定增长，到婴儿1岁半的时候，他的短期记忆已经至少能达到24小时。如果某一天把婴儿喜欢的东西藏在一个不太寻常的地方，第二天，一旦有机会，他就会很快把它找到。

了解关于短期记忆的信息，认识到宝宝对一切事物的强烈好奇心，对于我们的养育实践有着重大价值。同时，我们还要注意一个重要的问题，即在宝宝对各种物体进行探索的时候要小心看护，不要让他们接触危险的东西。此外，还应对宝宝行为的意义有所了解，同时了解宝宝智力发育的情况，这样会使养育宝宝的经历变得更加有趣。

情感

在第四阶段的前半期，大部分宝宝都会经常处于满足而愉快的情绪状态中。在人际关系方面尤其如此。不过，这一时期的宝宝也会表现出突然的情绪变化。你可以在很短的时间里很容易使一个正在啼哭的宝宝破涕为笑，甚至大笑不止。这种快速的情绪转换可能与宝宝缺乏记忆力有关。

运动与感觉技能

运动技能发展在早期教育中起着重要的辅助作用。在宝宝获得新的运动技能的时候，同时也获得了学习的自由，因为宝宝在逐渐摆脱自己与生俱来的各种限制。到了7个半月能够独自坐着的时候，宝宝就能更容易地做到丢掉或者扔出一个物体，并能够更好地通过这些探索行为了解物体的性质和物理特性。毕竟，在宝宝仰面躺着或是趴着的时候，没有办法把东西丢或者扔到较远的地方去，也没有办法追随物体的运动轨迹。一旦宝宝学会了爬行，他学习的机会就大大增加了。

社会能力

我们已经提到过，在这个时期与人交流的时候，宝宝常常会表现得异常兴奋和愉悦。我们还注意到，随着第四阶段接近尾声，宝宝不再对所有的人都表示亲近。他会与主要的家庭成员建立起亲密的关系，而对其他人则可能表现出害羞或警惕的样子。他的好心情有时也会被长牙期的不适所破坏。

语言

在第四阶段末期，宝宝会真正懂得一些词语的意思。我的意思是，他会把“瓶子”这个词和瓶子或看起来像瓶子的东西联系起来，而不是和别的东西联系起来。宝宝自己的名字对于他也有了特殊的意义。“妈妈”这个词或一些类似的发音对于他只是指代妈妈，而不是爸爸。参考前文的内容，你会了解宝宝最先学会的是哪些词语。

第四阶段的宝宝无法听懂哪怕最简单的指令，但是不久之后他就会听懂。一旦宝宝开始学习语言，你就会看到一个非常有趣的过程。最初，宝宝学习语言的速度很慢，而在第2年会大大加快。

需要注意的是：尽管在接下来的1年里，宝宝将获得很多语言能力，但在目前这个阶段，他可能会一言不发。发展良好的宝宝也可能会在第18个月甚至更晚的时候才开口说话，这种情况并不少见。（“婴儿期”这个词的实际意义是“不会说话的时期”，通常用来指0～18个月这段时间。）你应当对宝宝学习词语的涵义及语法结构的速度进行观察。

第四阶段推荐的养育方法

概述

我把第四阶段描述为你与一个无法自己行动的小东西一起度过的婴儿期的最后一个阶段。尽情享受这段暴风雨前的平静吧。

当然，在宝宝8个月以前，你会遇到各种各样的困难。一些宝宝在出生后的头几个月中都会受到“腹绞痛”的困扰。另外一些宝宝可能会在夜里频繁地醒来，他们在满6个月以前，通常每3个小时醒来一次。一些宝宝会因长牙而感到不适。但是从第8个月起，你在养育宝宝的过程中所遇到的困难可能会有所变化。一旦你的宝宝学会了在家里爬来爬去，你就会有更多事情要处理，这不仅是指你需要小心看护使宝宝远离各种危险，而且你还要为是否错过一些重要的教育环节而担心。

让宝宝感受到爱和关心

与前面三个阶段一样，你也要确保此阶段的宝宝感受到你的关爱。这一阶段惟一的变化是，由于宝宝的反应性有所提高，而且大部分时间都心情愉快，因此你在与宝宝玩耍时会获得更多的乐趣。此外，你还可以通过游戏来集中宝宝的兴趣。

一个重大危险出现了：防止过度需求的出现（宝宝被宠坏）

阅读到此，你应该已经明白，在宝宝的头3年里，把他教养成一个聪明的宝宝比教养成一个愉快的、不被宠坏的宝宝要容易得多。在过去的6年中，我们在示范项目中与一些家庭进行了密切的接触，因此非常了解如何使宝宝在3岁时成长为一个令人愉快的小人儿。有趣的是，宝宝过度任性性格的形成以及其后出现的自私行为都根源于出生后的头6个月，其中第四阶段是一个非常特殊的时期。

到5个半月的时候，宝宝对于大人安抚的感受已经有了数千次的经验，通常，在大人赶来进行短暂的安抚之后，宝宝的不适就会得到缓解或被消除，或者从中获得某种乐趣。这些经验为宝宝的心理安全感建立了基础。其重要性就无须赘言了。

在出生后的头几个月里，宝宝会对刺激有所反应。与一些流行观点不同的是，大量证据表明，宝宝不会有意识地主动与成年人进行互动。换言之，在出生后的4～5个月里，宝宝之所以啼哭是因为感到疼痛或不适。几乎所有研究人类发展的学者都认为，在早期阶段，宝宝不会被宠坏，而你应当努力去缓解他的不适。

然而，从第5个半月或第6个月开始，会有一个新的、重大的变化。在第6个月末期，宝宝有时会因不适而啼哭，也有些时候会因寻求他人的陪伴而啼哭。此时，宝宝开始将啼哭作为获得关注和陪伴的一种手段。这种新出现的能力是正常智力发展的一个明显信号。这也标志着从这个时候开始，你要尽力防止把宝宝宠坏。

在第7个月末期，大部分宝宝会因为希望得到抚慰而在白天经常啼哭，并逐渐养成习惯。此外，宝宝的啼哭开始呈现出过分需求的特性。我在前面提到过，在托幼机构中长大的婴儿不会出现这样的情况。在这个时期，这种日间啼哭的次数会大大减少。当知道啼哭只会使自己疲劳和声音嘶哑的时候，这些婴儿就会较少啼哭。

在第13个月和14个月的时候，宝宝会通过日常经验明白，呜咽或故意啼哭能使他有效地控制大人并得到自己想要的东西。很多宝宝会在换尿布的时候拼命抵抗。8、9个月大的宝宝常常会养成在凌晨2点或3点故意啼哭的毛病。到了2岁的时候，那些令人头疼的、自私的宝宝常常会不断地啼哭或抱怨。

我相信，在第6个月末出现的这个令人烦恼的过程，就是宝宝开始了故意啼哭。近年来，通过“父母是孩子的老师”示范项目，我们对这种发展模式越来越确信，并且已经学会了如何应对。

在这个过程形成的早期，你介入越晚，就越难以使事情按照自己的意愿发展。我们建议，为了避免宝宝在3岁以前成为一个过度以自我为中心的人，最好的方法是从第四阶段开始注意宝宝有目的啼哭的增加频率，并了解如何避免宝宝过度利用需求性啼哭。这是养育工作中一个非常重要的部分，需要你始终关注宝宝的情况，并给宝宝安排各种有趣的活动，使宝宝大部分时间都有事情可做。换句话说就是，你应当了解宝宝的发育过程，尤其是宝宝的兴趣和能力的快速发展。

为第四阶段的宝宝提供有趣的选择

以下是第四阶段的宝宝感兴趣的事情：

- 打量不同的人、地方和事物
- 与经常照顾他们的人一起玩儿
- 啃咬一切能够放进嘴里的硬东西
- 探究物体的运动轨迹
- 观察因果关联现象
- 锻炼双手、双臂、躯干和双腿
- 满足自己的好奇心
- 练习手-眼技能

如果你在宝宝清醒的大部分时间里能满足他的这些兴趣，他就会忙于这些具有挑战性的、有趣的和令人愉快的活动，从而会保持良好的情绪，不会出现过度的需求性啼哭。从需求性啼哭刚刚出现的时候开始，直到宝宝能够自由地在房间里爬来爬去，你都应当经常主动和他一起玩儿。你每主动跟宝宝玩一次，宝宝就会减少一次必须叫你到他身边去的机会。

如何进行

以下这些重要的建议与前文我为第三阶段后半期提出的建议大致相同。我再次写下来是因为这些建议具有特殊的重要意义，而且也省得你再去前面的章节中寻找。

要为宝宝提供可供他观看的有趣场景，白天的时候要经常带宝宝到不同的地方走走。要经常带他外出。经常和他一起玩儿，不要等着他叫你。在宝宝周围放一些安全的、可以啃咬的物品——越多越好——但是一定要用防吞咽管进行过检查。让他有大量的时间在地板上玩儿，以便练习翻身、伸手够东西以及自己坐起来。

在这个阶段，宝宝坐着的时候最好为他提供支撑的装置。在洗澡的时候，可以在浴盆中使用圈形支撑椅以使宝宝获得更多的乐趣。你还可以购买一个马掌形垫子，当宝宝坐在干燥表面上时为宝宝提供支撑。至少，在宝宝还坐不稳的时候，要在他后面放个枕头。向前和向侧面摔倒都不会造成太大的伤害，但是，向后摔倒容易使宝宝的后脑勺摔得很疼。

可以使用弹跳椅，每次15分钟，每天不要超过1小时。确保宝宝光着脚丫（在室内），不管冬天还是夏天，都要把弹跳椅调节到适当的高度，使宝宝的脚底能够感受到身体的部分重量。

最后，但同样重要的一点是，当没有其他事情可做，你能够一心一意看护宝宝的时候，可以把他放进一个高品质的学步车里，每天不要超过1小时。和使用弹跳椅一样，宝宝应当赤脚，学步车的高度应当能使他的脚底感受到一些压力。大部分宝宝都会爱上学步车。不要因为医生的反对而放弃使用学步车。有时，学步车的确会导致意外发生，但那只会发生在宝宝没有人看护的情况下，而且通常发生在更大的宝宝身上。一旦你的宝宝能够在屋子里爬来爬去，我建议你就要停止使用学步车。从宝宝4个半月一直到他学会爬行，学步车都是一个非常有用的工具，因为它能消除宝宝的无聊和沮丧，而且使宝宝能够使用自己的双腿去满足自己的好奇心。如果使用得当，学步车和弹跳椅都是非常不错的玩具，不仅能让宝宝非常喜欢，而且有助于抑制过度的需求性啼哭。

帮助你的宝宝发展特有技能

语言

在这个阶段接近尾声的时候，宝宝会开始真正的语言学习。但是在第1年剩余的时间里，宝宝的进步会非常缓慢，而且，通常宝宝只能学会理解语言，而不是使用语言。你会不可避免地听说其他更小的宝宝比你的宝宝会说更多的话。这通常会使一些父母产生不必要的忧虑。如果你的宝宝很早就学会说话，那很不错。但如果情况不是这样，也不意味着宝宝有什么问题。在宝宝出生后的两年半时间里，他所理解的语言比他会使用的语言更能体现他的发育状况。相信我。

在这个阶段，宝宝最为充分的语言发展有两个要求：良好的听觉能力和有效的语言环境。如果你感觉宝宝听不到某些应当听到的东西，他可能是的确听不到。如果父母中有一个人产生这种怀疑，就应当根据我在前面提到的方法对宝宝的听力进行筛查。如果你的宝宝在几天的时间里有好几次没有通过测试，你就应积极寻求相关专业人士的帮助，以便确定宝宝的听力是否存在问题。

同你的宝宝说话

在第四阶段中，你应当继续和宝宝多说话。要试着确定你的宝宝目前正在关注什么，并就此展开话题。要和宝宝谈论此时此地的场景，而不是下个星期或隔壁发生的事情。在 2 岁以前，宝宝只能处理简单而具体的信息。在宝宝 2 岁生日以前，他还不会形成抽象的思维能力。任何话题都是可以的，只要是具体而实际的，否则宝宝只会听听而已。可以谈论你正在穿的袜子，你拿在手里给他看的玩具，你的脸或是他的手指的一些特征，如果他恰好在看着它们的话。

运动技能

宝宝的运动技能会在第四阶段得到很大的发展，而且在很大程度上无需你的干预。但是，你也可以帮助宝宝更好地发展这些能力，至少你应当知道宝宝的发展，以避免在不经意的情况下阻碍了这些技能的发展。还有，如果了解运动技能发展的具体情况，你就可以更加有效地进行安全防范。最后，宝宝每种新技能的获得都会令你由衷地感到骄傲。

这一阶段发展的主要技能是躯干控制（翻身）、独立保持坐姿的能力、爬行或其他形式的运动能力、坐起来的能力、腿和胳膊的运动能力，而腿和胳膊运动能力的发展使得宝宝的运动越来越频繁有力。

躯干控制或坐起来的能力是你无需干预的。只要你让宝宝能够自由地活动，他就会对每个新获得的技能加以练习，直到能够熟练掌握。一些书和节目声称能对宝宝运动技能的发展有所帮助，但是在我看来，这种帮助是没有必要的。这些能力的发展是必然的。另一方面，健康的宝宝喜欢对新技能进行练习。他们也很喜欢看到父母对自己的这些行为所表现出来的欣喜。一个例子就是能够很好地使用弹跳椅的宝宝。当你把他放进弹跳椅的时候，宝宝会立即开始跳跃。实际上，他可能会在坐进座位之前就开始跳跃。一旦他注意到你在一旁看得非常高兴，他就会对你露出微笑，然后跳得更加起劲儿。你会从中获得极大的乐趣。

毫无疑问，控制自己的身体并以适当的方式进行锻炼会使宝宝获得很大的乐趣。此外，任何能使宝宝和其他人尤其是父母共同高兴地玩耍的游戏都是值得推荐的。没有人曾经断定一些训练能够大大有助于婴儿早期运动能力的发展，但是，我仍然建议你参加一些团体培训，通过使用高质量的活动工具为宝宝练习运动技能提供机会。现在有很多45分钟的课程，会在音乐的伴奏下让宝宝按照年龄分成不同的小组做游戏。宝宝喜欢这样的活动。这些课程通常是每周进行一次，价格并不昂贵。

我相信，这样的课程不仅能够使宝宝从中得到乐趣，而且还有第二个较为微妙但同样重要的好处——使初为父母的人从中受益。在这些课程中，初为父母的人们会看到12个与自己的宝宝没有多少差别的其他宝宝，而且这些宝宝的父母在照顾宝宝方面也和自己差不多。这样的集体课程能够使宝宝的父母形成正确的观念。它们的确有所帮助。

警告：如果某个课程声称具有“重要”的教育意义，你不要轻信。没有证据也没有理由使我们相信，这些课程所宣扬的能够使宝宝建立“自信心”和发展学习能力，或者说是什么极其重要的课程。这些课程最多能给宝宝和父母带来巨大的乐趣，并且对新父母起到安慰作用，不过这也没有什么不好。

从教育的角度来看，宝宝在第四阶段出现的最重要的运动能力是移动自己的能力。这种能力预示着宝宝早期学习的重要时期的来临，而且对于这个阶段有着重要意义，如果你允许宝宝最大限度地进入你的日常生活区域的话。

消除家中的安全隐患

为了让宝宝能够安全地四处活动，把家庭重新进行一番布置是非常必要的，这样做有两个目的：第一是使家庭成为一个可供宝宝进行探险的安全地方；第二是使家里的东西免遭宝宝的破坏。

厨房和居室

为了保障四处活动的宝宝的安全，采取安全措施应从厨房开始，因为宝宝在醒着的时候会在那里消磨大量的时间。找出宝宝有可能放进嘴里而对他构成危险的任何物品，把它们放到宝宝够不着的地方。很多清洁剂和研磨剂都是有毒的。易碎的玻璃制品或其他能打破的厨房用品应当放在安全的地方。锋利的物品如刀子和切磨用具也应放好。

你应当检查家里离地面91厘米高的所有地方，以消除潜在的危险。电线和插座是危险的。如果任何地方有用不着的电源插座，应当购买尺寸相匹配的塑料防护罩。我建议把所有电器的电线都放到宝宝够不着的地方。特别重要的是要对所有的电气绝缘装置进行检查。

另一个不那么明显但同样重要的隐患是放置不稳的物品。例如，如果你把一个折叠熨衣板靠在墙上，一定要确保它不会被宝宝弄倒。如果你有很容易翻倒的椅子或落地灯，应当把它们拿走。此外，你还要检查所有的木质家具，看看上面有没有尖刺。你还应确保所有宝宝可能接触到的颜料都是不含铅的。

植物存在双重的危险。如果放在宝宝活动的地方，它们连同沉重的花盆都有可能砸到宝宝。此外，很多常见的家养植物是有毒的。想获取关于意外中毒信息的最好地方是当地的防中毒控制中心，应记住他们的电话。

你应确保宝宝能够接触到的任何电视和音响遥控器都不会漏电，并且上面的任何可拆卸按钮不容易脱落。还要确保这些按钮不会被宝宝吞咽——换言之，它们任何一维的长度都不应小于4厘米。

楼梯

摔跤是宝宝的另一个主要危险。所有刚刚学会爬的健康宝宝都喜欢爬楼梯。另外，只要有机会，不管有多少级楼梯他们都会去爬——如果给他机会，不管是1、2级还是100级台阶，宝宝都会尝试。没有人知道他们为什么会产生这种欲望，但事实确实如此。怎么办？你可以在每个楼梯的底部和顶部都加上一道门，尽管我不认为这是最好的办法。我建议在楼梯的顶部加上一道门，在底部第3级台阶的边缘也加上一道门，另外要在楼梯的底部铺上垫子。如果只有2级楼梯可爬，宝宝就不会受伤，而且也不需要太多的看护。最重要的，也是本书所强调的，就是宝宝通常非常希望爬上楼梯，并非常想学会怎样才能更好地爬上去。对于第四阶段的健康宝宝来说，对体育运动的兴趣是非常自然且重要的。在第3级台阶上安上门可以使宝宝安全地练习爬楼梯，这种行为无疑会为他带来很多乐趣。

有趣的是，关于楼梯我们还学到了一些其他的东西，尽管起初容易被人忽视：宝宝感兴趣的是“攀登动作本身”，而不是一级一级的楼梯。通常的台阶高度为18～23厘米。我们发现，宝宝在攀登5厘米高的台阶时所得到的乐趣与攀登普通台阶是一样的。对于那些喜欢爬楼梯的宝宝来说，你可以考虑为宝宝制作一个特殊的矮楼梯。

浴室

第三个需要考虑的重要地方是浴室。所有的宝宝都喜欢玩水，也喜欢靠近浴缸或马桶，不幸的是，这样他们就有可能掉进去。能够避免意外溺水和头部碰撞的惟一方法是别让宝宝进入浴室，除非你和他在一起。应当把浴室的门锁好，可以使用简单的挂钩，安装在比较高的地方，使宝宝在长大一些（至少2岁）以后才能够得着，那时他已经能听懂你的话并且值得信任了。另外一件重要的事情是要确保所有的药品都放在宝宝够不着的地方。花几块钱就能买一个带锁的小保险箱，可以把所有药品放在里面。千万不要怕麻烦、花钱。

室外

你一定知道不能把这个年龄的宝宝独自留在室外。即使有一个稍微大一点儿的孩子和宝宝在一起，你也必须时刻看护着室外的宝宝。当然，你必须确保宝宝身边没有锋利的物体，以防止割伤，你还需要特别留意后院的水池。即使只有2.5厘米深的水，也会造成宝宝的溺水。

你还要注意“水中毒”的问题。在出生后的头两年中，宝宝会因喝下过多的水而造成严重的身体不适。应当避免让宝宝参加被迫浸入水中的活动，此外，当宝宝靠近淡水水源的时候，例如在游泳池边，你要确保他不会喝下大量的水。

你可以通过常识来进行室外意外防护。一个重要的原则是，不要指望你的宝宝在出生后的头3年里能够形成良好的安全意识。宝宝的安全必须由你负责。

防止宝宝破坏家中的东西

在防止宝宝遭受家庭危险的同时，也要记住宝宝可能会使你的家遭到破坏。任何易碎的珍藏品都应当放到宝宝够不着的地方。甚至那些你摆放在家里的装饰品都有被破坏的危险——例如你花了3年时间养大的植物。预先警告：我记得有一次一个宝宝在橱柜里发现了2.3千克重的一袋面粉，随后他就用这些面粉对家里的好几个房间进行了涂抹。毫无疑问，刚学会爬的孩子所做的“家务”会比那些不会爬的婴儿或活动区域受到限制的婴儿多得多。

智力

在这一阶段，你可以从几个方面激励宝宝的智力发育，但不要指望立刻就能看到什么重大的发展。

为宝宝提供合适的小东西

第四阶段的宝宝喜欢扔掉、击打和投掷小东西。为了满足他们的这种天然爱好，需要为宝宝提供很多可供扔掉、击打和投掷的东西。要记住，这些东西不能太小。任何一维的长度小于4厘米的东西都很容易被宝宝吸进喉咙里。对能够从较大物体上脱落的小部件也要加以注意。

探究简单的机械装置

第四阶段的宝宝对事物的工作原理或因果关系会表现出特殊的兴趣。在接近8个月大的时候，你可能会看到宝宝对电灯开关产生兴趣。如果你操纵一个电灯开关，并使宝宝注意到房间里灯的变化，他就会表现出非常强烈的兴趣。同时，对电视和收音机开关的操纵也会使宝宝很感兴趣。

宝宝对弹出式玩具也颇感兴趣。我在1974年写本书的第一版的时候，市场上只有一款适合于2～5岁的孩子的弹出式玩具。现在，你可以找到至少20多种这样的玩具，尽管没有几款标明的适用年龄是正确的，也没有几款的设计适合8～14个月大的宝宝。在本章的后面，我会告诉你哪些玩具适合你的宝宝。

设置简单的问题

第四阶段的宝宝对解决简单的问题表现出越来越浓厚的兴趣。他最早希望解决的问题之一就是如何把一个物体移开，以便拿到另一个物体。6、7个月大的宝宝在趴着的时候，通常能够伸出一只手，同时用另一只胳膊或肘部支撑上半身。如果某些东西挡住了他，他能够把它们移到一旁，以便拿到想要的东西。在宝宝满7个月以前，只要东西看不见了，他也就把它忘掉了，但是，你可以利用自己的脸或他感兴趣的其他小东西和他开始玩捉迷藏。

为宝宝提供很多可以咬、可以扔、可以打的小东西，就可以从某些方面开发宝宝的智力。为宝宝提供可供研究的简单机械装置也可以促进宝宝的智力发育。而为他设置简单的问题——例如在他想要拿到一个东西的时候，为他设置一个容易移除的障碍物，或和他玩捉迷藏——也是对宝宝智力发育的一种促进。

好奇心：激发宝宝对身边世界的兴趣

通过和宝宝说话，为他提供小玩具或其他东西，最重要的是让他在家中进行探索，你就能够同时激发并促进宝宝好奇心的增长。在这个阶段激发宝宝智力发育和好奇心的一个最有效的方法是每天使用几次学步车，但是，每天总共不要超过1小时。要记住，宝宝在使用学步车的时候，你必须始终在旁边看护。

捉迷藏

第四阶段宝宝的推荐物品

弹跳椅

使用方法见第 4 章：第三阶段。

学步车

在宝宝使用学步车的时候还要对其进行看护。一旦宝宝能够轻松地在房间里走动，就要停止使用学步车。

可以啃咬的小物体和较大的塑料容器

在这一阶段，有很多可以使宝宝长时间感兴趣的东西都无需花钱购买。如果你让宝宝从 5、6 个月的时候开始每天花大量时间在地板的毯子上玩耍，给他各种不同的小东西，给他一些几加仑（1加仑约为3.8立方分米——译者注）容量的较大塑料容器，让他能够把这些小东西放进去，你就会看到宝宝花大量时间去探索这些东西，并利用它们练习简单的技能。这些物品的大小应为5～13厘米。一些物品应具有细节设计，使宝宝能够用手指触摸并察看。它们应具有不同的尺寸、形状和纹理。那些略微难以抓握的东西，以及较硬的适合啃咬的东西是最好的。

还要给宝宝提供一两个较大的塑料容器，使他可以把这些物品放进去并倒出来。这些东西令宝宝感兴趣的时间比你预期的还要长——一直到2岁以前，宝宝都会喜欢这些玩具。对探索小东西和练习简单技能的兴趣是这个年龄阶段教育过程的核心，并且一直到宝宝满2岁都是如此。从现在起，你就应当开始激发他的这种兴趣。

靠坐

在第四阶段，大部分宝宝都会在两个月左右的时间里逐渐提高保持坐姿平衡的能力，但是，他们还不能长时间保持竖直姿势。这种限制影响了宝宝在洗澡和玩小东西时的乐趣。在给宝宝洗澡时，你可以使用圈形座椅为宝宝提供支撑。当宝宝坐在地板上的时候，你可以使用一个马掌型靠垫。你也可以自己动手制作类似的东西。

弹出式玩具

在本阶段末期，你的宝宝可能将学会玩最简单的弹出式玩具。这种玩具可以通过旋转前面的一个水平滚轮，使其顶部弹起来。一般情况下，宝宝会在7～9个月的时候学会打开它，几个星期之后学会关上它。一旦宝宝掌握了其中的诀窍，他就会把这个玩具玩上好几个星期。

格蒂球

格蒂球是一种柔软、可充气和可挤压的球，即使是第四阶段的宝宝也能轻松地把它拿起来。作为宝宝玩耍的第一个球，格蒂球是很不错的，它滚动时摇摇摆摆的样子尤其能激发宝宝的兴趣。但是要注意，不要让宠物碰到它，因为它很容易被刺破。

镜子

第四阶段的宝宝仍然对镜子感兴趣，我们仍然建议在换尿布台或婴儿床上方放置镜子。你或许能找到安全的塑料镜子，可以把它挂在墙上较低的位置。刚学会爬的宝宝在屋子里巡视的时候会和镜子中的自己相遇。镜子对宝宝的吸引力会一直持续下去。

洗澡玩具

7～20个月大的宝宝会对几乎所有的洗澡玩具感兴趣。所有的宝宝都喜欢水和玩水。最好的洗澡玩具不应只是能漂浮或让宝宝灌水。那些带有水轮和喷射器的玩具会更有意思。你也可以买吹泡泡器，它们是很好的玩具，但是到目前为止，大部分都不能稳定地制造泡泡。

第四阶段的宝宝不推荐的物品

宝藏盒

一段时间以来，市场上有一些种类的宝藏盒出售并很受欢迎。但是对于婴儿来说，这种玩具并不那么有趣。我的意思是，如果你反复观察大量的婴儿就会发现，尽管他们对任何新鲜的玩具都会产生一些探索的兴趣，但是在这个阶段，他们很少会花大量时间玩宝藏盒。

宝藏盒确实包含几种因果机制，通常包括一个会发出响声的小喇叭，一个底部有弹簧的装置——如果把其中的一部分沿着一个轨道推动就会发出尖锐的声音——还有转动时会改变颜色的彩色球或轮子，以及最常采用的电话拨号盘。但事实上，这些东西对这一阶段的宝宝都无法产生太大的吸引力。

一面镜子能够给宝宝带来比市面上的任何宝藏盒多20倍的乐趣。与按动宝藏盒上的各个玩具所产生的结果相比，宝宝似乎需要获得更加多样化的反馈。宝宝如此喜欢镜子的一个原因是，镜子中映出的影像从来不会是完全相同的。而当一个宝宝按动小按钮，使玩具上的喇叭发出声响的时候，他每次得到的都是相同的结果。这样的玩具对于宝宝来说过于单调了。

宝藏盒玩具在过去受到欢迎是因为大人们认为它应当是有趣的，因为它们应当对得起你花的钱，还因为以前没有太多的产品能和它们竞争。

在过去的20年中，随着人们对婴儿的学习和发育过程的深入了解，很多公司开始致力于开发婴儿玩具。它们最早开发的玩具往往都包括各种各样的宝藏盒。现在，我们已经能够买到更漂亮、更好用的宝藏盒，但是，这些玩具在过去就让宝宝感到无聊，现在仍然让宝宝感到无聊。没有一种有太大的价值，没有一种值得购买。

婴儿围栏

一段时间以来，美国卖出了大量的婴儿围栏。它们在预防意外方面确实能够起到重要的作用，但是，我强烈建议你在宝宝的婴儿期应考虑采取其他的安全措施。从宝宝能够自己移动时开始，如果每天都能对身边的环境进行探索，就会对他们的发育起到最好的促进作用。"围栏"这个词意味着你把宝宝的活动范围限定在一个很小的区域。你把他围起来，既是为了阻止他的活动，也是为了保护他不会遭受来自其他孩子或家中其他地方的危险。我们曾经对上百个婴儿在围栏中的情况进行了数小时的观察，并得出结论：所有的宝宝在围栏中待上很短的时间（比如10～20分钟）之后就会感到无聊。

我相信，让宝宝每天都感到无聊是一种非常拙劣的养育方法。我们在下一章涉及到会爬的宝宝在家中四处探索时会更加详细地讨论这个问题。我基本上认为，尽管使用围栏能够为你节省力气，减少麻烦，并且能够预防意外事件，但这些问题不应用这样的方法来解决。另外，尽管现在的生产商把这种产品称作“游戏场”，但它在本质上仍然是一个围栏。

标志着第五阶段开始的行为

移动能力

依靠爬行在空间中移动整个身体的能力，是婴儿最重要的能力之一。这种能力通常会在8个月左右的时候出现，尽管有的宝宝可能会早几个星期，甚至晚几个月。这种能力对婴儿的教育起着重要的作用。

我们将在下一章详细讨论宝宝的移动能力及其带来的后果。如果你把第四阶段的宝宝，尤其是第四阶段早期的宝宝留在地板的毯子上，5分钟之后再回来，他很可能移动不了几厘米。但是，如果是学会了爬行或快走的第五阶段宝宝，等你回来的时候，他就不会待在同一个地方了。对于这种新出现的行为，你肯定不会搞错。如果你的宝宝学会了以任何方式爬行或移动，只要他移动了几厘米远，你就会知道。

一些宝宝不会马上学会爬行。另外一些宝宝可能会先学会前后移动几厘米，甚至一两英尺（1英尺约为30厘米——译者注），在几天之后就学会从房间的一头爬到另一头了。不管学习的速度如何，一旦宝宝获得了移动能力，你就进入了第五阶段，庆贺一下吧。

最先理解的几个词语

在宝宝进入第五阶段之后，词语对于他们就开始具有意义了。

我们注意到，宝宝最早懂得的几个词语通常是“妈妈”、“爸爸”、“拜拜”和“宝宝”。如果你想了解宝宝是否懂得了“妈妈”的含义，可以让别人（通常是爸爸）问他妈妈在哪儿。当在你旁边还有一两个其他人的时候，问宝宝“妈妈在哪儿?”如果你的宝宝转向了妈妈并露出微笑，你就可以比较肯定地认为他已经把这个词语同妈妈联系在一起了。然而，在早期阶段，这个词语可能不仅仅同妈妈联系在一起，而且有可能和任何与妈妈相似的人或事物联系在一起。

很快，宝宝就会开始听懂一些简单的指令。他们最早懂得的几个指令之一通常是“挥手再见”，这很容易看到。当宝宝开始有规律性地挥手再见时，你就可以比较肯定地认为他已经把这些词语同特定的行为联系在一起了。如果你想确定你的宝宝是否懂得了“挥手再见”，可以单独使用这个词，不要一边说一边向他挥手。宝宝最早学会的其他典型的简单指令是：“不”，“亲我一下”，“坐下”和“过来”。

对待非家庭成员的潜在行为变化

我们通常认为，宝宝会从8个月时开始对非家庭成员显露出非常害怕的样子。然而，在对这种现象进行了细致观察后我们发现，这种所谓的怕生现象并非在所有的宝宝身上都会出现，即使出现，有时也不太明显，而且也不一定会在宝宝8个月大的时候出现。但是，从这个时候开始，宝宝的行为会变得越来越复杂且有趣。例如，在宝宝的第2年中，他的整个世界都是围绕着主要看护人的，通常是他的妈妈。在第3年中，他会逐渐开始和同龄的孩子进行真正的交往。

宝宝的头8个月可以被形容为一个对所有人都表示亲近的时期，这种行为有一个很好的理由——生存。这种“我爱所有人”的态度会在7～8个月大的宝宝身上逐渐消失，有时可能会消失得更早一些。你会开始注意到，当比较陌生的人靠近宝宝的时候，他会表现出一些不安。如果这种不安升级为大哭，你也不要感到惊讶。这些社会行为的变化始于7、8个月左右，也标志着第五阶段的开始。

第6章

第五阶段：8～14个月

概述

第五阶段的特殊重要性

随着第五阶段的到来，养育宝宝的工作发生了极大的变化。尽管目前美国的大多数家庭都能够使他们的孩子在出生后的6～8个月中得到很好的发展，但是，我不得不说，没有几个家庭——大概不超过1/10——能设法使他们的孩子在8～36个月这段时期获得最充分的教育和发展。

并非所有专业人士都同意我的看法。例如，有的儿童心理学家认为婴儿出生后的头几个星期是最重要的，望子成龙的父母们必须学会如何与他们的孩子建立健康的亲子关系。我的回答是，我和所有人一样，都重视父母同子女间的爱和亲密的情感联系，但是我相信，只有很少的父母不能在宝宝出生后的头几个月里与宝宝建立起稳固的关系，而这些少数父母可能根本不会去读与本书类似的各种书籍。

当然，什么事都有例外。令人难过的是，有极少数的美国家庭以极其恶劣的方式对待自己的孩子。一些孩子受到了身体和心灵上的虐待，一些孩子因为出生在有问题的家庭而得不到基本的照顾，当然，还有一些孩子受到疾病或残疾的折磨。但是，我们的讨论并非面向这些极端的家庭，而是面向大多数无需面对这些巨大困难的家庭。

当宝宝长到14个月的时候，如果他的语言能力发展得特别好，我们就能在他身上明显看到这种稳定的语言能力。此外，宝宝在第14个月的时候形成优良的语言能力通常也标志着第一流的智力发展并预示着未来的良好发展。实际上，这是杰出智力开端的一个最早的可靠标志。但是，上述结论并不适用于那些极具天才的宝宝。

天赋有时可以在1岁的婴儿身上显现出来，但这种情况非常少见。如果你的宝宝在1岁之前就会使用包含两个单词的句子，并且掌握了50个单词可以用来表达自己的意思，那么他可能是具有特别的天赋。研究天赋的学者们表示，除非宝宝的行为使你惊叹，否则我们可以说宝宝的发展超前，而不能肯定其具有天赋。

在第1年里，宝宝在智力、运动能力、语言和社会能力测试中的得分，与他两三岁时在同样的测试中的得分不具有任何有意义的联系。例外只存在于在出生时就非常虚弱的15%的孩子身上，或者是存在于那些在第1年里的得分一贯严重低于绝大多数孩子的孩子身上。

宝宝在第1年里的测试得分通常不具有预测性的意义，这是一个很可靠的事实。我相信，对于那些将来发展较差的孩子，我们之所以在他们的第1年中看不到明显的迹象，是因为这些缺陷还没有在与学习相关的领域——例如语言和智力——中形成。那些在小学时学习成绩不佳的孩子，在出生后第1年测试中的表现与其他孩子并没有明显的差距。例如，在这些孩子3岁时进行的标准语言和智力测试中，能够相当清楚地显示出对他们进行教育的方法。很多报告，包括以低收入的美国城市家庭的儿童和以非洲、印度等其他国家低收入家庭的儿童为调查对象的各种研究报告，其结论基本上都是一样的。在第 1 年中，这些劣势儿童在像贝莱智力发展量表的标准婴儿测试中的得分都是很好的。即使这些婴儿得不到很好的营养，甚至他们的父母没有受过什么教育，测试结果也基本相同。直到第 2 年的中期，测试分数才开始下降，而且此后会继续下降。不过，这种分数下降的情况是针对此类儿童的整体来说的，每个个体的情况未必都是如此。

有一个很重要的问题需要指出，很多低收入家庭中的儿童并非不能取得好成绩。很多这样的儿童，不论是在美国还是在其他国家，从出生后的前 2 年直到从学校毕业，都能够与其他儿童达到同样的发展水平。出生在贫穷家庭并不意味着在学习成绩上会低人一等。

这个问题是复杂而带有感情色彩的，令人困惑。我们最好利用图表进行总结说明。

图表（见下页）中的曲线 A 代表大多数儿童的发展情况。这个图表指的是总体能力，但不包括运动和感觉能力——不仅包括 IQ 测试的表现，还包括婴幼儿的所有其他主要能力，其中包括社会和语言能力。曲线 A 表示的是一般的儿童从出生到 5 岁半的发展情况。你会注意到，曲线 B 的起点和整个轨迹都低于曲线 A。曲线 B 代表 15％由于各种原因而导致发展缓慢的儿童。从大约 8 个月的时候开始，加入了两条新的曲线——曲线 C 和曲线 D。曲线 C 的上升速度比平均速度快得多，而曲线 D 则比平均速度要慢。在 8 个月左右，曲线 A、C 和 D 开始分离。

第五阶段不仅对于语言和智力发展是一个异常重要的时期，而且与第六阶段一起对于社会能力的发展也是异常重要的。8～24 个月期间的经历在很大程度上决定着每个儿童的性格、社会习惯以及日常的幸福水平。

毫无疑问，2 岁的孩子在这些方面的表现在一定程度上是由遗传基因决定的，但我确信，父母们通过在接下来的 16 个月中的养育，会对孩子的这几个方面有更大的影响。换句话说就是，从这个时期

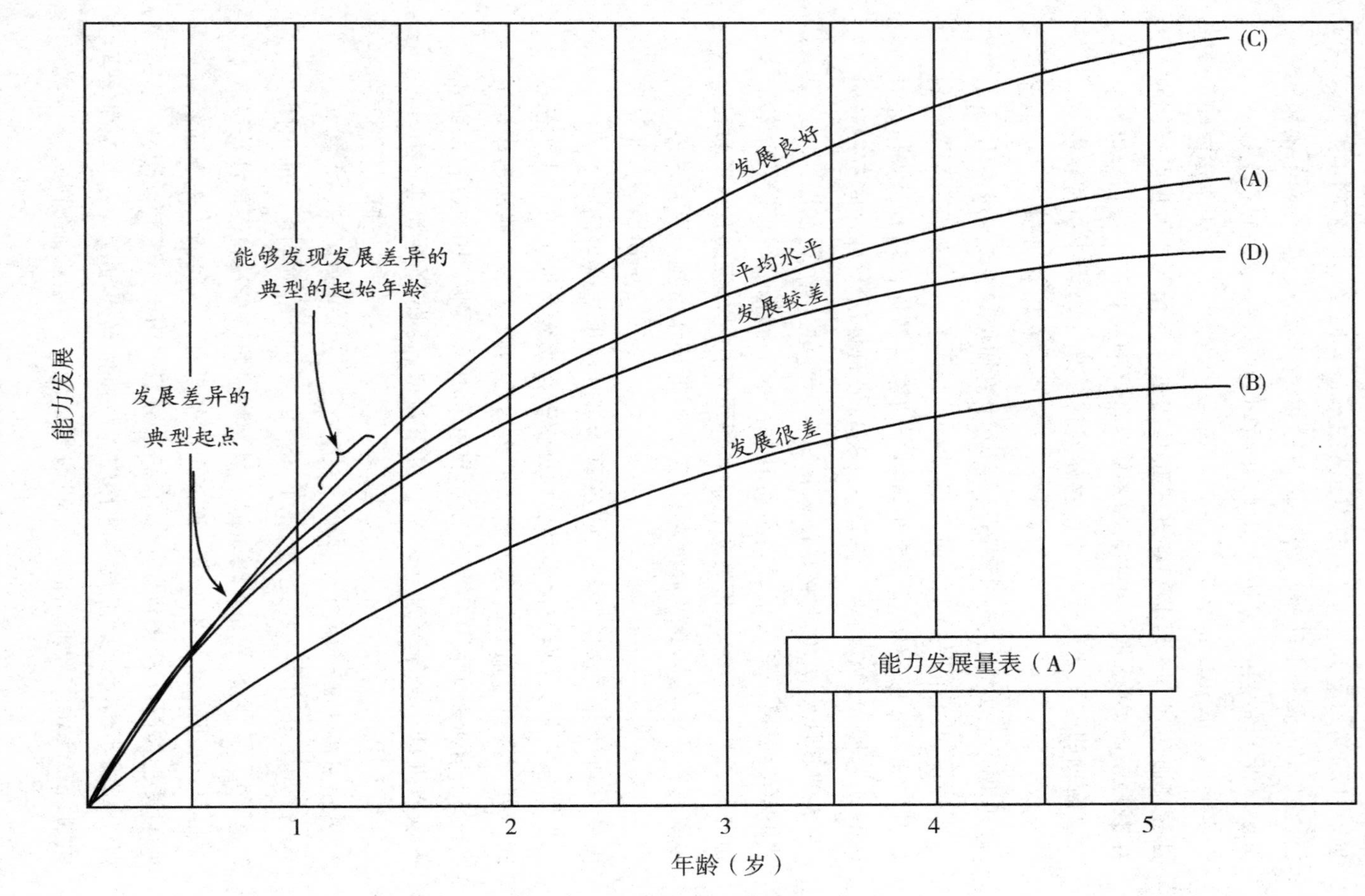

能力发展
发展差异的
典型起点
能够发现发展差异的
典型的起始年龄
发展良好
平均水平
发展较差
发展很差
(C)
(A)
(D)
(B)
能力发展量表（A）
1
2
3
4
5
年龄（岁）

能力发展量表（A）

开始，直到孩子满 2 岁，父母的影响可以使孩子成长为一个善于与人交往并且生活幸福的快乐孩子，或是成为一个难以相处并且感觉不到生活幸福的不快乐孩子。我知道这么说可能有点儿吓人，但我完全相信这是真的。当你的宝宝进入第 3 年的时候，他会开始喜欢和同龄的孩子交往，而不再像以前一样以你为社会交往的中心。你对孩子的习惯、态度和社会行为方式的影响力就会大大减弱。

此外，我相信你在 2 岁孩子身上看到的社会交往圈子会维持好几年。我无法证明这一点，但是，令人愉快的 2 岁宝宝至少会在接下来的很长一段时间里都同样令人感到愉快（除非他们有了新的弟弟妹妹）。另一方面，以自我为中心的、不快乐的 2 岁宝宝也不会有太大的改变，至少在接下来的几年里不会有什么变化。

养育环境对发展的影响

在 1957 年至 1967 年的 10 年间，我一直在研究婴儿在头 6 个月中的经历对其发展的影响，关于不同经历如何影响婴儿的发展速度，我了解到很多有趣的事情。通过对身体健康的婴儿所进行的实验，我了解到，孩子在头 6 个月中获得各种能力（至少是对视觉运动能力和智力基础而言）的速度，能够通过对孩子养育环境的操纵而得到戏剧性地改变。

人们早就知道，要阻碍头 6 个月的婴儿的重要发展是很容易的。在对 0～6 个月的婴儿所作的研究中，我和我的同事还了解到，如果你在此阶段为婴儿提供某种环境，他获得某些技能的时间就能比大部分婴儿早得多。

例如，大多数宝宝会在 5 个月至 5 个半月的时候学会在视觉引导下伸手够东西的动作。在研究中，我们从 3～4 周的时候就为宝宝提供各种可以看、可以打、可以摸和可以玩的东西，结果这些宝宝在 3 个月多一点儿的时候就能够熟练地完成伸手够东西的动作了。

这是一个相当显著的加速，但或许更重要的是，这些宝宝度过了一段奇妙的时光。在第 4 个月中，他们充满了热情。他们会兴奋地发出咯咯的笑声，玩周围的东西，高兴地照挂在头上的镜子，并且会发出很多声音。你会看到，这种愉快甚至兴奋的玩耍是如何导致了宝宝的一些特有技能的发展，并培养了宝宝对生活的热情和好奇心的。参与了这些实验的宝宝，在6、7个月的时候比那些在出生时与他们一样但在头6月中很少做什么的宝宝变得情绪更加高涨、更加有趣。

我们目前所掌握的资料已经能够使我们为将来的宝宝提供比现在的环境更加符合他们早期需要和兴趣的环境，这很可能也意味着，再过30年或40年，我们现在所说的正常发展速度将会被认为是很缓慢的。

当你看能力发展（B）图表（见下页）时，你会看到除了前面图表中的几条曲线外，这个图中还有一条新的曲线E，描述的是我们的实验研究对象中的婴儿在出生后的6个月加速发展的过程。

在对这些婴儿的研究中，我们除了得出在1岁生日到3岁生日之间的某个时候孩子就开始显示出未来的发展趋势的观点之外，还很快得出了另一个具有实践意义的结论：等到孩子2岁时才开始关注其教育发展已经太迟了，尤其是在社会技能和态度方面。

实际上，在我们目前的父母教育培训中，我们不接受那些婴儿超过10个月大的父母。我们发现，到14个月的时候，一个婴儿就可能已经建立起一种令所有人都烦恼的社会行为模式，而且非常难以改变。我相信，问题的部分原因是，婴儿的父母已经采用了一种导致宝宝不快乐的社会行为方式对宝宝的需要进行回应，并且，他们多多少少都拒绝改变。

我并不是说宝宝到了14个月大的时候，事情就已经无可挽救了。当然不是，但是，我们常常会看到14个月大的宝宝养成了一些顽固的、令人不快的行为习惯，而且在我们试图帮助这些宝宝的时候，遇到了巨大的困难。与之相反的是，如果我们在宝宝10个月以前开始和这个家庭接触，时间越早越好，通常都可以避免宝宝在第14个月时出现糟糕的情况。

与8个月或14个月大的宝宝相比，2岁大的宝宝是一个已经形成自己性格的复杂社会个体。我们发现，一些宝宝在2岁的时候已

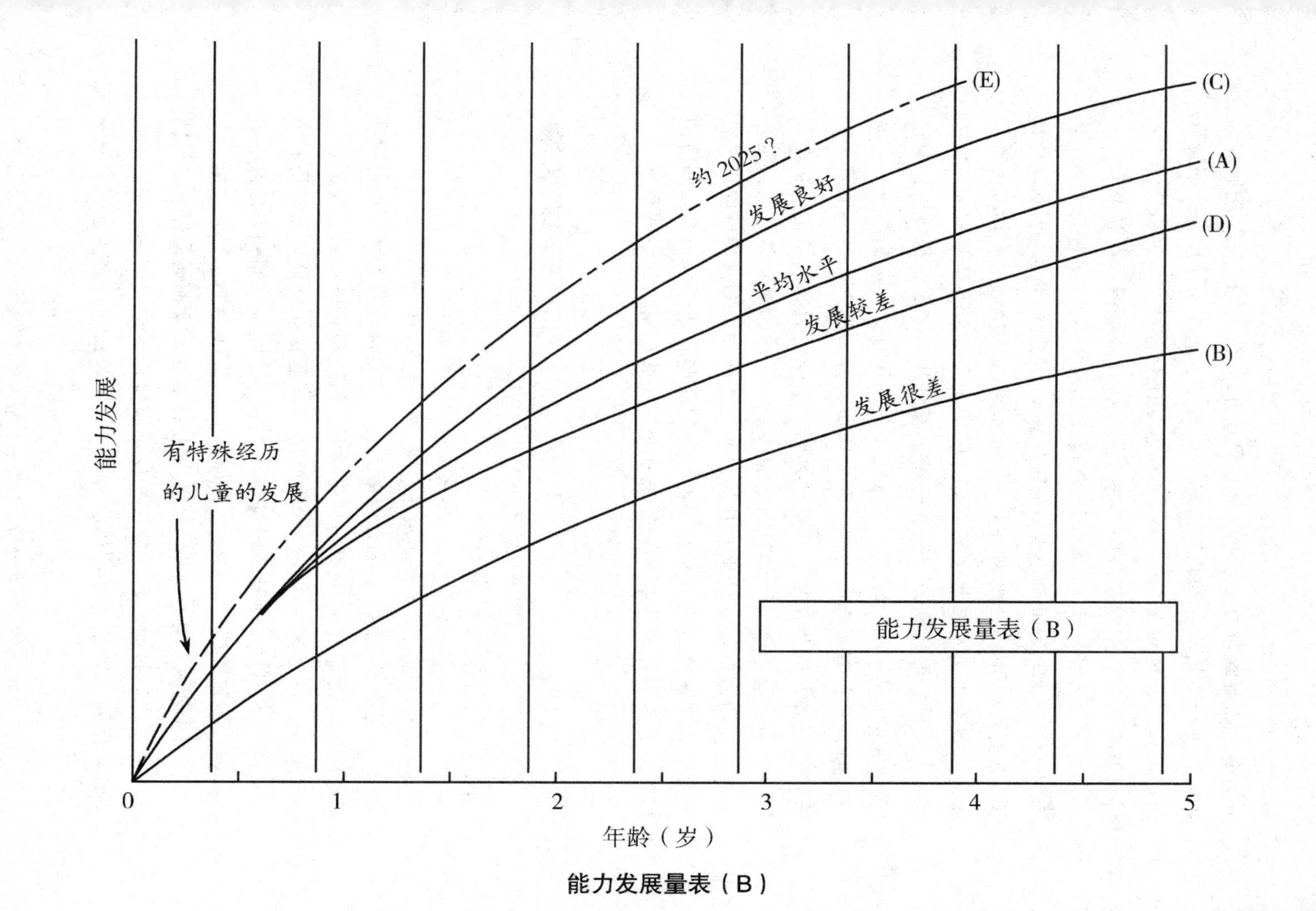
能力发展
有特殊经历
的儿童的发展
约 2025？
发展良好
平均水平
发展较差
发展很差
(E)
(C)
(A)
(D)
(B)
能力发展量表（B）
0
1
2
3
4
5
年龄（岁）

能力发展量表（B）

经严重被宠坏，变得很难相处，这样的情况并不少见。更为糟糕的是，有的宝宝甚至在一定程度上与人疏远，包括他自己的家人。我们一再看到这种现象，但从未看到过6个月大的宝宝被宠坏。

然而，到了宝宝14个月大的时候，不良的社会性发展已经明显成为很多家庭的一大问题。出于这些原因，我们对8～24个月期间的社会性发展过程非常重视。如果将8～24个月期间的宝宝作为人类个体的发展过程进行观察，你就会对他在这16个月里复杂的变化感到惊讶。到宝宝2岁以后，就不会存在这样戏剧性的变化了。

8个月至3岁这个阶段对于人类发展非常重要。8～14个月则是这一令人兴奋的时期中的第一个主要阶段。

教育目标

在这些年中，我们采用三种有效方法来描述8个月至3岁这段时期的教育目标。第一种方法是，我们发现，除了生理需要例如饥饿、口渴和缓解疼痛的需要之外，所有健康的8个月大的婴儿都会受到三种主要兴趣的驱使。这三种主要兴趣是社会交往，尤其是与主要看护人之间的社会交往；满足好奇心；掌握并享受新的运动能力。这些具有明显的生存价值的兴趣，都是非常强烈并且平衡地存在于所有健康的8个月大的宝宝身上的。如果宝宝的发展状况良好，每种兴趣都会稳定增长并保持平衡。然而，这些兴趣在宝宝8～24个月期间的发展往往是不平衡的，结果就会造成或轻微或严重的不良后果。对于非常关心宝宝的你来说，你所面临的惟一困难就是宝宝的社会兴趣过度发展的危险。其最常见的后果就是我们所谓的过度依赖。我们会在后面继续讨论如何引导这些兴趣平衡而稳定地发展。

描述教育目标的第二种方法是宝宝的智力、语言、感知和社会能力模式的形成，这是我们在发展良好的3～6岁儿童身上所发现的典型能力。四种重要的社会能力会在第五阶段开始出现。在第9个半月到第11个月，宝宝会开始意识到大人能为他提供帮助，并且开始故意地向大人寻求帮助。大约在同一时期，宝宝会开始寻求别人对他的小成就和聪明行为给予称赞，这是宝宝的成就感的最初表现。还是在这个阶段，宝宝会开始向主要看护人表达自己的感情。他们可能会主动依偎、拥抱甚至亲吻你。他们还会盯着你的眼睛，明确地表达对你的愤怒。最后，在满1岁之后不久，宝宝会开始出现一些假扮或幻想的行为。最普遍的例子是用玩具电话进行“通话”，或假装驾驶一辆玩具卡车、汽车或飞机。

描述这一特殊阶段的教育目标的第三种方法是说明宝宝在头36个月里经历的四个基本过程。这些发展过程包括语言、好奇心、智力和社会能力。

语言发展

尽管在头6个月或7个月中，宝宝可能会对一些词语做出反应，但是没有理由相信他们能够理解这些词语的意思。5个月大的宝宝在听到自己名字的时候会做出反应。然而，你用任何名字叫他，他的反应都是一样的。但是，从7、8个月开始，宝宝会明显地表现出他开始懂得了一些词语的意思。通常，1岁的宝宝会懂得5～10个词语，并且懂得简单的指令如“坐下”、“不行”和“挥手再见”等。

到宝宝3岁的时候，他们就能理解在其一生的日常会话中将会用到的大部分词汇（约70%）。语言理解能力的发展与学会使用语言的能力（交谈）发展的差异是非常大的。对于所有身体发育正常的宝宝来说，语言理解能力开始发展的时期都是一样的，即都在第6～8个月之间。这种能力会在接下来的两年中稳步提高并呈加速发展趋势。另一方面，说话的能力并不是宝宝在头两年中语言发展的标志。如果一个宝宝在14个月的时候还不会说话，而他的其他发展都很正常，那么他很可能没有任何问题。然而，如果他在14个月的时候还不能至少懂得24个词语的意思，那么其发展很可能就滞后了。很多聪明的孩子在18个月或19个月之前很少说话。但是，到了快满2岁的时候，他们大多数都将学会说很多话。

语言能力，和我们将要讨论的很多其他问题一样，在第1年中是与其他能力的发展相互关联的。例如，如果一个孩子没有良好的语言能力的发展，那么他就不会在3、4岁的智商测验中得到很好的分数。实际上，你通常可以通过对一个孩子3、4岁时语言能力的可靠评估，准确预知他的智商测验分数。

除了在智力发展中起到重要的作用之外，语言在社会技能的发展中也起到同样重要的作用。两个人之间的交流既涉及到听，也涉及到语言的使用。因此，从一个非常重要的方面来看，良好的语言能力发展是良好的社会能力发展的基础。

好奇心的发展

几乎所有人都知道，小猫在某个阶段会具有异常强烈的好奇心。我们还知道，猴子和小狗也是如此。实际上，很多幼年的哺乳动物，包括马，都会经历这样一个具有探索欲望的时期。我们以前从来没有精确地界定过人类的这个阶段，这可能是因为研究人类早期发展的学者们至今还有很多工作需要努力。然而，我相信，过去30年所进行的研究——尤其是我们自己对家庭环境中的各种类型的孩子所做的研究——帮助填补了这项空白。

我们从来没有遇到过不具有强烈好奇心的8个月大的宝宝。我们也从来没有见过学会了爬行的8个月大的婴儿需要鼓励才会在家里各处进行探索。要记住，强烈的探索欲望对于人类是极其重要的。与其他大部分动物不同，人类要经历一个很长的发展期，并且天生就没有其他动物那么强的应对本能。没有什么比纯粹的、未被破坏的好奇心对于良好的教育发展更为重要的了。

智力发展

根据皮亚杰的理论，8个月大的婴儿已经经过了一次发展转折。这时候，宝宝已经对世界和自己的基本运动能力有了最初的了解，并开始把注意力放在各种小东西上。在接下来的一年中，他会对简单的因果关系进行主动地探索，对物体的运动方式、纹理、形状和形态进行探索。这是一段非常充实的时期，在此期间，宝宝会为各种更为高级的智力能力的形成打下基础。当然，只要涉及到教育，没有什么比感知运动阶段的探索更为重要的了，更高级的智力就建立在感知运动的基础之上。值得指出的是，正是宝宝对小物体的成百上千次的简单探索为以后思考能力的发展奠定了基础，而不是其他人通过别的方式给予宝宝的信息和经历。这种与更高级的学习密切相关的感知运动基础的形成是必然的，不会存在什么风险。

社会能力发展

2 岁的孩子是一个非常复杂而精明的社会性生物。在很大程度上，宝宝的社会交往围绕着他的主要看护人（一般是他的妈妈，但也有例外），通常，在他们之间会形成一个特殊的协定，这个协定充满着“如果”、“以及”和“但是”，构成支配宝宝行为的广泛规则。他已经知道妈妈是否是一个温柔而友好的人。他已经能够通过各种微妙的表象来了解妈妈在任何时候的情绪状态。他通常已经掌握了关于父亲和兄弟姐妹的各种不同信息，尤其是和他年龄相差不大的兄弟姐妹。他可能会在 2 岁时发展成为一个令人愉快、容易相处的人，一个能带给人们各种愉悦体验的小伙伴；或者，不幸的是，他也可能发展为一个过度任性的孩子，一个总是使妈妈感到烦恼的孩子，尤其是当家里有了更小的孩子的时候。换句话说就是，他可能会成为一个令人愉快的或是令人头疼、难以取悦的孩子。更不幸的是，不断遭到拒绝的孩子到 2 岁时已经学会了封闭自己，他们从来没有与其他人建立起一种自由而亲密的关系，并从中获得乐趣。

另一个常见的情况是，一些孩子在 8～24 个月的时候学会了害怕。在不少情况下，一个孩子可能会不敢靠近自己的妈妈，除非得到了明确的指示。更为常见的情况是，2 岁的孩子在与比自己稍大一点儿的哥哥姐姐的成百上千次的交往中明确地体会到哥哥姐姐并不很在乎他。

这四项教育基础——语言、好奇心、智力和社会能力——的发展都可能在第8～24个月期间受到威胁。“威胁”是什么意思呢？我的意思是，与头6个月或8个月中形成的能力不同，那时因为要求简单并且一般的环境就能确保宝宝的能力的形成，而在8～24个月这段时间，教育目标的实现是没有任何保障的。宝宝能学好语言不是必然的，宝宝好奇心的增长和拓宽也不是必然的，他的社会能力以一种稳固而富有成效的方式发展也不是必然的。最后，应该在第二年末期出现的更高级的智力能力与其他三种能力一样，与最佳发展水平相比，也会受到损害。即使智力的基础——也就是感知运动阶段的基础——对环境中的变化并不敏感，这种损害也会存在。实际上，我必须强调，在我看来，只有不超过1/10的孩子的这四种基本能力的发展达到了他应当达到的水平。

8～36个月期间宝宝最佳发展的障碍

在8～36个月这段时间，有三个普遍的重要障碍妨碍着宝宝教育的成功，这三个障碍是忽视、压力和缺乏帮助。

忽视

一般来说，年轻的父母对于教育他们的第一个孩子都没有做好充分的准备。在美国，我们几乎没有对父母进行过关于育儿责任的教育。随着我所设计和指导的密苏里州“父母是孩子的老师”项目在1985年获得的成功，我对为所有刚刚开始养育子女的父母提供帮助抱有很高的期望。尽管这个项目（现在的名称是“父母作为第一个老师”）目前在42个州有不同程度的开展，但它的效果仍然远远不能令我满意。这是因为，进行培训的教师接受的相关教育太少。在马萨诸塞州的牛顿市，我们在非营利性的“父母教育中心”开展了一个示范项目，但它无法替代全国性的努力。

值得注意的还有，直到20世纪70年代，在婴儿的日常发展和养育方面，有用而准确的信息还相当有限。当时，人类发展的研究者们还很少对出生后5天至3岁的婴儿进行研究。结果，一直到最近，我们还没有教学所需的足够有用的信息。

当然，很久以前的人们就知道大部分婴儿会在什么时候学会走路、独自坐着、挥手再见等等。但是，关于婴幼儿的成长，尤其是导致良好或不良发展的原因，我们仍然没有掌握足够全面、广泛而具体的信息，尽管在这方面也有不少各种观点的著作问世。心理和教育研究人员一致认为，婴儿出生后头3年的发展过程具有非常重要的意义，但是直到最近，他们仍然没有得出必要的认识。由于养育孩子需要很长时间，直到20世纪70年代，对2岁半以下的儿童进行研究仍然需要去他家里拜访，或让他来到你的办公室或实验室。对于儿童发展研究人员来说，到孩子的家里去是一件很不方便的事情，也是一种效率很低的研究方法。在儿童自己的生活环境中对其进行研究，不仅有往返于儿童家里的交通的不便，而且更为重要的是无法为这种研究提供理想的条件。与之相比，让一群大学二年级学生来到你的实验室，每次对他们进行半小时的研究要简单得多。这些来到心理实验室的大学二年级学生不会与父母同来。他们不太清楚将要发生什么事情，多年来已经习惯于做别人让他们做的事情，尤其是当某个权威人士或是给他们打分的人让他们去做某事的时候。

更为复杂的问题是有很多不同类型的孩子。以一个中等水平的孩子为基础所作的一般性描述是没有意义的。必须根据特定的研究课题，从所有主要的类型中进行抽样。此外，在任何一天中，一个2岁的孩子在测试中做出的行为，或是他的自发行为都有可能在第二天甚至几个小时以后有所变化。即使你进行了5次家庭访问，也无法对很小的孩子的行为取得很好的样本。

总之，尽管联邦政府和私人基金会投入了大量的资金，但关于早期人类发展的研究在20世纪70年代以前都没有取得什么进展也是不足为奇的。

各种各样的有关儿童发展的错误信息，特别是有关养育的错误信息被提供给了大众。然而，如果深入到这些材料中去寻找他们提出的养育建议的基础，你就会发现，这种基础是肤浅的。除了极少数的例外，直到大约20年前，如果想要获得一些关于养育的正确信息，你最好去找养育过几个孩子的聪明母亲咨询，而不是向任何专业人士寻求帮助。在某种程度上，目前的情况仍然如此。

在过去的20年中，随着人们越来越认识到婴儿在出生后头几年中的学习具有特殊的重要性，有人开始认真地通过努力来填补这些重要的信息空白。例如，在我们的“父母教育中心”保存着800多个可以帮助人们更加有效地养育宝宝的课程。这些课程的资金来源非常广泛，有些来源于公立学校系统，另一些源自于预防精神疾病项目，还有一些是由教会团体提供的赞助。这种资金来源的多样性反映了这一领域的不成熟。这些课程中有很多确实取得了很好的效果。然而，大部分课程都受到了该领域知识不足的影响。为年轻父母开设此类课程的大部分人都没有经过什么培训，他们的知识背景缺陷肯定会影响到参与培训的父母。婴儿的早期学习课题是非常复杂的。因此，要想获得可靠的信息并将其转化为具有现实意义的课程，不论对于专业培训人员还是年轻的父母来说，都仍然是一件困难的事情。

压力

年轻的父母们不仅没有了解到应该了解的婴儿早期学习的细节，而且还不得不日复一日地在压力之下进行自己的养育工作。在此，我主要是指孩子的母亲，因为她是最有可能为孩子的养育负主要责任的人。这种压力从怀孕的时候就产生了，一直持续到宝宝几岁以后。在宝宝出生后的头2个月中，由于他经常在夜里醒来，因此会导致母亲的慢性疲劳。除了睡眠问题以外，宝宝的消化问题也给父母增加了烦恼。此外，出生后头2个月的宝宝既不像我们的神话中所描述的那么漂亮，反应也没有那么灵敏。

从第3个月中期直到宝宝大约7个半月，有5/6的家庭会感到养育宝宝的工作开始变得非常有趣了，父母的压力通常会大大减轻，但也不总是如此。此后，当宝宝在7、8个月大的时候开始在家里爬来爬去，这时的压力会再度上升。如果你刚有第一个孩子，那么你的压力主要来源于害怕宝宝遇到危险，害怕家里受到宝宝的破坏并需要为此付出额外的辛劳。刚刚学会爬的宝宝对能够看到和摸到的一切东西都特别好奇，他们会用嘴进行探索，他们对物体的特性了解不多，对自己的身体也缺乏控制力。当然，他们并不知道某些东西多么易碎或是多么贵重。例如，一个10个月大的宝宝，通常会在10秒钟之内将一株刚刚发芽的鳄梨树摧残致死。

所有这些都使父母忧心忡忡。从8个月到20个月这段时间是大部分意外中毒事件发生的时期。一个在家里爬来爬去的宝宝会发现每样东西都很新奇。他以前远远地看到过这些东西，但是从来没有机会接近这些有趣的东西，例如那些被打破的玻璃罐落在角落里的亮闪闪的碎片，或是电线上的磨损处。

当然，对于一个10月大的宝宝来说，没有什么比爬楼梯更有趣的了。如果你把宝宝放在楼梯下面，他一定会设法爬到上面去，尽管也有例外。一些10个月大的宝宝对爬楼梯十分在行。但有时候，他们会在爬了三四级台阶之后停下来，随后会被诸如楼梯栏杆上的一个记号或是别的孩子留在楼梯上的一个小玩具所吸引。这种注意力的转移可能会导致他们忘了身在何处，结果就会转身摔倒。这也是人们会为刚刚学会爬的宝宝的安全担忧的原因。

这个年龄的宝宝给家人所带来的额外辛劳也是造成压力的一个原因。如果你给宝宝在家里到处爬的机会，那么你就必须花更多的时间整理房间，尤其是当父母双方都坚持要使家里保持整洁的时候。宝宝会制造混乱，这就像呼吸一样自然。然而如果一个10个月大的宝宝把家里搞得乱七八糟，不管怎么说，也是一个好的迹象。实际上，在我看来，一个完美的家和一个发展良好的10个月大的宝宝通常是无法并存的。如果有更多的成年人能够认识到这种矛盾，他们的烦恼可能就会大大减轻。

如果家里有一个刚会爬的宝宝，还有一个稍大一点儿的孩子，就会给父母带来极其巨大的压力，尤其当后者是家里的第一个孩子的时候。稍大点儿的孩子很可能会因为嫉妒而产生深深的怒气。尽管同胞竞争是众所周知的事情，但年轻的父母通常对此缺乏充分的理解。人们通常认为，这个问题自新生儿从医院回家的那一刻起就会出现。但是在那个阶段，同胞竞争还不会成为一个主要问题。毕竟，新出生的宝宝体重只有2.7千克左右，哭声柔弱，大部分时间都待在另一个房间中的婴儿床里，每天只露几次面。他对1岁半的哥哥或姐姐的生活还没有构成太大的影响。但是，当小宝宝开始在家里活动的时候，问题就显现出来了。出于上面所列的各种原因，小宝宝必须从看护人那里获得更多的关注，而从一个两岁孩子的角度来看，这种关注会令他难以承受。

由于这个问题的重要性，我们会在后面详细讨论。你目前只需要知道，根据对不同类型的家庭所进行的研究发现，最大的压力来源通常是相隔时间较短出生的兄弟姐妹。

值得一提的最后一个压力来源是大多数孩子在1岁半左右出现的违拗行为。尽管由于以上提到的原因，8～14个月大的宝宝会制造很大的压力，但是他们的行为都不是针对个人的：他的行为只是自然天性的反应。例如，在宝宝毁掉了一棵珍贵的植物之后，紧接着会去进行下一个有趣的活动。宝宝的妈妈在看到残局后，很可能会自然地大声表达她的不满。而这时，一个正常的10个月大的宝宝的通常反应是停下当前的探索动作，反射式地迅速转向他的妈妈，在看到她的脸时，不管她是何种表情，都会对她露出微笑。

宝宝长到15个月或16个月的时候，就会成为一个完全不同的人。从学会爬的时候开始，他就从自己被禁止做的事情或是禁止玩儿的东西上积累着经验。从15～16个月开始，当宝宝的自我意识开始变得越来越强烈时，在其天性中的某种我们不了解的东西就会引导他有意去尝试这些被禁止的行为，尤其是为了看看哪些事情是被允许的，哪些不是。换句话说就是，他会开始系统地挑战和他一起生活的成年人的权威。这时，对简单要求的抗拒变得非常常见，而且，如果家里有不止一个孩子，父母就可能会度过一段非常烦恼的时期。每天都要同时对付一个 15 个月大的宝宝和一个 30 个月大的宝宝，这通常会导致极大的压力。我们会在下一章更加详细地讨论这个问题。

缺乏帮助

在这个阶段实现最优教育发展目标的最后一个重大障碍是，很多年轻的父母不得不独自进行养育工作。实际上，很多妈妈甚至得不到丈夫的同情，而且还不得不设法把消除丈夫的不满放在首要位置。在我看来，这是一种非常残酷的惩罚。儿科医生能够提供不同程度的帮助，那些确实能提供帮助的医生往往受到人们的尊敬。然而，很多儿科医生往往缺乏儿童发展和养育方面的深厚背景，无法为毫无经验的父母提供有用的帮助。目前有很多为父母提供帮助的课程，尽管它们确实能带来帮助，但还远远无法满足这方面的需要。当然，在某些情况下，年轻的母亲与自己的妈妈或婆婆关系不错，能够从她们的智慧、经验和良好的判断力中获益。但总的来说，年轻的父母，尤其是母亲，不得不独自承担养育工作。

第五阶段的一般行为

我们的试验有一个独特而价值非凡的特点，即我们每个月都会对很多孩子在家里自然状态下的活动进行密切观察。我们已经在未影响观察对象的情况下收集了大量数据。我们使用秒表和录音机对宝宝的行为进行收集，并利用目录系统对各种经验进行分类。本书展示了其中的一些研究结果，用图表方式描述了 12～36 个月大的宝宝的典型行为。

正如你在“婴儿典型的日常行为”图表中所看到的那样，12～15 个月大的宝宝会花更多的时间进行与他人无关的非社会性的探索。

很多父母对此感到非常惊讶。你可能感觉自己与宝宝进行交流的时间远远超过总时间的11%。实际上，这个图表包括家里的第一个、第二个以及第三个孩子，第一个孩子确实会比第二个、第三个孩子花更多的时间与人进行交流，但是这种差别并不是很大。即使第一个孩子也很少会花超过15%～20%的时间进行社会性活动。你的1岁宝宝更像是一个探索者，而不是一个社交家。

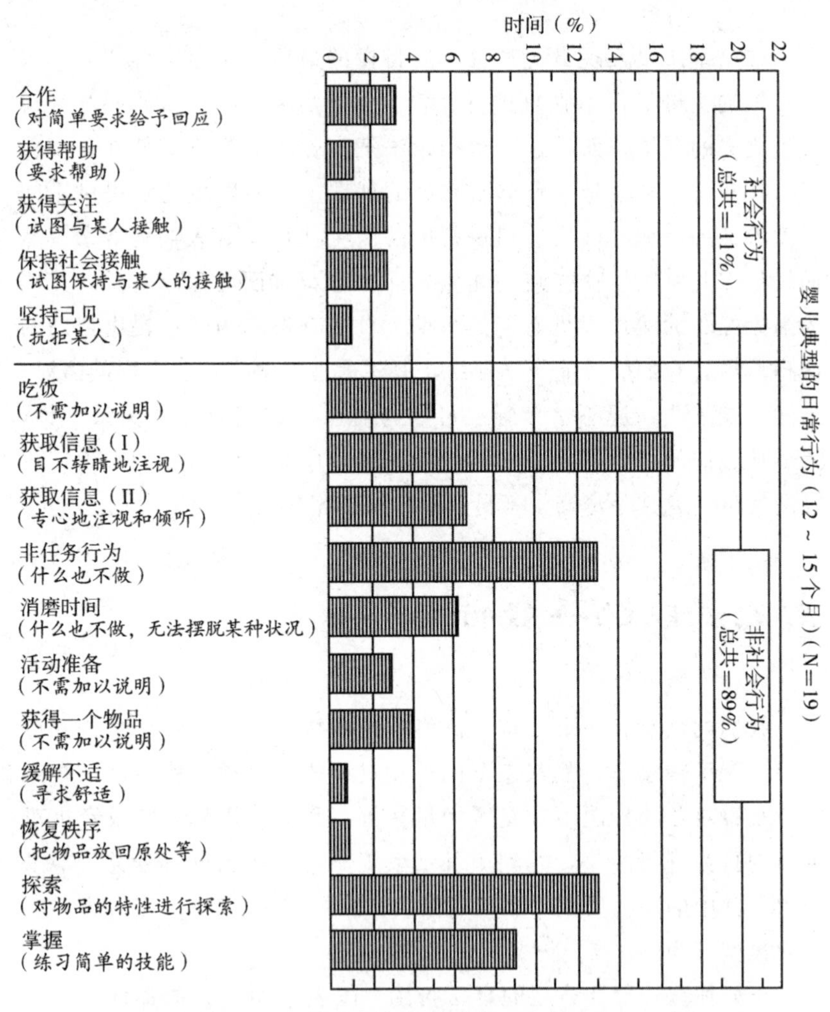

婴儿典型的日常行为（12～15个月）（N=19）

12～15 个月大的宝宝最普遍的兴趣焦点在于围绕小东西进行的各种行为。宝宝会注视它们，通过击打、啃咬和投掷来探索它们的特性，并且利用它们练习简单的手-眼技能。这些小东西对宝宝意义重大。宝宝的第二个最为普遍的行为是目不转睛地注视某个物体或人，这种行为发生的时间超过了白天时间的 17%，其中包括对小物体的注视。还需要注意的是，典型的 1 岁宝宝会花大量时间闲待着，几乎什么事也不做。非任务性的行为占整个时间的 13%左右。

第五阶段宝宝强烈的好奇心

在大约 8 个月的时候，宝宝开始进入一个好奇心极其强烈的时期，这与其他哺乳动物好奇心最为强烈的幼年阶段相似。我们会禁不住对这种好奇心感到惊讶，这种好奇心的表现是，宝宝一旦学会了移动自己，就会立刻致力于对周围环境的探索。除了患有疾病或严重受伤的孩子之外，宝宝出现这种行为几乎是必然的。

从逻辑上很容易理解，宝宝在不能四处活动之前的长长的千百个小时里，只能无可奈何地注视着远处拿不到的东西，因此对探索周围的环境形成了强烈的期待。你知道，从大约 4 个月的时候开始，宝宝的背部和颈部肌肉已经能够使他舒服地坐着了，而且也已经能够清楚地看到和听到整个房间里的东西和声音了。

这些新的能力与探索世界的强烈需要相伴而生。结果，刚学会爬的宝宝只要有机会就会进行孜孜不倦的探索。如果你的 8 个月大的宝宝已经能够自己活动，但对探索环境丝毫不感兴趣，那么我强烈建议你尽快去找儿科医生或其他专家，看看他是否生病了，或是否在某些方面存在缺陷。

大多数成年人感到无聊的事情常常会使宝宝着迷。如果你看到宝宝每天把橱柜门开关数十次，并且连续很多天都是如此，你也不要感到惊讶。如果宝宝对从地板上捡起来的灰尘碎屑，或是从手机包装盒里拿出来的包装纸十分感兴趣，你也无需惊讶。当然，这意味着宝宝也同样会对剃须刀片以及所有能够近距离观察的东西感兴趣，尤其是那些能放进嘴里的东西。因此，你会看到，宝宝的好奇心既是好事也是坏事：一方面，它是大部分学习并取得成就的动力；但同时，它也是很多童年阶段意外事件的原因——也造就了大量忧心忡忡的父母。

运动技能

除了具有强烈的好奇心之外，第五阶段的宝宝对掌握自己的身体也有着同样强烈的兴趣。特别是从8～14个月开始，宝宝会获得一些非常重要的新运动技能。宝宝的天性使他们对每种技能都反复加以练习，直到能够熟练掌握。除了练习这些运动技能之外，宝宝还开始对人进行研究——研究人们的用处和反应。在这个阶段，宝宝开始把其他人的反应与自己的行为和成就联系起来。尽管在各种育儿环境中，宝宝运动技能的发展都是必然的，但是，考虑到当今的家庭生活方式，这些能力的社会结果很可能得不到保障。毕竟没有人会比宝宝的父母和祖父母对他的成就感到更加兴奋。

爬行和攀登

第五阶段宝宝的第一个运动技能是某种形式的爬行。随之而来的是攀上较高地方的能力，这种能力有两种形式：拽着东西使自己站起来的能力和最早的攀登能力。

站立和行走

在9～10个月的时候，你的宝宝将学会自己拽着东西站起来。可能会早几个星期或晚几个月。宝宝获得这种能力的时间越晚，你的白头发就会越少一些。这种能力的获得不需要担心。

宝宝可能会扶着家具或你的腿站起来，或是拉着你的裤子、裙子或任何衣服站起来。一些宝宝会害怕跌坐到地板上，尽管地板离他并不远。大部分宝宝会小心地坐回到地板上。如果你的宝宝不会，你可以通过示范动作来教他。如果他感到害怕，而你又不教他，他就可能会在站起来之后哭着让你帮助他坐下。

在获得这种能力之后不久，宝宝将学会扶着东西走路，即利用支撑物移动双腿。通常，在宝宝满 1 岁之前，有时会早几个星期，他就会通过扶着东西走路而学会独立行走。在学会走路后，大约在 13 个月或 14 个月的时候，宝宝将学会跑，他们会跨骑在小的四轮车上，拖着它们四处走。

这是第五阶段的宝宝利用身体的大肌肉群进行的最主要的运动。经由这种能力发展而获得的自由对于宝宝来说具有重大意义，只要有机会，他就会花大量时间练习这种能力。

攀爬

攀爬能力对于婴儿是一件极其有趣而重大的事件。它出现在两个时期。第一个时期出现在 8～12 个月期间，宝宝会开始攀爬上 20 厘米的高度。这个高度正好和一般的楼梯高度相符。你会发现宝宝在 8～10 个月的时候试图爬上一只矮脚凳。他发现这种攀爬能力非常有趣，并且会反复练习。这种练习对他来说有点危险，因为他保持平衡的能力还很有限，并且他对攀上高处后再坐下时的后果还判断不好。此外，他的记忆力容易被其他东西分散。因此，宝宝很可能每天会摔一两次跤。

在宝宝 11 个月或 12 个月的某个时候，他会获得第二种攀爬技能：一次能爬上 41 厘米高的地方。这种提高了的攀爬能力能使宝宝爬上客厅的沙发，并且继续爬上沙发扶手，然后再爬上沙发靠背。同样，他也可能会爬上一把餐椅，接着爬上桌子，然后再爬上台面。几乎所有的宝宝似乎都会经历这两个攀爬阶段，它既会带来危险，也会令宝宝因为能够到达和探索新的地方而感到兴奋。很明显，既然你的宝宝已经能够爬上 41 厘米高的地方，你就必须对有毒的东西和其他危险的物品多加注意。

“为什么？因为它在那儿。”

注视

在对第五阶段各种类型的宝宝进行广泛观察的过程中，我们常常惊讶于一个我们称之为“注视”的行为，而宝宝会通过目不转睛地注视某个东西来获取信息。在对数百个孩子的观察中，我们发现这一阶段中出现最为频繁的行为，除了睡觉之外，就是专心地注视一个物体或场景。如果注意观察你的宝宝，你就会发现他是一个“观察者”。他会用大量时间注视各种物体。研究其他灵长类动物的同事告诉我，幼年的猿和猴子也会花大量时间注视各种物体和其他猴子。所有的人类婴儿都会花很多时间注视自己的妈妈或其他主要看护人。在探索一个物体之前或之后，宝宝会更加起劲儿地注视它。他们还喜欢看窗外，看远处的孩子玩耍。我们发现，在这一阶段，宝宝在醒着时会花大约17%的时间注视各种物体。

对语言的最初反应

随着第五阶段的宝宝一周周地长大，他们会对理解词语和短语的意思表现出越来越强烈的兴趣。现在，语言理解能力的发展缓缓拉开了帷幕。这种对词语的最初理解体现在这一阶段中出现的服从行为上。当你叫宝宝的名字时，他会越来越多地给予回应，在你和家里的其他成员说话时，他会看着这个人，而且，他还会服从一些简单的要求——亲一下、挥手再见，或捡起一个东西。但是，不要指望你的宝宝能学会说很多的话。的确有一些宝宝会在 1 岁生日前开口说话，但是这种情况并不多见。正常的宝宝会在 8～20 个月时开口说第一句话。

对妈妈的兴趣与日俱增

除了满足好奇心和练习新的运动技能之外，第五阶段宝宝的第三个主要兴趣是对周围的人的兴趣。从 8 个月到 14 个月，你会发现宝宝对主要看护人的兴趣与日俱增。到大约 10 个月或 11 个月时，这种兴趣的增长将表现为向看护人发出第一个明确的请求帮助的信号，以及第一次针对这个人表达他的友爱或愤怒。宝宝的第一个请求通常是想要多喝一些牛奶或多吃一些饼干，或者有时在自己无法做某件事的时候寻求帮助。

对小东西的兴趣

8 个月大的宝宝可能会对微小的东西表现出极其浓厚的兴趣。当坐在婴儿椅或地板上的时候，宝宝可能会皱着眉头仔细观察某些小东西，甚至某些你在远处看不到的东西。如果走近观察，你就会发现宝宝注视的是饼干碎屑或一只小虫。这种行为显示出宝宝的两种能力已经接近成熟：看到微小物体的能力，以及由新获得的坐和爬的能力而带来的以新的方式探索微小物体的能力。这种兴趣与另一种更为普遍但同样强烈的兴趣相互关联，即对微小物体的特性进行探索的兴趣。从宝宝8个月直到2岁左右，尤其是在第五阶段，他们在醒着时会花大约25%的时间积极地探索各种小东西。这种兴趣有三种主要形式。第一种形式是简单的注视。第二种是我们所谓的探索行为：宝宝对他所发现的任何新东西的各种特性进行探索。探索包括把东西放进嘴里咬，击打它，把它扔出去、翻过来，然后从不同的角度观察它，拿着它在各种东西上摩擦，等等。他会对这个物体采取各种不同的行为。对小物体的第三种行为是我们所谓的掌握行为——利用这些东西练习简单的技能。如果这个东西有一个底部，可以把它立起来再打倒，你可能会发现宝宝聚精会神地进行这种探索。如果它是一支蜡笔，你可能会发现宝宝把它滚来滚去，并观察它的运动。

第五阶段的宝宝还非常喜欢收集各种东西，尤其是形状不规则且具有细节的东西。在这个阶段，他们练习的一个简单技能就是把一个容器里的东西全部倒出来。一旦宝宝倒出了容器中的所有东西，他可能就会把它们一个个再放回到容器里，并不时停下来观察每个东西。

把各种东西放进嘴里

在这个阶段，宝宝的嘴仍然是重要的探索工具。而且，大多数宝宝都会在这个时期长出牙来。出于这两个原因，宝宝会把很多东西放进嘴里，这种行为有时会给宝宝带来危险。

笨拙

尽管宝宝的运动能力形成的速度很快，但你不能忘了这个阶段的宝宝还不十分灵巧。你会注意到宝宝表现出惊人的小心谨慎。据我们估计，至少有4/5的宝宝在这一阶段是个小心的攀登者。但是，有 1/5 或 1/6 的宝宝似乎把自己的安全不放在心上。对于这些宝宝，你必须小心看护。

友善

8～14 个月的宝宝，尤其是这个阶段早期的宝宝，对每天和他接触的人非常友好。他可能会给你制造各种麻烦，给你带来额外的辛劳和焦虑感，但他不是故意的。他所制造的麻烦是他在这一阶段发展的必然结果。此外，宝宝的亲昵表示和迷人微笑会一次次地为你带来回报。如果你很幸运，你可能会经常得到宝宝自发的拥抱和亲吻，或是在你要求他这样做的时候得到这种待遇。好好享受这种友善吧，随着第六阶段的开始，情况会开始向不好的方向转变。

对陌生人的焦虑和害羞

特别是在这个阶段的头几个月里，宝宝的友善主要是针对他的主要看护人以及他每天都能见到的人。在第五阶段开始后，你会发现宝宝开始认真地研究你对他的行为的反应，尤其是对他的各种哭声的反应。同时，宝宝在第四阶段所具有的非常友好的态度开始有所变化，这表明他已经开始做出自己的社会选择。他开始懂得自己的安全掌握在父母和其他主要看护人手中。而对于外人，即使是不住在一起的爷爷奶奶，第五阶段的宝宝也可能会表现出不安和害羞。当宝宝处在一个陌生的环境时，这种行为可能会更加明显。如果你把宝宝放在爷爷奶奶的家里，他很可能会希望靠近一个平时熟悉的人。这种行为在本阶段非常正常，一般会持续到宝宝 2 岁的时候。但是，在大多数时候，到了宝宝满 1 岁以后，情况就会有所好转。

对兄弟姐妹的行为

与年龄相差3岁或以上的哥哥姐姐相处

我们常常看到，年龄相差4岁或4岁以上的哥哥姐姐通常会对第五阶段的宝宝表现出友爱和兴趣。比宝宝大3岁以上的哥哥姐姐不会花大量时间和他在一起。他们已经进入了一个更喜欢和同龄孩子交往的阶段，因此，他们更愿意和小伙伴玩耍，而不是和小弟弟或小妹妹玩儿。和这样的哥哥姐姐在一起时，宝宝大部分时间会看着他们独自玩耍或和朋友一起玩耍。

与年龄相差3岁以下的哥哥姐姐相处

如果宝宝有一个年龄相差不多的哥哥姐姐，情况就会有很大不同。如果宝宝的哥哥姐姐是家里的第一个孩子，并且在某种程度上被宠坏了——这两种情况经常会同时存在——他可能会逐渐对宝宝感到由衷的憎恨和嫌恶。尽管这种行为非常令人烦恼，但却如此常见，以至于人们不得不把它当成是正常状况。父母必须预先考虑到这种情况，因为他们将不得不去面对，正如宝宝也必须面对它一样。由于哥哥姐姐时常会对宝宝产生正常的憎恨并偶尔伴随着愤怒，因此有时会对宝宝做出富有攻击性和自私的行为。

你可能已经注意到了，在宝宝到8个月之前，我都没有提起同胞竞争这个话题。与更小的宝宝相比，一个刚学会爬的宝宝更容易受伤，宝宝的探索也更容易打破家里的东西和为父母带来额外的辛劳。这都要求父母给予宝宝比以前更多的关注。对于一个只有18个月或30个月大的哥哥姐姐来说，关注就意味着爱。一个刚从医院回来的5天大的宝宝不会令一个刚学会走路的哥哥姐姐产生太多的烦恼。毕竟，新生儿每天的大部分时间都在睡觉，因此不需要太多关注。即使到宝宝4、5个月大，每天大部分时间都保持清醒的时候，他对稍大一些的哥哥姐姐的影响也不是很大。然而，从宝宝学会爬的那一天起，尤其是如果父母允许宝宝在家里自由活动，而不是大部分时间把他放在围栏里，情况就会大大转变，宝宝对哥哥姐姐的影响开始变得明显起来。

由于这些现实，稍大一些的孩子开始对宝宝做出攻击性和自私的行为是不足为奇的。较大的孩子甚至会经常打宝宝，会把宝宝打倒或拿走他的玩具。起初，宝宝可能会对这种行为感到不知所措，但迟早他会感到疼痛，继而大哭，闻声赶来的父母可能会对情况进行估计，并得出较大的孩子是罪魁祸首的结论。在这种情况下，较大的孩子可能会受到批评或惩罚，但是这样不会减少他的不快。

随着第五阶段的继续，这种紧张局势还将持续下去。我们可能会在较大的孩子身上看到嫉妒、不满和攻击性行为的升级，而宝宝则会越来越快地以大哭作为回击。这种情况常常导致在宝宝11个月或12个月时，甚至会在哥哥姐姐碰到自己之前就畏缩和啼哭。而较大的孩子对于宝宝的啼哭所带来的后果已经领教了好多次，会逐渐变得情绪低落。他会清楚地意识到对宝宝的攻击行为会导致宝宝的啼哭，而他自己则会因此受到惩罚。这样，到宝宝1岁的时候，或是在第五阶段的中期，这场斗争常常会出现平局。这种暂时的停战可能会在第五阶段持续下去，而在宝宝进入第六阶段的时候将会发生令人惊讶的转折。

这个问题的严重程度与两个孩子的年龄差距直接相关。年龄差距越小，较大的孩子对宝宝的敌视行为就越频繁而严重。这种敌视行为使很多年轻的父母感到震惊。毕竟，在差不多1年半的时间里，他们的第一个孩子给他们带来了那么多快乐和骄傲，而现在，他们不得不难过地认为，较大的孩子不喜欢同样是他们心肝宝贝的弟弟或妹妹。对于这种不愉快的局面，父母们常常感到措手不及。关于儿童发展的新知识所能带来的一个好处是，我们现在已经了解了这种行为的根源。我们发现，如果父母预先对此有所了解，情况就会好得多。

在这种情况下，较小的宝宝确实会在第五阶段中学到如何对付他的哥哥姐姐，如何保护自己，如何避免麻烦，以及——虽然不幸但却是真的——如何以同样的方式对待进攻者。

我们会在后面继续讨论关于兄弟姐妹间相处的问题。可以肯定的是，较大的孩子终究会对较小的孩子表现出友爱，但如果在第五阶段这种情况会变得越来越少，你也不要感到惊讶。我们可以说，至少相隔3年再生第二个孩子是个很好的办法。

第五阶段宝宝的明显兴趣

除了生理方面的需要，如解除饥饿和疼痛的需要之外，第五阶段的宝宝有三个主要兴趣：(1) 主要看护人；(2) 探索世界；(3) 练习新的运动技能并从中获得乐趣。

对主要看护人的兴趣

从8个月到2岁这段时期，宝宝对其主要看护人的兴趣的发展是一个非常令人兴奋而且非常重要的问题。近年来，婴儿与一个成年人建立依恋关系这个话题在儿童发展研究中成为一个热门话题，尽管话题具有不同的称谓。热门并不总能产生智慧，但我们已经了解到了这种依恋关系建立过程的许多细节。

我们可以肯定，新生儿如果不与一个更成熟、更有能力的人建立起深厚的关系，就无法生存。刚出生的宝宝是非常无助的，除非获得其他人的帮助，否则生存对于他来说就是不可能的。我已经描述了宝宝天生就具有的各种优点，这些优点使得有人爱他们、关心他们、喂养他们、保护他们。宝宝的发展会在8个月左右的时候进入一个新阶段。

在8个月到24个月期间，宝宝清醒时的很多行为都是围绕着他的主要看护人的，通常是他的妈妈。他每天会花大量时间观察妈妈的行为，每次感到危险的时候会向妈妈寻求庇护。从10个月或11个月的时候起，只要有机会，宝宝就会向妈妈寻求帮助。宝宝会从妈妈那里学到很多东西。例如，宝宝会从妈妈那里了解到自己是否可以去拉窗帘，是否可以爬上家具、上自己的床或父母的床，是否可以摸客厅里的植物，以及是否可以到门廊上去。宝宝会在探索的过程中得到成千上万个问题的答案。

宝宝还会对妈妈的训诫方式有具体的了解，到 13 个月或 14 个月的时候，他会在这些方面变得经验丰富。如果父母只是空谈而不是实干家，宝宝就会明白父母的威胁只是吓唬人，不会付诸行动。宝宝会明白父母是否真的生气了。他会明白，尽管不那么准确，父母的注意力是否完全在他身上。他会明白是需要立即服从一项指令或警告，还是可以过一会儿之后把它抛在脑后。

我一直在使用"妈妈"这个词。然而，如果爸爸是主要的看护人，你的宝宝也会在爸爸身上学到同样的东西。据我所知，主要看护人的性别是无关紧要的。

到了 2 岁的时候，并且经常会更早一些，宝宝就会与主要看护人建立起一种复杂而微妙的社会关系。这种东西较难改变。宝宝在出生后的头两年里学会的这些最初的社会技巧和态度，将会在他与其他家庭成员和同伴的相处过程中加以运用。

在宝宝 8～24 个月期间，你对宝宝人格的塑造以及日常的幸福感有着极其巨大的影响力。通过对很多这个特殊阶段孩子发展过程的观察，我完全确信这种看法是正确的，尽管听起来可能有点儿骇人听闻。

在这 16 个月中，你对宝宝社会探索的反应可以塑造一个快乐的、逗人喜爱的 2 岁宝宝，也可以塑造一个以自我为中心的、闷闷不乐的 2 岁宝宝。

如果这个阶段的宝宝被阻止与父母或其他主要看护人进行自由而轻松的交流，而且，如果他有各种玩具和地方可供探索，你就会发现他对人表现出的兴趣越来越少，而对客观世界表现出的兴趣却越来越浓。但在大多数情况下，在这个阶段，宝宝对人的兴趣仍然会十分强烈，而且会远远超过他对客观世界的兴趣。

探索世界的兴趣

8个月的宝宝是一个探索者。他想看每一个东西，触摸每一个东西，把所有可以放进嘴里的东西都放进嘴里。这种兴趣表现在他会对所有允许他接近的地方进行探索。你会发现自己根本无需引导他去探索和学习，他会出于纯粹的快乐而这样做。他会对任何小的、可以拿起来的物体进行研究，看看有何新奇之处，或是以之练习简单的手-眼技能。你的宝宝会对电视遥控器、收音机遥控器和音响遥控器产生很大的兴趣，会对门把手产生很大的兴趣，会对橱柜里的东西产生很大的兴趣，也会对灰尘、树叶的碎屑等任何他能近距离观察的东西产生很大兴趣。

对客观世界的强烈兴趣会对第五阶段的宝宝产生以下几个方面的深刻影响。首先，这种兴趣可以深化和拓展宝宝的好奇心，促进智力基础的发展。其次，这种兴趣可以平衡宝宝与父母之间的社会兴趣，不至于使宝宝形成对父母的过度依赖。在第五阶段开始时，宝宝的三种主要兴趣是平衡的，但在接下来的1年左右的时间里，这种平衡状态有可能被打破。此外，在平衡被打破后，宝宝的教育发展会受到负面影响，同时也会给身边人的生活造成影响。如果宝宝对妈妈的正常兴趣过度膨胀，以至于影响了另外两种兴趣的时候，通常就会导致平衡状况被打破。

最后需要指出的一点是，几乎所有第五阶段的宝宝都喜欢玩水，玩水是这一时期宝宝的一个探索兴趣。除非你无意中惊吓了宝宝，否则，大部分宝宝从这个时期开始都会喜欢洗澡。

练习并享受新的运动技能

前面我们讨论过新运动技能出现的顺序，从爬行到站立再到攀登。第五阶段的宝宝只要有机会就会花大量时间练习他们新获得的技能。在这个阶段，宝宝最普遍感兴趣的运动就是爬楼梯。楼梯对于很小的孩子有着令人惊异的吸引力。

第五阶段的学习发展

在开始这段讨论之前，我要先重申一个问题。我相信，宝宝在8～20个月期间的教育发展是人的一生中最为重要也最值得关注的。一旦宝宝开始学会了在家里爬来爬去，并且开始成为一个社会性的生物时，宝宝教育的基础就开始得到重要而基本的发展了。

教育基础的第一流的发展是无法确保的。对于大部分孩子来说，教育成果的质量取决于父母，更准确地说，是取决于孩子的主要看护人。然而，父母们通常对此并没有做好充分的准备，而且也得不到更多帮助。我确信，目前在这方面得到充分发展的孩子不超过2/3，而在出生后的头 3 年中完全发挥了自己潜力的孩子不超过10%。这种说法可能令人感到悲哀，但这不仅仅是 20 世纪的悲剧。在西方教育史上，从来没有一个国家对于早期教育的重要性有足够的认识，或者为家庭或育儿机构提供系统的准备和帮助，以指导人们对儿童的早期发展给予关注。

语言发展

前文（本书的 127 页和 128 页）对语言发展进行了详尽的讨论。我要再次强调语言对于智力发展和社会能力的发展是至关重要的。

好奇心的发展

前文（本书的 128 页）对培养第五阶段宝宝好奇心的重要性进行了讨论。在这个阶段，通过适当的育儿方法，可以使宝宝的好奇心得到拓展和深化。

社会能力发展

2岁的宝宝可以成长为令人愉快的、人们能够轻松和自由地与之交往的小伴侣，并同时对整个世界充满着好奇心。不幸的是，2岁的宝宝也可能会成为一个整天围绕着某个成年人转的孩子，这个人通常是他的妈妈。这种宝宝常常会对妈妈从早到晚纠缠不休，因为他强烈地想要独占妈妈的时间和注意力。这种孩子常常会对探索客观世界和练习运动技能失去兴趣，并且把任何新玩具当作操纵妈妈的工具。

当然，更令人悲哀的是看到一个2岁的孩子不敢靠近自己的妈妈，除非妈妈心情不错并愿意让他靠近。我们发现，第五阶段和第六阶段的婴儿由于屡次遭到拒绝而与其主要看护人变得很疏远。这是一个悲剧，而且当这些宝宝同时还失去对外部世界的兴趣以及在家中探索的机会的时候，你就会看到最悲哀的情况——一个生活空虚的2岁孩子。社会能力发展的严重不足是可以避免的。在后面我们会讨论如何达到期望的目标。

对于社会能力发展来说，第五阶段是一个非常充实丰富的时期：五个社会能力中的四个都会在这一时期形成；宝宝会在这个时期学到三条经验；对陌生人的行为和分离行为也会出现。到14个月的时候，你就可以从宝宝身上明显地看到自己在这个重要的发展领域所取得的效果。

培育智力的萌芽

我曾提到过健康的8个月大的宝宝对于探索世界具有强烈而普遍的欲望。这种欲望是智力发展的重要推动力。在养育宝宝的过程中，你可以使这种推动力得到深化和扩展，也可以使之肤浅而狭窄。

学会学习的能力的增强

对于宝宝的教育发展来说，潜在的学习动机与任何其他因素同样重要。在第五阶段和第六阶段中，除了发展这种动机之外，宝宝还会获得各种学习技能——也就是说，宝宝正在学习如何学习。皮亚杰对这个阶段令人兴奋且重要的事件进行了描述。我们对这一发展阶段的很多孩子所作的观察也丰富了人们对这一问题的认识。

那些有机会对世界进行探索，并能从大人那里获得多多鼓励和帮助的孩子很容易获得学会学习的能力。婴儿在这个阶段不会创造什么，而且至少到2岁之前都不会，但在第五阶段，他们正在学习一些作为先决条件的技能。例如，你不会看到第五阶段的宝宝画画，但你会发现他们在练习使用以后用来写字和画画的小东西。在第五阶段末期，宝宝会开始对乱涂乱画表现出兴趣。宝宝会为了弄清物体的特性，例如是否能弹起或滚动，是否能扑通落地或滑行，付出不计其数的努力。这些努力会在宝宝将来创造各种物品（例如城堡、轮船、卡车）和开展各种活动（例如用洋娃娃、动物和建筑物进行的游戏）时用到。

宝宝在滚动或扔出一个球并在其后寻找及捡回它的过程中学习的找回东西的技能，对于一两年后出现的更加复杂的行为来说，也是一个必不可少的行为。在这个阶段，宝宝还会学到如何把东西放到一起，以及如何把它们分开。你会发现第五阶段和第六阶段的宝宝对把一个东西放进另一个东西里面很感兴趣。例如，给容器盖上盖子是这个阶段的宝宝普遍感兴趣的一件事；把一个小东西从另一个东西里拿出来也是一件令他们特别感兴趣的事。宝宝不仅对这些简单的技能本身很感兴趣，而且这些技能也会为他们以后更加复杂的经历打下基础。

铰链和折页

第五阶段的宝宝对铰链和折页之类的东西非常好奇。我们的观察发现，第五阶段早期的宝宝对开门关门这件事非常着迷，其中最常见的是橱柜的门。

第五阶段宝宝的这种兴趣还表现在他们异常喜爱有盖子的弹出式玩具。他们在把玩具的盖子打开后，很可能会反反复复地把它关上再打开。

在这方面效果良好的第一个玩具出现于大约25年前，叫作“宝藏吃惊盒（Busy Surprise Box）”，是原来生产宝藏盒的公司开发的。该玩具是在一个塑料盒里安装了5个相互联结的能够弹出小动物的盒子。为了打开一个盖子，让一个小动物图像弹出来，宝宝必须完成五种简单动作中的一种，包括推动一个操纵杆，转动一个电话拨号盘，或是按下一个按钮。在这五种动作中，第五阶段的宝宝只能完成推动杠杆的动作。我们发现大部分第五阶段的宝宝都非常喜爱这个玩具。他们每次能玩儿上5～10分钟，并且每隔几个月就会重新爱上它。具有如此相对较长的使用时间的玩具是比较少见的，尤其是在孩子的这个阶段。在过去的10年中，市场上出现了大量类似的玩具。

宝宝对铰链和折页普遍感兴趣的另一个比较微妙的表现是他们对书的喜爱。他们尤其喜欢那些硬纸板书页的图书。宝宝的兴趣不在于书页上印着什么，而在于打开书页和翻动书页等行为所需的手-眼技能。换句话说就是，有着硬纸板书页的书对于宝宝来说是一个练习简单运动技能的工具。他尤其感兴趣的一个技能是把每张书页当作半个折页，使之来回摆动。用硬纸板做成的小书也是用来啃咬的不错的东西。

我们很容易看到，第五阶段的宝宝所练习的一些简单技能会在他以后的复杂行为中起到重要的作用。尽管我们不太容易看出宝宝对拉动橱柜门的兴趣与日后的行为有什么关系，但是，不管我们是否能够了解这种兴趣产生的原因，都无法否认它的存在。

除了能够充当练习手-眼技能的工具来满足第五阶段宝宝的兴趣

之外，在这一阶段，书对于语言学习也开始起到某种作用。[①] 尽管与整个头3年的其余时间相比，宝宝在第五阶段的语言学习速度是很慢的，但是语言学习的确在发生着。没有故事的书——只画着宝宝所熟悉的物品的书——对于这一阶段的语言教学最为合适。语言教学的主要内容应当是指认物品。如果你能想办法让一个第五阶段的宝宝安静地坐好，注意书页上的东西，然后把这些东西的名字说给他听，这将是一件非常有趣且有益的事情。如果你的宝宝特别好动，无法安静地坐着听你念书和讲故事，你也不要感到气馁。如果你的宝宝能够倾听你给他讲述这些图片，尤其是在上床睡觉之前，那就再好不过了。但是要记住，典型的14个月大的宝宝只能理解大约36个词语和一些简单的表达方式。因此，你讲的故事对他可能没有什么意义。当然，指认物品不应局限在书本上。父母指着宝宝正在玩儿的任何东西并说出其名称是世界上最为自然的事情。实际上，这种做法越多越好。

短期记忆的发展

在这个阶段，宝宝对某些物体形象的记忆存留的时间开始变得长一些了。通过在婴儿和他想要的东西之间放置越来越多的障碍物，或者让婴儿花越来越多的时间才能找到被藏起来的东西，儿童发展问题的研究者们弄清了第五阶段的宝宝短期记忆持续的时间。例如，1岁左右的宝宝能够很容易地找到藏在一个枕头下面的东西，但是，如果你在这个东西上面放上3、4层遮盖物，需要宝宝花10～15秒的时间才能找到下面的东西，他很可能就会中途放弃寻找。即使在第五阶段末期，宝宝记住一个物体的能力也未得到充分发展。然而，到了17个月的时候，这种能力就会比较成熟。

---

①令人惊讶的是，人们从未研究过阅读能够为婴儿带来什么好处。常识告诉我们，这种行为一定是有益的，但是，我希望把那些有证据支持的建议和没有证据支持的建议分开。

这种对短期记忆的了解具有非常实际的价值。当把第五阶段宝宝有限的记忆同他对一切事物的强烈好奇心联系起来的时候，你就可以通过转移注意力的方式促使宝宝放弃你不想让他玩儿的东西。例如，如果9个月大的宝宝找到了一只烟蒂，你可以拿给他一套塑料勺子，通常，宝宝就会把注意力从烟蒂转移到勺子上。在开始玩儿勺子四五秒钟之后，他根本就不会再去寻找烟蒂，而是完全把它忘记了。然而，当宝宝到了12～14个月的时候，在同样的情况下，他可能会在过一会儿之后继续寻找第一个东西。但是，如果你把宝宝领到另外一间屋里，并给他三个新物品，他就会对新物品产生几分钟的兴趣，这段时间已经足够让他忘掉第一个东西了。

第五阶段推荐的养育方法

作为宝宝的主要看护人，你在第五阶段需要担当三个主要角色，在养育宝宝的整整3年中都将如此。这三种角色是（1）宝宝的世界和日常生活的建筑师或设计者；（2）为宝宝提供帮助和鼓励的顾问；（3）设定纪律和约束的权威。下面让我们逐一讨论这三个角色。

作为设计者的主要看护人

使宝宝能够在家里自由活动

一旦你已经在家中做好了安全防护，下一步就是尽最大可能让宝宝在家里进行探索。[①] 即使是最小、最简单的家，对于第五阶段的宝宝来说也是一个丰富的环境。在这个年龄，所有的东西对宝宝都是新奇而迷人的。只要让宝宝随心所欲地进行探索，你就可以以一

①浴室对于第五阶段的宝宝总是不安全的。我建议你在每个浴室门上装上一个简单的插销锁，在没有人使用浴室的时候把它锁好。光使用马桶锁是不够的。太多的严重意外事件都发生在宝宝独自一人待在浴室的时候。

种自然而有效的方式培养他的好奇心。同时，这种随心所欲的探索使宝宝有机会迎接和应对各种身体上的挑战。最后，这些探索也使宝宝有很多机会面对各种社会场景，并使宝宝对人及人的反应有所了解。

通过让宝宝最大限度地在安全的家中进行探索，还可以防止宝宝的几种主要兴趣失去平衡。想象一下，如果你为了避免危险、额外的家务和压力，而每天把你的宝宝囚禁在一个婴儿围栏、一间小屋或是一张小床上，从短期来看，你肯定会减少很多麻烦，但从长期来看，这种行为将会对宝宝的好奇心和能力的发展产生很多负面影响，这种负面作用肯定会远远超过它所带来的短期利益。

为宝宝提供可供玩耍的东西

我建议你在特定时期为宝宝提供一些玩具和其他东西。在第五阶段中，即使那些被允许在家里自由探索的宝宝也会偶尔感到无聊，尽管这种情况在此阶段出现的频率比以后要低。我们会在推荐物品部分详细讨论这个问题。要记住，没有什么玩具能使刚会爬的宝宝保持长期的兴趣。因为在这几个月里，他有太多的事情可做，有太多的东西可看。

作为顾问的主要看护人

如果你为第五阶段的宝宝提供了一个安全的家以及一些有趣的东西，他就一定会探索并发现一些能够使自己感到有趣和兴奋的东西。此外，宝宝有时会陷入沮丧或是造成他轻微疼痛的境况，每当这种时候，他都会越来越多地向你寻求帮助，让你分享他的热情或对他进行安慰。当宝宝向你靠近的时候，你就有了成为宝宝的教育者的优先机会。在大多数时候，宝宝在这一阶段的兴趣表现得非常明显。当你的宝宝因为某个发现或成就而兴奋不已，或是因为某个困难而感到沮丧并转向你的时候，你就会知道自己的宝宝是个动机十足的孩子。如果你知道他正在关注什么，就有了理想的教育环境并给予有效回应的机会。

有效的回应方式

首先，不要错过这样的机会。如果你很少陪在宝宝身边，你就无法完成这个重要的工作。在这方面，陪伴宝宝的时间的质量无法代替陪伴宝宝的时间的数量。通常，在一天当中，11～14个月大的宝宝每个小时会向你做出大约10次表示，你要立即对这些表示做出回应。要想办法确定宝宝在想些什么，在这个发展阶段，你在这方面不会遇到什么困难。

在适当的时候，如果你的需求比宝宝的更加迫切，你可以告诉他必须要等一会儿，而不要立刻放下你手中的工作。这对于孩子的社会能力发展是十分重要的。你的宝宝会开始了解到，在大部分时候他可以立即得到自己想要的东西，但有时其他人的需要比他的更重要。

为什么这种方法比其他的更加有效呢？想想那些被告知本阶段的语言学习非常重要，并且每天都努力让宝宝对书和识字卡片给予关注的父母。我们在这里所说的父母开始了把宝宝的注意力引导到成年人正在做的事情上来。但是，当宝宝向你走来的时候，你必须要确定他正在关注的东西，并直接就宝宝关注的事情做出反应。

当然，下一步就是满足宝宝的需要，不论这个需要是亲吻一下他受伤的手指，还是把两个粘在一起的东西分开，或是对某个废弃的盒子倾注一些热情。你应当用日常的语言进行回应，要使用完整的短语或句子而不是单个词语，并且要表达一两个相关的想法。不管这个想法是什么，只要它与目前宝宝所关注的事物有关就行。一旦你的宝宝对这种回应表示满意，并且表现出了继续进行下一件事的兴趣，你就随他去好了。这整个过程平均需要25秒钟，多年来，我们一直鼓励这种养育行为，并取得了持续的成功。

在这种回应方式中，包含了一种可以对宝宝进行有效教育的很好的机制。首先，宝宝了解到，在遇到自己解决不了的问题时，可以向其他人寻求帮助。这种技能在他以后的生活中非常有用。第二，可以让宝宝对其他人的特点有更多的了解，这对于宝宝今后与家庭成员之外的人进行交往非常有用。第三，让宝宝明白有人对他的兴趣非常重视并愿意满足他的好奇心。第四，宝宝得到了语言的指导。第五，由于接受到的信息的内容，宝宝的智力世界有所扩展。第六，通过请求帮助，宝宝在学习如何完成任务。第七，在遇到无法解决的困难时，宝宝会懂得自己所能做到的极限是什么。最后，当被要求等待的时候，宝宝开始学到人生的重要一课——尽管他很重要并且很宝贵，但他的需要并不比其他人的更重要。

健康的利己主义

我相信，父母对于8～36个月的宝宝所能采取的最聪明的态度就是我们所谓的“健康的利己主义”。正如一个母亲所说：“我喜欢我的宝宝充满好奇心，但他不是必须要玩我的化妆品。”没有什么养育行为比这更为重要。正如你所看到的，如何对第五阶段宝宝的请求给予回应是一个非常重要的问题。

作为顾问的角色，你会发现培养宝宝刚刚出现的社会能力既是非常自然的，也是非常有趣的。你的宝宝所做出的某些表示是在请求帮助，而你自然倾向于为他提供帮助。你会想尽一切办法这样做。但是，在宝宝过了1岁生日之后，你就要当心不要使自己沦为宝宝的万能工具。要注意他利用你的三种方式之间的区别：（1）宝宝确定自己无法完成一个任务；（2）宝宝认为通过你实现一个目标是最简便的方法；（3）宝宝只是想要独占你的注意力。第一种方式是好的，但是，第二种和第三种方式会使宝宝变得过分任性。

到了14个月或15个月的时候，宝宝向你做出的某些表示是期望自己的某种了不起的成就——例如安全地爬下了一级楼梯——能得到赞扬或喝彩。鼓励宝宝的这种行为会给你带来很大的乐趣。

你的另一个乐趣是会看到宝宝第一次进行角色扮演游戏。通常，这种行为是非常有趣的，尤其是当你的宝宝在游戏中表现得非常认真而成熟的时候，例如在玩过家家的时候。在第二年里，他会越来越多地叫你参加他的游戏。你真是幸运啊。

作为权威的主要看护人

在那些孩子发展良好的家庭里，我们总会发现孩子的父母表现得既慈爱又坚定。这些家庭中的宝宝对于谁有最终权威没有任何疑问。相反，在那些宝宝的发展有问题的家庭中，各种限度的设定和维持都是模糊不清的，而且，在意见不一致时，存在的问题是谁最终说了算。如果你对宝宝态度坚定，如果你根据实际情况经常拒绝满足他的要求，甚至偶尔没什么道理就这么做，你也无需害怕会因此而影响宝宝对你的感情。2岁以前的宝宝不那么容易与其主要看护人疏远。即使你经常打宝宝的屁股，当然我不建议你这样做，他还是会依恋你。

要态度坚定。如果你的判断力告诉你不应满足宝宝的某个要求，那么你就不要心软。如果他是你的第一个孩子，这样做可能会有点困难。在我们接触过的很多试图教育出好孩子的家庭中，毫无疑问，最大的困难就是孩子的过度任性。要了解过度任性是如何发展的并不难。毕竟，家里的第一个孩子享有独一无二的地位，把父母从未体验过的爱、骄傲和兴奋都集于一身。要拒绝这种孩子的任何要求，对于父母来说都是很难的。宝宝通过与主要看护人的交往而学会人际关系的规则。如果父母使宝宝认为他自己的要求高于一切，从长期来看，是没有什么好处的。我们为父母们推荐一个指导方针：让第五阶段的宝宝明白，虽然他的需要很重要，而且他是一个非常特殊的人物，但是，他的要求并不比别人的要求更重要。

第五阶段的纪律

在第五阶段开始建立一套坚定而有效的纪律是十分重要的，这样才能为迎接孩子稍大一点之后更大的挑战做好准备。

我们很少看到那些教子有方的父母在试图控制第五阶段宝宝的行为时把自己的指令重复两次以上。如果一个宝宝在指令重复了一次之后还不听话，父母就要采取行动，把宝宝转移到另一个场景，或者移走禁止他接触的东西。分散宝宝的注意力也是在第五阶段的大部分时间里非常有效的一个方法。你应当尽量避免前后不一致的行为，例如，当你坚持让宝宝停止做某事的时候，虽然宝宝没有停止，你却不再坚持。这种不一致的行为非常常见，它会导致日后的问题。

限制活动法

所有 9～14 个月的正常宝宝都不喜欢被迫一动不动地待上 2 秒钟或 3 秒钟以上。这就是为什么换尿布总是会成为一场战争的原因、是医生在给宝宝检查耳朵时总会遇到困难的原因、你在给宝宝穿衣服时非常费力的原因，也使得宝宝总是在擦鼻涕的时候进行反抗。我们不知道宝宝为什么会有这种反应，但是几乎所有的宝宝都是这样。你可以把这种特点作为一种控制手段，来应对第五阶段的宝宝经常出现的试图坚持一种令人无法忍受的行为的现象，这种行为通常在 8、9 个月的时候开始出现。

如果宝宝所做的事情可能会损坏电话或电视机，这种行为就应当被制止。对宝宝的无礼行为进行阻止更加重要。如果宝宝的行为给其他人造成疼痛——如咬人或揪头发——你就必须采取一种措施，不要让宝宝的这种行为造成更坏的结果。

我们在下面推荐的方法建立在前文描述过的在为 9 个月或 10 个月大的宝宝换尿布时宝宝的反应之上。在这个年龄，当你试图使宝宝安静时，他会奋力反抗。虽然也有例外，但并不多见。即使那些在换尿布时能乖乖不动的宝宝，对于自己的行动受到限制也不高兴。基于此，我们给出一些建议。

如果你的宝宝坚持要咬你，而你已经说了他两次，这时候就要让他为自己的行为付出一些代价。你可以把他抱起来，抱到房间的另一头，或是抱到另一间屋里，坐下来让他面对你，用力抓住他的肩膀和上臂。不要掐他的肩膀，只是牢牢抓住就可以，使他一动也不能动。如果他看着你露出微笑或笑出声，你也不要惊奇。你应当做的就是不给宝宝友好的回应。如果他在2、3分钟或4分钟内没有反抗，就说明你对他的限制还不够。如果你把他抓得足够牢，过了1、2分钟之后，他就会有不高兴的表示。这时，看看表，继续坚持15秒钟。他会表现出越来越强烈的反对。在15秒结束的时候，可以简短地说几句，例如："现在我们要回到原来的屋子里去了，我会让你继续玩。但是，如果你再咬我，我就再这么做。"这样就可以了。不要对宝宝说咬人会导致感染，或是表皮损伤，只要设立一个简单而坚定的规矩就行了。

我们的经验一再表明，对于9个月、10个月或11个月大的宝宝来说，这种控制如果能够运用得当，始终如一，就能在7～10天内使宝宝改掉坏毛病。

如果你不得不使用这种方法，我建议在开始的那天记录下日期和你希望宝宝改掉的毛病，然后把它粘贴在某处。如果7～10天后，宝宝的毛病还是没有改，就说明你的手法还不够强硬，或是时间还不够长。我建议你把时间延长到30秒甚至60秒。更常见的问题是，父母很难做到牢牢地抓住宝宝，因为宝宝很快就会开始哭了。

在这里，我必须说一下培养一个不被宠坏的宝宝面临着的一个非常大的困难。我从来没有看到过既不让婴儿因为大人对其行为的限制而不高兴，又能做好这件事的情况。在第五阶段，情况尤为如此，因为此时宝宝刚刚开始学习家庭规则。也许有什么方法可以既不让宝宝哭，又能使他成为一个令人愉快的3岁孩子，但是我从未见到过这种方法，在我们的父母培训课程以及我们所观察过的众多家庭中，也没有发现这种方法。因此，在从20世纪60年代后期以来我所写的所有文章中，我都建议父母要对宝宝采取慈爱但坚定的方法，即使这种方法会在短期内使宝宝不高兴。

我们在近年来获得的真正有价值的新结论是，坚定的方法决不意味着打孩子。但不幸的是，坚定就意味着在宝宝学习如何与人相处的过程中，父母需要不时地引起宝宝的不高兴。然而，在介绍这种首先推荐的惩罚方法时，我想指出，与那些从8个月开始直到3岁前都未受到行为干预的宝宝相比，那些从8个月开始就受到严格管教的宝宝无一例外地都会在以后成为更加快乐的孩子。

父母们常常想要知道我是否主张体罚，例如打屁股。现在，我要从宝宝发育的第五阶段开始讨论这个问题。

幸运的是，第五阶段的宝宝有着相对较短的注意力集中的时间以及通常较为顺从的天性，因此在这一阶段还无需涉及打屁股的问题。设定良好规则的关键是要明确知道宝宝在这个阶段必须对规则有所认识，而不能等到以后，并且一旦设定了规则，父母就必须贯彻始终，这是他们每天都要面对的责任。本书的这一部分中所描述的这些原则，构成了父母在此阶段作为权威角色的指导方针。

人生的下一个阶段，即第六阶段，通常是父母开始打宝宝屁股的阶段，因为宝宝的挑衅行为有所升级。但是，我们已经知道了如何有效地设定规则而无需打宝宝的屁股。接着读下去吧。

睡眠问题

到6个月大的时候，大部分用奶瓶喂养的宝宝都能一觉睡到天亮（大约9个小时），并且在白天有两次小睡，时间总共为3个小时左右。换句话说就是，良好的睡眠习惯已经形成。然而，母乳喂养的宝宝通常在8个月大之前不会养成这样的习惯。

不幸的是，睡眠问题在宝宝出生后的头两年中一直是个普遍问题。一些作者，最著名的是理查德·弗伯（Richard Ferber），对睡眠障碍问题在隔离条件下进行了专门研究。通常，当睡眠问题变得非常严重时，人们才会去找他进行咨询。我的方法有所不同。首先，我所处理的是轻度或中度的一般性睡眠问题；第二，也是最重要的，我是从整个社会能力发展的背景中来考虑睡眠问题的。如果宝宝因为某种疾病而无法入睡是一回事，但如果宝宝完全健康，只是为了在凌晨3点钟吸引你的注意力而不肯入睡，就完全是另一回事了。一旦需求性啼哭在6个月左右的时候出现，我就特别关注婴儿在下面这两种情况下对这种啼哭的使用：（1）当父母试图让宝宝睡觉的时候；（2）当宝宝在深夜醒来并拒绝再睡的时候。不幸的是，在第五阶段，父母常常会面临这样的困难，即宝宝在夜里醒来后不愿再次入睡。

如何在白天和夜晚让宝宝入睡

在这个阶段，如果宝宝在他自己房间的婴儿床上睡觉并且关上房门，而且不使用监听器，会使每个人都好过一些。在这个阶段你还用不着使用监听器，除非你睡觉的地方离宝宝特别远，无法听到他大声的啼哭。记住，大多数第一次做母亲的人即使在沉睡中也能听到宝宝在夜里发出的很小的声音。

在宝宝8～24个月的时候，为了避免或解决睡眠问题，你应当根据宝宝发出的困倦信号行事，而不能根据钟表。在这个阶段，你会比世界上任何人都了解宝宝的睡眠信号。宝宝在困了的时候发出的典型信号是：

· 宝宝开始揉眼睛。

· 宝宝的眼睛开始睁不开。

· 宝宝开始烦躁不安。即使你知道宝宝的健康状况良好，一旦感到困倦，他也会开始做出烦躁的行为。

· 宝宝对于挫折的忍受程度开始变低，他开始变得不耐烦，尤其是已经过了睡觉时间很久以后。

· 轻微的摔倒或碰撞后的过度啼哭，甚至是平常他毫不在意的轻微疼痛都会使他流很多眼泪。

不论是在白天还是晚上，当你注意到这些迹象的时候，都要等几分钟再来确定你的判断。宝宝越困，你就越容易使他入睡。下一步要检查他的尿布，如果需要就换一块。然后，把他放在婴儿床上，告诉他你爱他，然后离开。关上门，看看表，给他5分钟时间。在这段时间里，他可能就会睡着。但也可能不会。他可能还不够困，或是已经养成了在任何情况下都反抗你的习惯。要记住，他已经在6

个月大的时候就学会了有意啼哭，而且已经知道了你对此会作何反应。如果5分钟之后，他还在哭，你就应当进到他屋里去，把他的玩具给他，让他坐起来，不要抱他。等着困倦的信号再次出现，然后重复这个过程。把他放进小床，告诉他你爱他，离开房间，并关上门，看看表，给他5分钟的时间。如果他仍然在哭，就再次重复这个过程。在几天之内，如果你能坚持这种方法，宝宝就会养成习惯，当他困了的时候，你把他放在小床上，他就会睡觉。

如何让宝宝一觉睡到天亮

如果你的宝宝在晚上睡醒后啼哭，你应当听听看这是否是一个在一两分钟之内会自动消失的小状况。如果宝宝哭得越来越厉害，你就应当迅速到他的屋里去，看看有什么问题。在宝宝出生后的头几年中，每当宝宝在你看不到的情况下发出了表示真正痛苦的声音时，我强烈建议你都要迅速作出回应。在你进入他的房间后，可以一边向他走过去，一边说些什么，但是不要把他抱起来，要看看出了什么问题。检查一下他的尿布，如果需要就给他换一个。不要同他说太多的话。要迅速完成你的事情，然后离开房间，关上房门，看看表，给他30分钟的时间。如果他仍然在哭，你要走进去再次进行快速检查，然后告诉他你爱他，但现在是睡觉时间，每个人都需要睡觉。离开房间，关上房门，不要再进去。在4～10天之内，所需时间的长短取决于宝宝运用故意啼哭的习惯性有多深。通过这种方法，宝宝就能一觉睡到天亮了。

这样做会让宝宝感到你不爱他吗？没有人能给出确定的答案，但是，我长期以来一直在提供这个建议。我们在父母教育工作中经常发现，与那些和父母同床睡觉并在凌晨3点钟要求给予特殊关注的宝宝相比，以这种方式养育的宝宝一旦接受了这种方法，就会变得更加快乐。

注意：如果你的宝宝病了，你就不要再对他使用这种方法。要尽你最大的努力去安抚他，这种睡眠训练可以以后再进行。

同胞竞争

在本章的前面部分，我解释了为什么当孩子之间的年龄差距小于 3 岁时，同胞竞争的现象就会变得非常严重，而这个问题始于较小的孩子开始在家里活动的时候（即第五阶段）。我说过，较大的孩子可能会产生嫉妒并做出攻击性行为。较小的孩子此时成为了日常生活中一个比较重要的焦点，而且可能会获得比以往更多的关注，其结果常常导致较大的孩子得到的关注有所减少。如果了解较大的孩子在想些什么，你就已经迈出了解决这个问题的第一步。但是当然，你所要做的不仅仅是了解为什么那个以前天使般的稍大点儿的孩子开始变得这么令人头疼。你能做些什么吗？还是必须要在两年甚至更长的时间里陷入这场家庭战争？

你可以采取一些有益的步骤。首先是保护较小的宝宝免受攻击。想让较大的孩子对自己的行为感到内疚是没有什么用的——毕竟，他对弟弟妹妹的憎恶是完全自然的事情——但是，必须使他明白，任何形式的攻击行为尽管可以理解，但却是不被允许的。

你的第二个任务是使较大的孩子生活得更好。他越快乐，你和小宝宝的生活就会越轻松。很多父母问过我有什么办法可以让一个 2 岁的孩子为新出生的弟弟妹妹的到来做好准备。讲故事有用吗？召开家庭会议有用吗？不幸的是，关于未来的复杂情况的理性解释对于一个不到 3 岁的孩子来说是没有什么用的。同样，父母间的讨论也是如此。然而，在新生的宝宝回到家后，你可以用几种方法来缓和不安的气氛。

首先，要避免在较大的孩子面前过度称赞小宝宝；第二，要尽快为较大的孩子安排更多的户外活动。这些方法有助于缓解家庭压力。例如，如果较大的孩子已经 2 岁半或更大了，让他经常和朋友一起玩儿就是个好主意。可以让保姆带较大的孩子到公园、动物园或商场去玩。

尽管在家庭之外的经历有助于减少较大的孩子在家中面对导致嫉妒的局面，但是，不应使他感到自己被这个家排斥在外了。避免这种情况的一个重要方法是每天花些时间单独和他在一起。在我们看来，较大的孩子每天都需要至少获得一个家长的全部注意力，并用他能够完全理解的语言告诉他，父母仍然像以前一样爱他，这一点非常重要。

不幸的是，很多家长并没有努力帮助较大的孩子，而是对他提出了额外的要求。由于较大的孩子正在迅速发展并且明显比小宝宝成熟得多，因此父母希望他做出理性而明智的行为。较大的孩子不但没有因为自己面临的不愉快的困境而得到同情，反而被要求表现得更像大人，不要给父母制造麻烦。大部分父母并非有意要对较大的孩子不公平，他们只是过高估计了孩子的能力。

对于父母来说，困难的是，家里有了两个很小的孩子，他们都需要特别的关照，因此父母的工作比从前增加了不止两倍。让我再次重申这个警告：与仅仅养育一个孩子或是养育两个年龄相差较大的孩子相比，养育两个年龄相差不多的孩子是最令人疲惫的。我们在工作中接触过很多能干的、正在养育两个年龄相差不大的孩子的父母，没有一个家庭不存在着大量的长期性问题。在这个问题上谨慎行事是没有用的，这项工作本身就非常棘手。

我们建议任何处在这种情况中的父母都要避免整天待在家里照看孩子。父母双方都应当了解，一旦较小的孩子学会爬之后，一天到晚同两个年龄相差不多的孩子待在一起会带来多大的压力。因此，孩子的主要看护者应当每天至少离开孩子几个小时。离开家担任兼职工作或纯粹的休息都是非常重要的。

第五阶段宝宝的推荐物品

第五阶段的宝宝可能经常会感到无聊。对于发展良好的宝宝来说，他可能会有10%的时间觉得无聊。在第五阶段和第六阶段中，应避免经常出现长时间的不活动状态。如果没有什么事可做，你的宝宝就会对你关注过多，这会给他的社会化过程和日常生活带来更多困难。

玩具

避免无聊的最好方法是尽可能多地让宝宝在家中进行自由探索。尽管玩具远远没有在家中探索或爬楼梯那样有趣，但也可以起到作用。教子有方的父母会时不时地为这个阶段的宝宝提供一个新玩具或一些新东西，以重新激起孩子的兴趣。尽管不是万无一失，但这个方法常常是有用的。然而，第五阶段和第六阶段的宝宝经历着很多重要的发展，市面上出售的玩具很少能成功地引起宝宝的兴趣。但是，在这个阶段，有几种玩具还是值得购买的。

在前面我们讨论过第五阶段的宝宝有三个主要兴趣：好奇心、运动技能的挑战以及主要看护人。随着这些兴趣在宝宝出生后头几年中的迅速发展，明确了解宝宝的兴趣所在对于选择适当的玩具、物品及活动是非常关键的。

现在，可选择的玩具已经比从前多多了。从20世纪60年代开始，人们越来越多地认识到人生头几年中学习的重要意义，这促使玩具公司更加注重开发这方面的玩具。尽管现在的大部分玩具仍然没有太大的玩耍价值，不值得购买，但是也有不少新玩具能够激起孩子的极大兴趣。

满足手-眼兴趣的玩具

我们已经讨论过，从2个月一直到2岁，一般的宝宝会对手-眼行为产生惊人的兴趣。第五阶段的宝宝当然正好处于这个发展过程的中间阶段，市面上可以买到的一些玩具对于这种手-眼技能的练习极为有用。对于这类玩具，20年来我一直在推荐的是一款叫做“儿乐宝按键盒”（Playskool’s Poppin’ Pals）的玩具，以前的名字叫做“宝藏吃惊盒”，在前面的章节中有所介绍。第五阶段宝宝最先能够操纵的部分是一个类似标准电灯开关的部件，只需宝宝推动一个控制杆，玩具的盖子就会突然弹起，从里面蹦出一个迪斯尼卡通人物。不幸的是，很多新款的玩具对于第五阶段的宝宝来说太难操纵。如果可能，你应当看看玩具对宝宝的动作有什么要求。玩具的操纵应当是容易触发的，就像较早的款型一样。不要选择不容易操控的弹出式玩具。

与此类装置最接近的是塑料钥匙串。一串塑料钥匙为什么会对婴儿产生吸引力呢？这可能是因为宝宝在玩儿这些钥匙的时候遇到的挑战激起了他的兴趣。还有，这些钥匙有很多的轮廓可供触摸和啃咬，这也是这种玩具令这个阶段的宝宝着迷的原因。

很多洗澡玩具也能够引起宝宝的兴趣。很多公司都生产可以挂在澡盆一侧的玩具，可供第五阶段的宝宝在洗澡的时候玩耍。能够让宝宝用来舀水倒水的容器也会使他很感兴趣。如果洗澡玩具还有着其他的特点，例如带有水轮，当水从上面灌进去的时候就会旋转，或是一个喷水装置，就会大大提高宝宝的兴趣。几乎所有市面上销售的洗澡玩具都是值得大力推荐的。

在可操纵玩具的类别中，我还推荐各种嵌套玩具。它们价格便宜，并且通常对宝宝很有吸引力。

满足对物体运动轨迹兴趣的玩具

除了对手-眼技能的挑战之外，对于第五阶段的宝宝非常有吸引力的第二类玩具就是球。在我们的研究中发现，宝宝在整个第2年中最喜欢的玩具是各种各样的球。不过，甚至在宝宝未满1岁之前，他就已经很喜欢玩球了。宝宝的第一个球最好是充气的格蒂球。格蒂球是用柔软的材料制成的，在充气至直径14、15厘米的时候，6、7个月大的宝宝就可以轻松地拿起它。如果家里有狗或猫，你就要小心了：这种球很容易被刺破。然而，这种球是一个很好的选择。

对于1～2岁的宝宝来说，另一个最好的选择是充气的沙滩球。这些球的大小各不相同，直径从31厘米到61厘米以上。一旦你的宝宝开始走路了，一个61厘米的球就会给他带来无穷的乐趣。拿着它、投掷它、观察它的运动，然后尝试着把它捡回来，这些都是非常有趣的活动。

值得注意的事项：一些球是用海绵类的材料制成的。不建议让这个阶段的宝宝玩这种球。一旦宝宝长出了牙，他就可能把这种材料咬掉一块而引起窒息。

满足多种兴趣的玩具

书当然是这个阶段很好的玩具。书页最好是用硬纸板制成的，而不是用布或纸。这种书叫做纸板书。书页容易翻动的书是最适合第五阶段宝宝的。首先，书能够实现三个目的。你的10个月大的宝宝会用40％左右的时间啃咬它们，尤其是当他正在长牙的时候。他会花另外40％的时间通过打开和翻动书页来练习手-眼技能。余下的20％的时间里，当他注视书页时，你可以给他讲上面画的东西。对于10～12个月大的宝宝，我推荐每页只印着一个或几个宝宝所熟悉的东西的书。

满足“假扮”游戏兴趣的玩具

我们推荐电话机和诸如小扫帚和吸尘器之类的清洁用具，在宝宝满1岁之后，就可以用这些玩具鼓励他进行角色扮演游戏。带有拨号盘或轮盘和拉绳的玩具电话对宝宝没有特别的吸引力。宝宝对牵拉玩具并不特别感兴趣，而且电话拨号盘对于宝宝也没有一捏就会发出吱吱声的玩具有趣。是模仿你打电话的机会令第五阶段的宝宝对电话感兴趣的。扫帚和吸尘器的功用也在于此：使宝宝感兴趣的是他的幻想，而不是“行为”。

最适合第五阶段宝宝的玩具是能够挑战手-眼技能的玩具。这些玩具使宝宝有机会制造出某种明显的物理效果，例如从电视机中即刻发出的声音；还可以满足宝宝对物体运动和变化的兴趣，并且能够鼓励幻想性的游戏。

在这里，我是想将对孩子在这一阶段的发展的理解与我们对哪些玩具能够真正吸引孩子并且设计良好的发现结合在一起。如果了解了宝宝的发展情况，你就能更明智地从玩具商店里琳琅满目的玩具中挑选更适合的玩具。

无需花钱购买的玩具

第五阶段的宝宝喜欢各种各样的小东西。你可以留下较大的硬塑料容器，或是塑料的小洗衣篮，再收集很多可以被放进这些容器的安全的小东西。塑料量勺、空线轴、装袜子的蛋形容器——只要不会小到容易吞下（任何一维都不小于4厘米），外面没有危险的涂层，并且没有容易脱落的小部件，任何东西都可以派上用场。把不同玩具的部件组合在一起也没有问题。重要的是安全、多样和数量众多。把这些东西装在容器中，在宝宝感到无聊的时候拿给他。你会惊喜地看到宝宝花大量的时间把每个东西拿出来，观察一番，放进嘴里咬一会儿，然后丢到一旁，再去拿另外一样，或者甚至一下子把整个容器里的东西都倒出来。这种兴趣会持续好几个月，并且不用花什么钱。

这个阶段的宝宝对壶和锅也很感兴趣。我对此种兴趣惟一的忧虑是它所制造的令人烦恼的噪音。

对于第五阶段的宝宝来说，没有什么地方比厨房更有趣了。你应当尽可能让他自由地探索各个橱柜和抽屉，然后退到一旁，欣赏这种“游戏的价值”。

应避开的玩具

出于各种有趣的原因，一些玩具变得非常受欢迎，尽管它们根本不值。另外一些进行铺天盖地的市场宣传的玩具也并不值得购买。此外，玩具公司为玩具标注的推荐年龄通常都是不正确的，而且他们常常会延长玩具适合使用的时期。最为明显的例子就是你在玩具商店所看到的各种宝藏盒和活动板。这些玩具常常试图用8～12种“活动”来引起6个月至2岁婴幼儿的兴趣。但实际上，与任何小玩具或小东西相比，这种玩具并不具有更大的吸引力，它对孩子的吸引力通常只能维持10分钟左右。宝宝可能会在当天晚些时候再多花几分钟时间对其进行探索，或是在其他时候偶尔玩玩，但是与一个沙滩球、洗澡玩具或是吃惊宝藏盒相比，这些产品的可玩性并不大。

另外一些对于第五阶段的宝宝吸引力不大的玩具包括木琴牵拉玩具、积木玩具（尽管宝宝会很喜欢把积木放进一个容器里，把它们拿出来，或是把容器倒空），以及——信不信由你——毛绒玩具和套在手指上的木偶玩具。

我还建议你不要购买那些为婴儿设计的昂贵的电子玩具。那些能够同宝宝讲话的玩具所发出的语言对于宝宝来说太难懂，而且它们发出的声音无法吸引和保持宝宝的注意力。另外，这些玩具通常都很贵。

记住，到目前为止，还没有一家玩具公司能够生产出对于任何年龄的宝宝都具有经过证实的教育价值的玩具。

不推荐的养育方法

强迫教学

在过去的20年中呈现出的儿童教育发展趋势是强迫教学，或是过早地试图使孩子获得某些专门技能，例如阅读以及说出艺术家的名字。有一段时间，人们对于所谓的“超级宝宝”给予了极大关注。在我看来，即使是第五阶段的宝宝也有能力提前学会一些事情。一段时间以来，已经有了教授所谓的“阅读预备技能”的课程。有的人声称可以帮助父母教授孩子预备数学知识、体操技能、游泳甚至音乐技能。我们会在后面的章节中更加详细地讨论这个问题，但是现在，我要对这种普遍的趋势稍加评论。

所有健康的第五阶段宝宝都能够自然地学习。他们具有异常强烈的好奇心。他们对于控制自己的身体有着强烈的欲望，对于身边的人也有着同样强烈的兴趣。他们有着自然而充实的生活。很多对于人的一生具有重要意义的学习都发生在出生后的头几年中。在我看来，强迫教学是不可取的。例如，我不推荐市面上销售的阅读玩具包，它声称可以使宝宝在 9 个月的时候开始学习阅读。有些言论极力建议你给宝宝讲故事，鼓动你给宝宝买教育玩具，它们只是在利用新父母的不安全感，并试图让他们不知自己是否为孩子的教育尽了力而深感内疚。这些言论也反映了社会对聪明孩子的过分强调，而忽视了其他方面的性格发展，如正直、可爱和可靠。

我已经列出了在 8～24 个月期间正在发展的四个教育基础。你应该对市面上提供的任何教育课程给这四个教育基础可能带来的负面影响进行审视。例如，你很可能为了让宝宝在 1 岁或 2 岁时学会阅读，而采取一些费时、费力、费钱，或是会影响宝宝自然学习过程的手段。任何要求宝宝定期地用 15～30 分钟以上的时间来学习成年人指定的材料或进行指定活动的课程，都有可能带来负面影响，例如可能对宝宝天生的好奇心有所损害，或是如果宝宝没有达到课程所许诺的成绩，会使父母感到失望。到目前为止，还没有人对此进行过任何研究。

限制性装置

我反对的另一种养育方法是每天长时间使用限制性的装置，如游戏围栏、跳跃椅和门。很明显，这些东西能够减少父母的工作量，缓解兄弟姐妹间的不友好态度，减少对家里东西的破坏，减少婴儿遇到的危险。这是促使父母限制刚学会爬行的宝宝在家里自由活动的四个很好的理由。但是，在那些孩子取得良好发展的家庭里，我们发现这样的限制性装置很少使用。相反，在那些孩子发展得相对欠佳的家庭里，这样的装置起着重要的作用。

如果把一个 9～10 个月大的宝宝放在婴儿围栏里，过不了几分钟，他就会感到无聊。这是因为宝宝的活动受到了限制，并且无法找到任何有趣的事情可做，我们把这种经历称为“消磨时间”。对于第五阶段的宝宝来说，应当尽量避免这种“消磨时间”的状态。只要有机会在家里进行探索，第五阶段的宝宝就会发现很多有趣的事情。然而，如果把他们长时间放在围栏里，或是电视机前的跳跃椅里，或者让他们在上午和下午都睡很长时间的觉，他们就要度过很多无所事事的时间。

使宝宝感到无聊

每天的大部分时间都被放在婴儿围栏或婴儿床里，是致使宝宝感得无聊的一个普遍原因。其他一些会使宝宝觉得无聊的事情还包括，在宝宝不感兴趣的时候给他读故事书，当宝宝明显不愿配合的时候教给他东西或强迫他把注意力放在某个事物上。我们见过的教子有方的父母不会让他们的宝宝感到无聊，或是强迫宝宝进行某些活动。相反，他们会为宝宝提供各种有益发展的选择，然后退居一旁，惊叹于宝宝无穷无尽的好奇心和热情。

替代看护

我已经详细介绍了这个阶段的宝宝如何进入对人格的形成至关重要的社会体验。在第五阶段，宝宝将要学习与年长的人建立有效关系的所有重要的社会技能。这些技能包括（1）提高天生就具有的吸引和保持他人注意力的能力；（2）当自己无法完成某事时，向成年人寻求帮助；（3）开始向另一个人表达情感；（4）对成就感到骄傲；（5）进行“假扮”游戏或幻想游戏。

在社会能力方面获得的一些相关能力包括宝宝对自己的最初认知以及宝宝开始学习在家里生活的一些规则。所有这些能力最好在父母的指导下获得。如果父母双方在这个阶段都有全职工作，他们对于这个处于形成期的、一生中只有一次的学习过程显然会参与很少。如果父母在家里请了一个以做家务为主要工作的人，那么宝宝可能就得不到良好的照顾。另一方面，如果父母请人照顾宝宝并强调与孩子的互动，情况就会好得多。但是，在我看来，除了极少的情况之外，宝宝在挚爱他们的人的照顾下会最好地成长，这样的人通常是父母和祖父母。

那些认识到宝宝在此阶段发展的重要性的父母往往会尽力自己照顾宝宝。然而，由于这个年龄的大部分宝宝都会在上午睡一小觉，因此在这段时间让其他人看护宝宝也不会带来太多问题。每天4小时左右的高质量的替代看护是非常可行的，甚至一周7天都可以，据我所知，对此没有任何争论。实际上，每天有固定的几个小时可以离开宝宝，会使有全职工作的父母感到轻松得多。

我不建议任何人把全部的时间都用来照顾8～24个月大的宝宝，即使只照顾一个宝宝。如果你有两个年龄相差很小的孩子，其中一个或两个都处在这几个阶段，那么你一定要避免全天照顾他们。相信我，没错的。

每天24小时、每周7天都要精心照顾一个宝宝，很少有父母能够轻松面对这种压力。注意，我使用了“父母”这个词。毋庸置疑，对照顾孩子来说，男人能和女人做得一样好，除了他们无法给宝宝喂母乳之外。近期所作的研究明确显示，在宝宝出生后的大约头一年中，6个月或6个月以上的母乳喂养是非常有益的。但是，在所有其他方面，父亲有能力——而且在我看来也应当——平等地承担这个非常特殊的职责。

我所说的“高质量”的替代看护是什么意思呢？我当然不是指集体看护。先不说高质量的集体看护很难找到，还存在容易感染疾病的问题。在出生后的头两年中，宝宝对感染的抵抗力还比较弱。如果大部分时间被集体看护，他们感染感冒和其他传染病的几率就会提高3～4倍。如果一个宝宝得了某种病，他就会把它传染给其他所有的宝宝。虽然耳部感染通常不会造成终生影响，但我不愿意看到一个宝宝在刚刚要开始学习语言的时候，总是反复受到中耳疾患的侵扰，并使听力受到损害。

如果你决定请人看护孩子，最好的选择是精挑细选出一个看护人，让她到你家里照顾宝宝。次之的是谨慎选择一个看护人，让她在自己的家里照顾你的宝宝，并且只照顾你的宝宝一个人。再次之的是家庭日托，但是坦白地说，我不会在自己的宝宝2岁以前为他选择这种看护方式或者是集体看护，我又怎么能向你推荐呢？

过度放任

父母们常常认为竭尽所能为宝宝做每一件事就是在表达对孩子深深的爱。其必然结果就是，当宝宝难以对付的时候，尤其是当他开始哭的时候，你就一定会向他妥协，即使你觉得他的要求不应当予以满足。对于宝宝自己、对于与他年龄相差不大的兄弟姐妹，以及他以后将要交往的其他孩子来说，父母的过度放任或习惯性地满足孩子的不合理要求是不会带来什么好处的。毕竟，你的宝宝以后要在这个世界上和其他人一起生活，因此，在他8～24个月期间教给他与别人的共处之道要比以后再教他容易得多。这无疑是我为你提出的养育建议中最重要的建议之一。我们所研究的那些成功的父母都是从8个月开始就对宝宝既慈爱又态度坚定的。

在这方面，大部分家庭遇到的主要问题是过多地允许宝宝侵犯父母的权利。最好是让宝宝尽早学会尊重他人的权利（通常是父母的权利）并一直坚持下去。如果在宝宝8～24个月期间父母能够在这个问题上取得成功，其益处是非常大的。

过量喂养

第五阶段的宝宝很少能清楚地表达自己的愿望。尽管他在这个阶段的需要通常都是明显的，但有时也并非如此。此外，如果你没有为保持他的兴趣提供适当的条件，他就会感到无聊。在我们研究的很多家庭中，父母每天都会给孩子很多零食，如果汁、牛奶、饼干或其他食品。小小的款待可以显示出你对他的关心，在我们的一些亚文化群中尤为如此。它还能有效地缓解孩子的轻微不适和对你的纠缠。当然，为孩子提供零食是件非常容易的事。但是，请不要频繁地这么做。在我们的研究中发现，发展良好的第五阶段宝宝在进餐时间所吃喝的东西几乎就可以满足他的全部需要了。过多的餐间零食常常会影响宝宝的发育。此外，一些证据显示，这种常见的养育行为是造成一些人终生肥胖的原因。

标志着第六阶段开始的行为

违拗症

无疑，标志着第六阶段开始的最明显行为是所谓的违拗症，或是对父母权威的挑战。违拗症是一种经常发生的相当正常但却令人痛苦的行为，在孩子的第 2 年中至少会持续 6 个月。在某种意义上，这个阶段可以说是青春期的预演。在他们简单的人生当中，宝宝第一次开始认识到自己是个独立的人。当你让宝宝把某个东西还给你，而她抓着那个东西不放，并说“不，我的”或者“不，安妮的”，你就会知道她已经有了自我意识。随着她会说的词汇的增加，她会开始使用自己的名字，对自己的玩具表现出占有欲，开始对衣服有所挑剔，并且开始抗拒你的一些简单要求。她会开始要看看违背你的意志的后果。“不”这个词对她充满了魅力。违拗症是进入第六阶段的第一个也是最明显的标志。

对哥哥姐姐的不友好态度

进入第六阶段的第二个标志只有在宝宝有一个比他稍大一点的哥哥或姐姐时才会出现。但是我们需要特别指出这一点，因为它的出现通常会伴随着违拗症的出现。在第六阶段，同胞竞争的问题开始显露出来，而对于那些家里有两个年龄相差不到 3 岁的孩子的家庭来说，这种变化通常会给父母带来很多烦恼。

早在第五阶段，一个年龄相差不多的较大的孩子可能就会越来越强烈地表达他对小宝宝的嫉妒和敌意。在这种情况下，较小的孩子已经逐渐习惯了受到虐待和威胁。在11～13个月的中间阶段，较小的孩子为适应这种情况，学会了如何抱怨——越来越迅速地放声大哭——从而将父母作为自己的保护人。然而，从14～16个月开始，较小的宝宝通常会开始挑起对较大孩子的敌对行为，这是他新萌生的个人意识和权力意识的部分表现。

除了由年龄相近的兄弟姐妹所引起的压力会日益增加之外，年龄很接近的孩子的智力方面的长期后果也应当引起父母的重视。这个话题将在第7章“与稍大一点的哥哥姐姐共同生活”中进行讨论。

表达性语言的出现

新阶段的第三个标志是表达性语言的出现。尽管很多正常的孩子在满2岁之前不会说很多话，但大多数孩子都会在12～14个月期间开口说第一个字。这个特殊现象对于成年人有着强有力的影响，因为这通常会促使他们与以前相比开始对宝宝说更多的话。虽然我们可以很容易地证明，宝宝在1岁时就懂得了一些语言，但由于他们说话不多，即使那些知识丰富、感觉敏锐的父母也很少大量地和宝宝说话。当然，也有例外——例如，有些父母不管是否有人在听，都很喜欢滔滔不绝地说话。但是毫无疑问，父母们从宝宝进入第六阶段时起，与孩子说的话就比以前多得多了，并且父母自己也会变成爱说话的人。这种发展带来的一个额外的好处就是，你可以开始了解一个孩子的想法，这种令人兴奋的机会是前所未有的。实际上，对儿童发展相当了解的父母们常常会说，孩子学会说话对他们所产生的影响是令人吃惊的。这些父母在自己读的书中从来没有体验过宝宝说话的新技能所带来的令人愉悦的感受。

第 7 章

第六阶段：14～24 个月

概述

第六阶段的特殊重要性

在我看来，14～24 个月这段时期，是一段决定成败的时期。当然，宝宝的头 8 个月也是相当重要的。尽管二者都是非常重要的，但是区别在于，对于大多数家庭来说，较早时期的良好发展结果几乎是可以确保的，而 8～24 个月这个同样重要的时期的良好发展结果却没有任何保证。实际上，根据我的判断，政府对第五阶段和第六阶段儿童学习过程的忽视导致了对很多孩子和他们的父母的损害。

14～24 个月这一时期可能也是宝宝头 3 年中最有趣、最困难，也最激动人心的时期。到第六阶段末期，基本的学习过程已经有了足够的发展，以至于如果在一个孩子 2 岁的时候我们才第一次见到他的话，我和我的同事就会感到我们错过了观察孩子发展的太多机会。实际上，作为一项规定，我们不接收那些孩子已经超过10个月的父母加入我们的新父母培训课程。很多研究已经表明，不管采取什么补救措施，一个发展不良的2岁孩子都很有可能会继续存在问题。不同寻常的是，一个2岁的孩子从发展的角度上看在很多方面已经成型了！

一个2岁孩子的语言发展可以相当显著并广泛，包括理解和使用数百个单词并掌握主要语法形式的能力，也可能其语言技能发展得非常有限。当孩子到了2岁的时候，既可能拥有良好、广泛、非常健康的求知欲，也可能会失去很多学习的天然兴趣。在某些情况下，宝宝的好奇心可能已经被限制并疏导到一个特定的领域：有些2岁的孩子对物质世界极其感兴趣，而对人的兴趣则不大；另一些孩子与他们的主要看护人之间建立了深厚的情谊，而对其他人或物质世界则表现得漠不关心，这与他们前一年的行为大相径庭。此外，一个孩子的社会风格在2岁时就已经确立了。

父母在此阶段的惊人影响力

重要的是，你要知道，第六阶段是你对于孩子人格的形成具有极大影响力的最后一个阶段。在孩子过完第2个生日以后，他的个性就越来越难以改变了，而你的行为也不再像在第六阶段那样，时时刻刻地影响他了。那时，他会花越来越多的时间单独和小伙伴待在一起。在这10个月中，你担负着对孩子基本性格的定型进行最终引导的重大责任。你可以帮助他成为一个快乐的、容易相处的2岁孩子，也可以使他成为一个不满的、总是同你进行争执的2岁孩子。我要强调一下，我相信这个任务是你养育孩子的工作中惟一最困难的部分。其他的工作都非常轻松而有趣。

这个年龄的孩子的社会化是困难的，因为他的意志与日俱增，而理性并不那么成熟，表达自己愿望的能力很可能还非常有限。在17～20个月期间，宝宝对挫折的忍受能力达到了最低点，同时，他的意志力达到了最高点。

我们所见过的每个 2 岁的孩子都已经成了一个复杂的社会动物，因为与 8 个月时相比，他们在各种具体情景中的行为要敏感得多。由于在与人互动的过程中，宝宝会显示出很多具有细微差别的情感，2 岁的孩子与更小的孩子相比，从心情极度愉快到情绪低落或生气的突然情绪变化会少得多。在最好的情况下，他此时已经和聪明的 6 岁孩子一样获得了与成年人相处的大部分社会技能。这些技能包括以各种方式吸引和保持成年人的注意、向成年人寻求帮助、向成年人表达友爱之情和适度的烦恼，以及在各种活动中对成年人进行指挥的能力。此外，此时宝宝还有很多"假扮"或幻想行为。我会在本章的后面更详细地讨论这些能力。

总之，从社会性方面来看，2 岁的孩子已经是个复杂而基本合格的人了。他已经于在此之前的 16 个月里与自己经常互动的人形成了一个无言的社会契约。这个契约是非常详细的，包括了孩子从与其看护人的数千次交往中——这种交往在孩子 6 个月的时候开始注意到自己的某些行为对看护人的影响时就开始了——学到的东西。另一个兄弟姐妹也进入了他的生活，宝宝也掌握了与兄弟姐妹交往的一整套行为方式。最后，在社会能力发展方面，宝宝的个人意识和个人权力意识开始出现——这是一个激动人心的发展。

第四个主要教育目标——培养智力的基础——是宝宝到 24 个月时能否取得极大进步的另一个领域。在 2 岁生日之前的几个月中，宝宝会开始形成一种非常重要的智力活动的新方式。这种新方式的特点是运用想法和形象而不是身体行动去解决问题。此时，宝宝的短期记忆已经发育完全，对时间的感觉也得到充分扩展，这使他能够回忆并谈论一天中发生的事情，并对第二天做出期待。

第五阶段和第六阶段是主要看护人对宝宝作为一个人的形成有巨大影响的时期。对于这 16 个月的重要性怎么强调都不过分。

第六阶段的困难

这个时期不可避免地会令父母有时非常烦恼。这个年龄的宝宝会反抗主要看护人的意志。我们观察过的所有孩子都会经历这个过程，即使是那些发展非常好的孩子也是如此。在第六阶段中，宝宝开始意识到自己是一个具有社会力量的独立个体。为了确定自己的权力到底有多大，所有的宝宝似乎都一定要对主要看护人的决心进行一番试探。和一个理性不足、喜欢自作主张，并且富有反抗精神的宝宝一起生活是很有压力的。在对待宝宝的违拗症和试探行为方面，有些家庭做得比较好。

总的来说，与其他家庭相比，孩子发展良好的家庭能够更加轻松地度过这个阶段。然而，所有的父母在这个阶段都应做好应付冲突的准备。不管怎么说，这个阶段都是头3年中压力最大的时期。

宝宝的脾气为什么会变得很坏，并且这种状况至少要持续6、7个月呢？这是很多未解开的谜团之一，这也使得人类早期发展的研究变得如此丰富而迷人。每个婴儿都必须经历一个从完全依赖他人以及没有自我意识到能够独立面对这个世界的过程。第2年的后半年就是这个过程的开始。

违拗症

第六阶段的回报

尽管第 2 年后半年的养育工作有很多困难，但它的胜利果实是值得你付出代价的。人生这个阶段的成就是如此令人激动，以至于无法用语言来描述。你必须亲自去体验。

在 22～24 个月（如果发展正常的话）期间，孩子会停止对你进行试探。他们的行为不再那么不顺从和无理。太阳终于出来了。此时，语言能力的增长使孩子开始和你进行真正的对话。思考能力和想象力也开始萌芽，随之而来的还有幽默感。你都不会相信自己是多么幸运。

到第六阶段末期，父母们开始认识到孩子不再是个婴儿了。他现在已经成为一个小孩子了。此时，宝宝的个性也逐渐显露出来，变得更加稳定、更加独立。

在宝宝开始结束对你的依赖之前，在这个阶段的大部分时间里他会比从前更加关注你。尽管这种关注十分必要，有时也会变得令人难以忍受，但是到了第 3 年就会减弱，一般宝宝再也不会对你倾注那么多的精力了。这些发展，再加上孩子开始变得优雅起来的动作，会使你感到自己是在和一个有趣的年轻人生活在一起，而不是一个婴儿。然而，不要被这个阶段令人印象深刻的智力和运动能力所蒙蔽。隐藏在成熟假象背后的是一个还没有完全开化或变得理性的孩子。

主要兴趣之间的平衡

就像第五阶段一样，这个阶段的三种主要兴趣是主要看护人的行为、探索世界以及练习运动技能并从中获得乐趣。在最好的情况下，这三种兴趣会在第六阶段得到充分且平衡的发展。

在宝宝发展良好的情况下，孩子的大部分兴趣都集中在可以提供帮助、指导、养育、鼓励和打趣并可以依靠的父母身上。在第 2

年当中，你的孩子很少会长时间对你的行踪不闻不问。这种现象对于孩子完成社会契约以及开始表达自己的身份都是很重要的。

第六阶段的一般行为

非社会行为的突显

尽管宝宝在第六阶段对你有强烈的兴趣，如果你观察14个月大的宝宝在白天一天的行为，你就会发现他与你或任何其他人进行互动的时间不会超过10%到15%。他的大部分时间都用在了非社会行为上。用在社会行为上的时间会在第六阶段有所增加，在宝宝满2岁时达到约20%。

凝视

第六阶段最常见的非社会行为就是凝视——凝视物体、人和事情。在12～15个月期间，你的宝宝在醒着的时候凝视的时间会超过17%。在18～21个月的时候，这种行为会减少到12%，但它仍将是宝宝在白天最常见的行为。

探索与掌握

在14～24个月期间，另外两个主要的非社会行为是对可以拿得起来的小东西进行探索和练习手-眼技能。我们把这两种行为称为探索和掌握行为。探索行为在14个月时比掌握行为更加常见，宝宝会在白天花大量时间对尽可能多的物体的不同特性进行探索。这些物体包括任何可以用手抓住或是可以放进嘴里咬的小物体——从各种玩具到包装物品的玻璃纸。宝宝通常会对这些东西做出相同的行为，好像要尽可能多地了解其特性。他们会把这些东西在不同的表面上敲打、投掷、扔掉、观察，并触摸其表面。他们会把这些东西放进容器再拿出来，把这些东西放进嘴里咀嚼——有时是为了缓解牙床的不适。

利用小物体练习简单技能的第二种行为是我们所谓的精细运动控制行为。练习的技能包括：扔和投掷物体；把装有折页的物体合上再打开；把门和抽屉打开再关上；反复地把物体立起来再击倒；把物体放在一起再分开；使物体穿过孔洞；把各种东西放入容器再倒出来；操纵简单的锁；控制能够产生光亮、黑暗、声音、视觉图案变化或其他有趣结果的开关。

探索和掌握行为一共占第六阶段早期的宝宝清醒时间的20%左右。在这个阶段，宝宝对完善各种眼-手技能的兴趣非常强烈，反映了宝宝对手以及用手能做什么的继续关注。一个尤为有趣的行为是转动各种轮子。我们多次看到第六阶段的宝宝在转动轮子，并观察其结果。它们可以是玩具汽车、卡车的小轮子，或是翻转过来的自行车的轮子。宝宝还对转动三轮车的踏板有着特殊的兴趣。第六阶段的宝宝会继续用书和杂志的书页练习手指技能，尤其是硬纸板书。但是，随着时间的流逝，宝宝对书页上印刷的内容会产生越来越浓厚的兴趣，而作为主要行为的运动控制行为则有所减少。反复练习相同的技能是掌握行为的特点。如果你有一件较低的、不用费很大力气就能爬上去的家具，你的刚学会走路的宝宝很可能就会爬上去，再小心翼翼地下来，他会反复这样做。随着第六阶段的进展，你会看到宝宝对运动技巧表现出越来越强烈的兴趣，例如在小滑梯上爬上爬下、跑跑跳跳。你还会看到，大多数刚学会走路的宝宝在尝试一些具有很大危险性的新动作时，比你预想的会更加小心翼翼。

到2岁的时候，宝宝在玩小物体时的方式会发生逆转。他们花在探索行为上的时间越来越少，而花在掌握或练习行为上的时间越来越多。我们还注意到，发展良好的孩子对小物体的掌握行为相对于探索行为增加的速度更快。

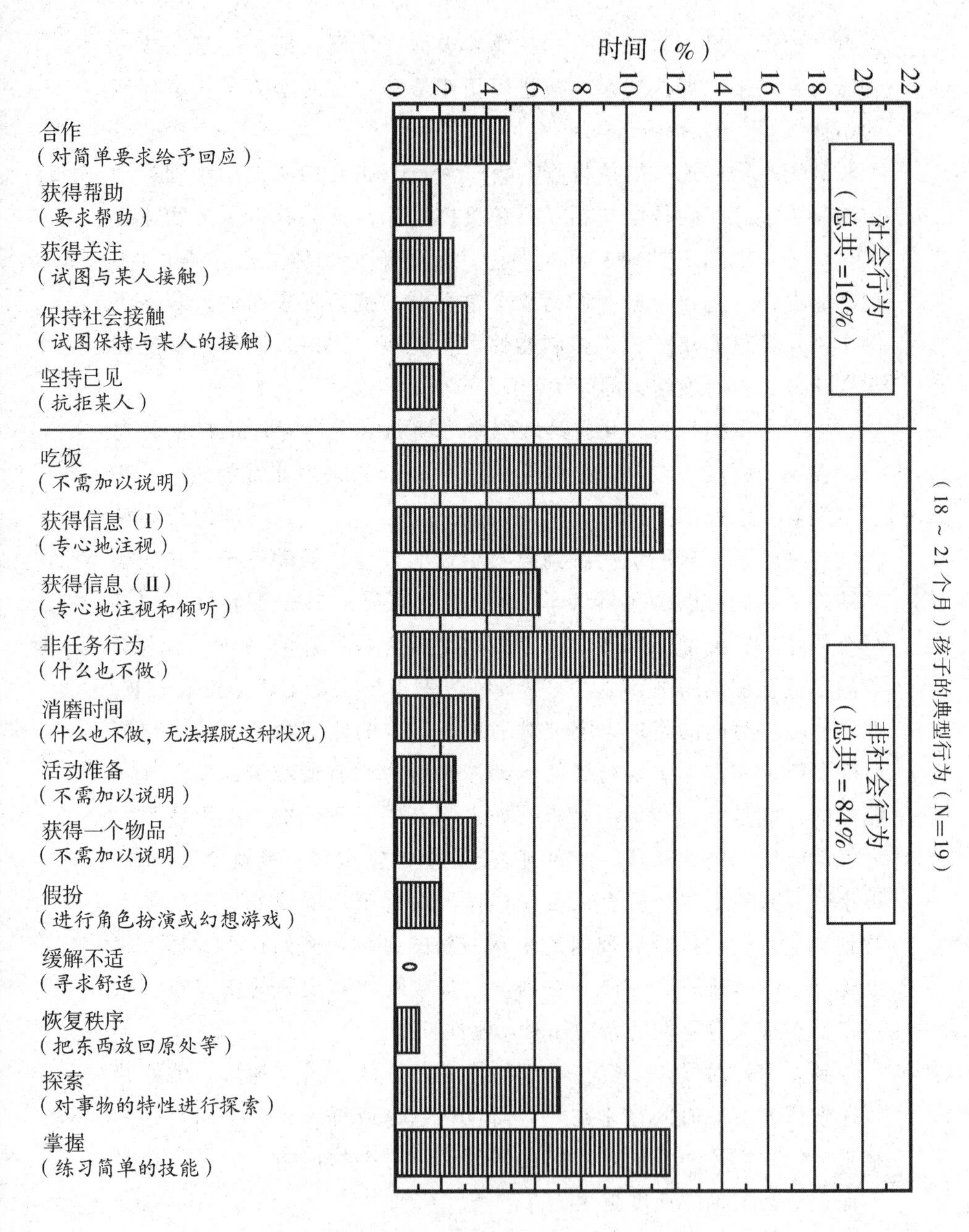

（18 ~ 21 个月）孩子的典型行为（N=19）

非任务行为

所谓的非任务行为是指看上去没有目的的行为，此时，孩子看起来好像无所事事。这种行为在小孩子的生活中极其常见。第六阶段的孩子在任何一天中都可能最多会有30％的时间处于这种状态，但大部分只会有5％到10％。在第六阶段中，出现非任务行为的次数会有所增加。我们曾经看到一些2岁的孩子在很长一段时间里什么也不做，只是站在那里。他们也许在进行重大的思考，但是在我们的研究中，这种在2岁孩子身上频繁出现的非任务行为通常是发展欠佳的反映，所以，我们更倾向于认为此时他们的头脑里什么也没想。无聊已经成为了这些孩子的家常便饭。如果我们看到一个2岁的孩子有5％到10％的时间处于这种状态，我们就可以明确认为他处于正常的范围。但是，当一个孩子的此类行为达到了15％至20％的时候，我们就怀疑这个孩子发展欠佳，至少在我们所研究过的那些文化中的情况是如此。

消磨时间

另一个在所有孩子的生活中常见的行为是我们所谓的消磨时间。一个消磨时间的孩子几乎不做什么事。但是，与非任务行为不同，他不能自由地摆脱这种状况并找到某件可做的事情。消磨时间的一个很好的例子是，一个母亲对2岁的孩子说："在这儿等着，我去给你拿个新尿布。"或是"等着，我去拿儿童座椅，我们开车出去。"如果孩子真的就等着，并且在几秒钟之内找不到任何事情可做，我们就说他是在消磨时间。对于14个月大的孩子来说，最为常见的消磨时间发生在他被长时间放在一个限制性的装置中，如婴儿围栏、婴儿床、跳跃椅或婴儿椅。另一个常见的情况出现在孩子坐在行驶的汽车上的座椅里。婴儿不喜欢儿童汽车座椅。他们不得不去习惯它，大部分婴儿的确能够习惯，但是他们从来都不会喜欢它。

如果一个孩子在受到心理或身体限制的情况下能够找到某件事

情可做，我们就不把这种状况称为消磨时间。例如，如果一个宝宝在婴儿围栏里连续玩一个迷人的玩具或一个小东西超过15秒钟，我们就把这种状态称为一种积极的游戏。

我们发现，当儿童在心理或身体方面受到限制时，例如被放在婴儿围栏、婴儿椅、关着门的小房间里或婴儿床上时，他们很难集中精力进行任何形式的积极游戏。你可能希望一个坐在汽车座椅上的第六阶段的孩子花大量的时间陶醉于车窗外的美景，但这种情况是不会发生的。对此我们无法解释，但是，从我们对处于这种限制性状况中3岁以下的孩子的观察来看，我们的结论是，他们在大部分时间里都找不到任何有趣的事情可做。

对语言的观察和倾听

另一个特别重要并且占据了第六阶段孩子白天的相当一部分时间的是我们称之为“对语言的观察和倾听”的行为。这种行为的一个典型例子是，当妈妈和宝宝的哥哥或姐姐以一种宝宝能够理解的水平说话时，宝宝会看着他们。在第六阶段中，这种观察和倾听主要有以下两类：(1) 观察和倾听现场的语言；(2) 观察和倾听机器发出的语言。现场语言是指孩子偶然听到的或另一个人直接向他说的语言。机器语言通常是指电话机、录音机或收音机中发出的语言。我们发现，在第六阶段中，孩子在这方面的体验的次数存在很大差异。就像你所预期的那样，你向孩子直接说的现场语言越多，尤其是对他当前正做的事情谈论得越多，他的语言能力就会发展得越好。

家里没有稍大一点的哥哥姐姐

探索

如果家里没有稍大一点的哥哥或姐姐，你会发现你的第六阶段宝宝在白天大部分的时间都用来探索，如果你允许他这样做的话。当你忙着做事情的时候，最常见的是在厨房里的时候，他会在家里的各个房间进进出出，不断地来到厨房或是你所在的地方来看看你，向你寻求指导、帮助或安抚。如果你把厨房布置成了一个对他有吸引力的地方，他就会花大量时间在那里进行探索，实际上，那里会成为他探索得最多的一个地方。由于在那里，厨房已经成了让他最感兴趣的地方。如果你做好了安全防护，并且他能够得着大部分橱柜和抽屉的话，那里对他来说就更加有趣了。

你会发现，他在进出于其他房间的时候，有时会爬上一把小椅子去看看窗外，这是第六阶段的孩子非常普遍的行为。在14个月的时候，如果家里有敞开的楼梯，宝宝就会花很多时间练习爬楼梯。这对14个月大的孩子具有普遍的吸引力。为什么？谁也不知道。这是我妻子所谓“登高的欲望”的一部分。一旦宝宝获得了爬楼梯的能力，有多少级楼梯他都会爬上去，不管是1级还是50级。

只有一个地方他花的时间最少，那就是在他自己的房间里玩自己的玩具，至少在第六阶段开始时是这样。因为有太多其他的事情要去做、去看。

你在身边陪伴的需要

尽管刚刚学会走路的宝宝的大部分行为都是非社会行为，但自始至终，你仍然在这个阶段宝宝的世界中占据着重要的位置。他与你的交流比其他任何活动都具有更多的感情色彩。到了第六阶段中期，你的宝宝会变得非常粘人，在玩耍时希望你能陪在他身边。

占有欲

随着第六阶段的继续，你会开始在宝宝身上看到占有欲的出现，尤其是当另一个年龄差不多的孩子在场时。你的孩子特别不想与他人分享任何东西。他无法做到与他人分享，至少到他满22个月之前都是如此。

我要选择

在这个阶段，你将会看到的另外一个发展就是选择行为的出现。这个年龄的孩子出现了自己决定穿哪件衣服、吃哪种食物的需要，并且，如果你允许，他还会选择谁来喂他。这种行为反映了孩子对个人权力的正常增长的兴趣。典型的18个月大的孩子都希望在同父母的交流中获得尽可能多的主导权。

看电视

围绕孩子看电视这个话题有很多令人惊异的说法。例如，据说到孩子满5岁以前，他们看电视的时间累计已经超过了5000小时。一篇引起争议的文章说，孩子从出生开始（!）就会每年12个月，每周7天，每天看几个小时电视。当然，这种估计是很荒谬的。新生儿根本就不看电视，而且，根据我们在家庭中数千小时的观察，很多孩子在出生后的头18个月中都不会长时间看电视。

要想知道很小的孩子到底会花多少时间看电视，惟一可靠的方法就是让一个专业观察者在家庭中花很多时间对大量孩子进行观察，记录他们看些什么和听些什么。据我所知，除了我们曾经进行过此类研究（作为哈佛学前项目的一部分）之外，这种成本高昂且耗费人力的研究从来没有人进行过。只有极少数孩子，如果智力发育早熟，可能会在快满2岁的时候开始花很多时间看《芝麻街》。我们的观察发现，智力早熟的孩子中会有1/4的孩子在18个月大的时候偶尔花整整1个小时看电视。但是，我们的数据显示，第六阶段的孩子在醒着的时候用来看电视的平均时间大约是每小时2分钟。

在第1年中的大部分时间里，看电视只是偶尔和零星的行为。这和他们在第5个月中出现的偶尔看电视的行为没有什么两样。任何健康的、听力正常的孩子都会对附近发出的较大的声音有所反应，他们会迅速转向发出声音的地方。这种反射式的行为至少会持续到满2岁，它也包括看电视的行为，但是在大多数情况下，宝宝在转向电视机之后，只会对它看上几秒钟。

在第六阶段中，有很多宝宝会对专门为这个年龄的孩子制作的录像节目表现出越来越浓厚的兴趣。市面上销售的一些节目对这个年龄的宝宝有吸引力，包括《宝宝儿歌》系列和《动物朋友》。但是，在这个阶段中，一般电视对大部分宝宝仍然没有什么吸引力。宝宝对玩遥控器比看屏幕上在演些什么更感兴趣。但是也有一个例外，就是关于恐龙巴尼的节目。由于某种我不知道的原因，很多第六阶段的孩子都会对巴尼着迷。

在至少 1 岁半以前，孩子的语言和智力能力都非常有限，因此无法长时间对屏幕上的内容产生兴趣。电视广告之所以吸引宝宝，只是因为它们通常都有着突然变化的声音。实际上，《芝麻街》也有意运用了这种手段，不断地重新吸引孩子的注意力。在宝宝 2 岁之前，通常不会长时间地看电视，而在 2 岁之后，他们看电视的时间会逐渐延长。

在第六阶段中的某些时候，宝宝会坐在一个正在看电视的成年人身边，并且会偶尔看一看电视屏幕。但是，宝宝此时的主要目的是与人交流，而不是对看电视感兴趣。

户外活动

蹒跚学步的宝宝喜欢到户外去。如果你很难让在外面玩的第六阶段的宝宝回家，你也不用感到惊讶。只要有机会，他就会和在家里进行探索时一样兴致勃勃地探索草地、植物、泥土、野餐桌等等。

有时，在第一次出门玩耍时，宝宝会表现出奇怪的行为。他可能会拒绝被放在草地上，并且可能不愿意在草地上爬或走；还有一些宝宝不愿意接触沥青路面。这些都是转瞬即逝的怪癖，没有什么好担心的。

这个年龄的孩子喜爱的一项活动是荡秋千。固定在户外支架上安全的婴儿座椅会给你的宝宝带来无穷的乐趣。另外一项有趣的户外活动是玩水。小型水池造价不高，并且很容易买到。当然，要当心，不要让孩子独自在水池边玩耍，即使只有很少量的水也会导致严重意外的发生。沙坑也会让这个年龄的孩子产生无穷的乐趣。他们特别喜欢沙子的质地，并且喜欢把沙子从一个容器倒进另一个容器。但是，附近的猫很喜欢把沙坑当成它们的厕所，因此我强烈建议你在不用的时候把沙坑盖上，并经常检查一下，看看里面有没有什么不洁之物。

家里有稍大一点的哥哥姐姐

如果家里有一个稍大一点的哥哥或姐姐，第六阶段宝宝的生活就非常不同了。当然，父母的生活也是如此。如果家里有两个年龄相差很小的宝宝，而较小的宝宝又正好处在第六阶段，那些整天在家里照顾宝宝的父母是非常值得同情的。

从第8个月开始直到满2岁，宝宝会与稍大一点的哥哥或姐姐有上千次接触，他们要在同一个屋檐下生活，共同分享父母的关爱。在8～12个月期间，较大的孩子会对较小的孩子表现出越来越强烈的嫉妒。大约从12～14个月起，由于较小的孩子越来越多地使用迅速的啼哭作为武器以避免受到伤害，因此常常会使双方之间形成平局。在此期间，较大的孩子可能会越来越感受到挫折，因为他的嫉妒仍然在增长，而将其付诸行动的能力却受到了严重的削弱。

对于较大的孩子来说，一旦自己的弟弟或妹妹进入了第六阶段，情况就会大大恶化，尤其是当弟弟妹妹到了15个月或16个月的时候。这是由于较小的孩子在这个年龄第一次感受到了个人的力量，因此常常会对较大的孩子开始采取攻击性行为。一个第六阶段的宝宝常常会开始咬、打和揪姐姐的头发。由于较大的孩子有更多的生活经验，包括疼痛和受到父母惩罚的经验，因此，在这个阶段，较小的孩子常常开始占据优势。这种状况对于较大的孩子来说一点也不好玩儿，对于整天待在家里的父母来说也不是令人愉快的（这种说法算轻的）。在第五阶段中，当父母听到另一个房间里传来哭声时，这个骚乱通常都是由较大的孩子向较小的孩子发起了不友好的行为而造成的。而现在，父母开始逐渐明白，较大的孩子不再总是错误的一方了。

随着时间一周周地过去，父母会开始出现一种新的感觉——无能为力。现在，他们不知道麻烦是由谁引起的了。这种状况不会很快消失，它通常会至少持续 6 个月或 8 个月，有时甚至是好几年。在我们的研究中，这种情况是父母们报告给我们的造成父母压力的最普遍的一个原因。出生间隔时间较短的孩子在家里会制造出紧张气氛，这是我们强烈建议你至少间隔 3 年再生第二个孩子的一个主要原因。

对于出生间隔时间较短的兄弟姐妹彼此间在小时候普遍存在的敌意，还没有人对其长期影响进行过充分的研究。很有可能当这些兄弟姐妹到了十几岁的时候，他们的关系就会变得非常亲密，而早年间的相互敌意也不会对他们的关系造成长期的影响。另一个同样可能出现的情况是，这些兄弟姐妹在小时候产生的根深蒂固的消极态度具有终生的影响，使他们始终无法建立起亲密关系。

尽管我们没有充分的证据能够证明出生相隔时间较短对于兄弟姐妹间的情感关系有着长期的影响，但是，我们可以看到一些关于智力发展方面的数据，并且通过我们自己进行的研究和其他调查已经掌握了大量证据，证明其对日常生活有着直接的影响。

长期的证据在很大程度上是基于对四个西方国家中 1379000 名儿童所作的研究，该研究是密歇根大学的 R·查佐克（R. Zajonc）进行的。他将有年龄相近的兄弟姐妹的孩子的 IQ 分数与独生子女或有年龄相差较大的兄弟姐妹孩子的 IQ 分数进行了对比，并对家庭里孩子的数量对 IQ 分数的影响进行了研究。他得出的总体结论是：兄弟姐妹的年龄相差越小，家庭里孩子的数量越多，他们的 IQ 分数越低。惟一的例外是有很多孩子的家庭中最小的孩子。这个最小的孩子有时能够得到非常好的分数，但只是在他与上一个哥哥或姐姐年龄相差几岁的情况下才会如此。作者认为最小的孩子可能会从哥哥姐姐的教导中获益。当然，这样的研究无法告诉我们在任何特定的家庭状况下事情会如何发展。很多年龄相近的兄弟姐妹长大后成了非常聪明的人，但是，作为一般性策略，在制定家庭生育计划时，查佐克的主要结论还是值得考虑的。

从短期来看，年龄相近的兄弟姐妹之间竞争的结果在日常生活中体现得非常明显，对每天和他们生活在一起的人的影响也非常明显。在这种情况下，我最为关心的是较大的孩子，因为她不得不在自己的快乐大大减少的情况下给弟弟妹妹让位。

让我们想想她的感受。这就好像是她已经25岁，结婚1年左右，生活得非常快乐。她的丈夫像对待公主一样地呵护她，她得到了很多的关心、关注和爱。但是，有一天，她的丈夫回家来兴冲冲地对她说："我给你带来个好消息：下个星期我要带个人回家和我们一起住。她是个比你年轻的成熟女人，而且比你更漂亮；她将成为我的第二个妻子。现在，因为她是新来我们家的，所以我肯定会多花些时间陪她，但是我希望你能像我一样爱她。来，给你一盒糖果，纪念一下这个快乐的时刻吧。"这番话对任何女人来说都不啻为晴天霹雳。对于一个3岁的孩子来说，他在感情上是无法接受的。因此，很多有年龄相近的弟弟妹妹的孩子在第3年脾气会变坏也就不足为奇了。后面，我们将讨论你应当如何应付这个最困难的局面。如果你现在就处于这种困境中，可能此刻就想要翻到后面看看。

在第六阶段宝宝的社会经验中，稍大的哥哥姐姐对他的影响可以体现在两个方面。第一，为宝宝提供了更多孩子与孩子之间接触的机会；第二，正如前面所提到的，这些接触与他们的大多数社会体验不同，它充斥着嫉妒，有时甚至是攻击。这并不是说较大的孩子从来不会对弟弟妹妹和颜悦色，但是，较小的孩子在几年的时间里几乎肯定会获得一些不愉快的社会体验。

第六阶段宝宝的明显兴趣

第六阶段孩子的主要兴趣与前几个阶段相同：满足好奇心、练习运动技能并从中获得乐趣，以及社会化。

对主要看护人的兴趣

第六阶段的孩子对主要看护人的兴趣主要表现在——具有与之亲近并频繁提出各种请求的强烈偏好。这些表现有几个基本目的：与之交流或重新建立接触；请求帮助；以及表达感情或寻求赞扬（此类行为不那么普遍）。当由于疲劳或轻微的疾病而心情不佳时，此阶段的孩子可能会变得比平时更加粘人，并且更希望有主要看护人的陪伴。

对同龄小伙伴的兴趣

随着近来越来越多的家庭为婴幼儿雇用替代看护人，有人开始宣扬让出生后头2年的宝宝和同龄小伙伴一起玩耍的各种好处。这种说法并不是建立在对大量儿童进行研究的基础之上的。相反，在出生后的头2年中，孩子的主要社会兴趣集中在照顾他们的成年人身上。当17个月或18个月大的孩子们有机会一起玩的时候，他们很可能会互相击打或推搡，并且做出不愉快的行为。在没有密切看护的情况下，我们通常会看到较强壮或较富有攻击性的孩子会利用威胁或身体的力量使另一个孩子服从于他。回顾人类的进化史，这种行为并不特别令人惊奇。把不同物种的猴子关在笼子里并强迫它们生活在一起时，我们在它们身上所看到的行为与此种行为一模一样。它们会试图建立一种统治与服从的关系。大部分第六阶段孩子的行为也是如此。他们在一起玩耍时很少彼此表示友好，考虑对方的感受对于他们来说是不可能的事情。

而对于第六阶段以前的孩子来说，情况就大不相同了。他们对其他孩子表现出来的不是真正的社会兴趣，他们对待彼此的方式更像是对待自己感兴趣的东西，而不是人。

可以想象的是，在密切看护下让第六阶段的宝宝们一起玩会有一些社会经历方面的益处，但到目前为止还没有证据能够证明这一看法。我建议你不要相信孩子在头2年中必须和同龄孩子一起玩耍的任何说法，也不要相信孩子在头2年中必须与除你之外的其他人一起相处的说法。在这段时间里，宝宝惟一的社会需求就是和你建立起稳固、健康的依恋。

如果你的孩子在这个阶段和同龄的孩子一起玩耍，你就需要小心看护，就像第六阶段的孩子使用学步车时一样，要把它作为需要始终在旁边看护的情况。当宝宝进入第3年的时候，你才能期待看到他对同龄小伙伴产生真正的社会兴趣。

有一个例外：你会发现蹒跚学步的宝宝会和一个3岁或4岁大的孩子一起玩得很好。尽管你的孩子并不需要这种体验，但至少这样做不会带来什么危险，而且还能带来不少乐趣。然而，即使这样，你最好也要留心，尤其是当那个较大的孩子在家里有年龄相差不多的弟弟妹妹的时候。

对探索世界的兴趣

第六阶段孩子的第二个主要兴趣会在探索世界中表现出来。第六阶段的孩子会继续表现出对小物体的兴趣，但重点会逐渐从探索这些物体的特性，转移到利用它们练习简单的技能。

到14个半月的时候，你一般就可以给孩子玩拼图了。如果你知道怎样做（我会告诉你），你就会看到你的孩子在玩这些玩具的时候表现出了自己的决心和才智。在接下来1年左右的时间里，拼图将起到巨大的作用。

用蜡笔涂鸦也会逐渐让第六阶段的孩子感兴趣起来，他们同样也会对任何具有挑战性但又不太难的手-眼行为感兴趣。

到第六阶段末期，尤其是第3年开始的时候，孩子会开始综合运用他们在小物体上学到的东西，并开始利用各种东西进行幻想游戏——用洋娃娃和动物玩具过家家，搭建塔、城堡和牧场。他们甚至会开始创作具象派的绘画。

在客观物体（包括玩具和家里很多常见的东西）之外，宝宝周围的世界会继续激起他的兴趣，但在他快满2岁时，这种兴趣会逐渐减弱。就好像他对自己的家看上去如何、感觉如何以及家里的东西都了解了，以至于失去了新鲜感。孩子现在开始对家里和外面的新鲜事物产生兴趣。

这时候，孩子会花更多的时间看电视屏幕上的图像。他的探索将转向那些每天都有所变化的场景，而对以前探索过的生活区域内静止的东西会逐渐失去兴趣。

玩水

玩水对于第六阶段的孩子仍然具有很大的吸引力，它似乎比很多其他游戏具有更为持久的吸引力。不像大多数商业玩具那样由于受设计和材料所限而玩法有限，水可以有无限多种玩法。然而，因为在这一阶段仍然有水中毒的危险，当孩子在水池和其他干净的水源处玩耍时，你一定要留意不要让他吞下太多水。

球

通过观察蹒跚学步的孩子玩儿玩具和其他物品的情况，我们发现球的使用率最高。这种偏好在第六阶段的前半期尤为明显。吸引一个14个月或15个月大的孩子的最好的方法之一是用乒乓球，尤其是在硬木地板上。乒乓球掉落的时候会形成一连串的运动，并且能持续相当长的时间。与网球或胶皮球相比，乒乓球的运动非常奇特，它会轻盈而有序地弹跳。而且，这种弹跳还伴随着有趣的声音。此外，乒乓球的体积比较小，与一个直径13厘米或15厘米的球相比，孩子可以更好地掌握它。它的重量足够轻，孩子可以把它扔出去，而且——尽管这在孩子眼中并不那么重要——与扔高尔夫球相比，扔乒乓球不太会招来家长的责备。另外，玩乒乓球可以帮助孩子练习追赶和取回扔出的物品的能力。这种活动能够满足孩子的第三个主要兴趣——掌握新的运动技能。

注意：蹒跚学步的孩子可能会试图把乒乓球放进嘴里。尽管乒乓球较大，不易吞下去，但你至少应当等孩子14个月大的时候再给他玩乒乓球。你还要经常检查一下球是否完好，因为破碎的乒乓球锋利的边缘可能会造成危险。

适合第六阶段宝宝使用的最合适的球可能是塑料沙滩球。球越大越好，只要直径不超过61厘米就行。在第六阶段，至少是第六阶段初期，孩子一般在几个月前刚学会走路。他们很喜欢试着拿起大而轻的东西。46～61厘米的球非常适合这种游戏。要拿起这样的球是一种很有趣的挑战。使球掉落并观察其运动能够满足孩子探索物体运动的兴趣。最后，当试图捡回沙滩球时，第六阶段的孩子很可能在弯腰捡球的时候用脚把它踢跑，这种体验是孩子在玩这种球时额外增加的挫折感。总之，尤其是考虑到这些球都很便宜，对第2年的孩子来说，你无法找到比它更好的玩具了。

用嘴进行探索

在整个第六阶段，宝宝会继续将他的嘴作为探索工具。在为美国一家主要的公司进行的研究中，我们发现，第六阶段的孩子很可能会把任何东西都放进嘴里，不论是固体的还是液体的。其下一个行为是咀嚼这个东西，而且，如果他饿了或是渴了，他还会咽下一部分。很自然，这个阶段也就成为了意外中毒事件最为多发的时期。你必须在第六阶段对此类事情加倍小心。我们的研究反复证实了这个阶段的孩子的冲动性。第六阶段的孩子不在乎一种东西闻起来或尝起来是什么味道。据中毒控制中心报告说，第六阶段的孩子会吞下各种味道的东西，包括汽油、洁厕剂和清洁剂。确实，我们的研究发现，一种东西的味道对于孩子是否会吞下它根本没有影响。我们使用的味道包括了从令人愉快的食品诸如巧克力和鲜花的味道，到令人极其不快的诸如臭鸡蛋的味道。孩子所吞下的东西的数量与其味道没有任何关系。这是一种孩子强烈的好奇心有可能会给自己带来苦果的情况。

练习新运动技能的兴趣

第六阶段孩子的第三个主要兴趣是运动行为。14 个月大的孩子通常已经能走得很好了，尽管孩子走路时还会不稳，而且身上的大量脂肪也会为他带来不便。同时，孩子对于攀爬也已经非常熟练了，并且，正如前面所提到的，他很喜欢做这种运动。我鼓励你让孩子去攀爬，但是你要始终在旁边仔细看护，直到确信不会再有什么问题。到了 18 个月的时候，你会发现宝宝喜欢拉着你的手在楼梯上走上走下，而不愿意再用四肢着地爬行了。到第六阶段末期，他就可以独自一人安全地在楼梯上行走了。

除了走路和攀爬之外，第六阶段出现的运动行为还包括跑、跳以及跨骑在较矮的四轮婴儿车上或拉着它走。尽管第六阶段的宝宝很喜欢通过移动四轮的东西来练习他的新技能，但是在满 2 岁以前，他还不大可能会骑哪怕是最小的三轮车。

第六阶段的教育发展

四个教育基础

教育的四个基础——语言、智力、好奇心和社会能力——会在第六阶段有显著的发展。然而，这些发展不是必然的。在这关键的几个月中，这些方面是否能得到充分的发展在更大程度上取决于宝宝学到了什么，而不是他们的天赋。此外，孩子在这个阶段学了些什么，在很大程度上取决于你的行为而不是任何其他事情。

当父母知道孩子在做些什么并能够给予有效的指导时，孩子才能获得最佳的发展。与头 8 个月不同，在第六阶段，如果凭感觉做自己认为对的事情，有可能就会适得其反。当然，我相信，如果你让其他人来承担大部分育儿工作，你的孩子就不会发展到应有的那么好。同时，你也会错失一生只有一次的很多奇妙体验。

主要兴趣的平衡

十分重要的是要坚持不懈地培养宝宝的每一种主要兴趣：好奇心、运动行为和社会化行为。在第六阶段，宝宝主要兴趣的平衡被打破的常见现象是其社会兴趣过度发展从而抑制了另外两种兴趣。

一种不常见的情况是，孩子对探索和掌握运动技能的兴趣得到了环境的适当支持，但却干扰了对父母的兴趣的正常发展。这种干扰常常发生在一种情况下，即父母双方在白天的大部分时间里都要离家工作，因此请了其他人来照顾孩子，而这个人没有花很多时间和孩子进行交流。最可悲的情况是，孩子生活的环境无法培养他的任何一种重要兴趣。然而，除非在极其特殊的情况下，否则这种状况很少发生。

孩子特殊能力的发展

我们遇到的第六阶段孩子教育方面的第三种情况直接起源于我们对发展良好的孩子进行研究的初期。通过在自然状态下对孩子进行的大量观察，我们确定了一个发展良好的3～6岁孩子与一个发展不那么好的同龄孩子相比具有哪些显著特点。基于我们对这些孩子在家里、在幼儿园以及在日托机构的观察，我们得出了一些结论。

与平均水平或发展欠佳的孩子相比，发展良好的3～6岁孩子在以下这些方面的能力表现较为出众。

社会能力

- 吸引并保持成年人的注意力
- 在确定了一件工作太难完成之后，向成年人寻求帮助
- 在适当的时候向成年人表达钟爱之情和轻微的不快
- 对成就表现出骄傲

- 喜欢玩“假扮”游戏
- 领导和跟随同龄人
- 在适当的时候向同龄人表达友爱之情和轻微的不快
- 与同龄人竞争

非社会能力

- 显示出良好的语言发展
- 能注意到微小的细节或差异
- 对结果有所预期
- 理解抽象的概念
- 理解其他人的看法
- 能进行有趣的联想
- 能计划并实施复杂的活动
- 有效利用资源
- 能在将注意力集中在一件任务上的同时，在繁忙的状态下保持对另一件事情进展的关注（双重注意力）

这个能力清单可以作为你与第2年的孩子进行活动时的指导。尽管其中的一些能力要到孩子进入第3年后才能显现出来——也就是与同龄人进行交往的社会能力——但你可能希望预知它们的出现。在本章的后面部分，我们将更加详细地讨论这些能力，并讨论如何在第六阶段中促进其发展。

第六阶段智力能力的发展

思维能力的出现

在皮亚杰的理论中，智力出现的最初迹象（定义为解决问题的行为）能够在6个月或7个月大的宝宝伸手够东西的行为中看出来。当宝宝把一个障碍物推开，以便抓取另一个物体时，他就解决了人生中第一个简单的问题，并且显示了在实践或感觉运动方面的智力。皮亚杰没有将伸手够东西的行为视为一种智力行为。但是，当一个宝宝把一个障碍物推开以便抓取另一个物体时，在这两个行为之间就存在一种手段与目的的关系。皮亚杰将利用某种行为来清除障碍以达到某个目的的行为视为一种解决问题的行为，因此，它也可被视为一种智力行为。

第二个没有得到充分研究的早期的有目的行为的出现还要稍早一些。在5个半月到6个月的时候，宝宝会开始利用故意的啼哭让成年人到他的身边来。在随后的几周里，情况变得越来越明显，宝宝有时并非因为疼痛而啼哭，而是他们想被抱起来爱抚，或是希望以其他的方式影响成年人的行为。皮亚杰没有对这种特殊形式的最初有意识行为进行描述，但在我看来，这是早期解决问题行为的另一个合理的例子。

在皮亚杰的理论体系中，快满2岁的孩子会开始利用想法来解决问题。换句话说就是，快到2岁生日的时候，孩子会从利用眼睛和手进行的“试错”解决问题的模式转换为利用见解和想法解决问题的方式。

思考迹象的出现

未满18个月的孩子不会以任何明显的方式进行思考。在皮亚杰的理论体系中，至少我们不能把18个月以下的孩子称作一个会思考的生物，尽管他们会有一些思维活动。然而，当孩子满2岁的时候，说他们的行为中包含着思考就越来越没有什么不妥了。在第六阶段末期，你会实际上看到孩子开始动脑筋了。有趣而意味深长的延迟动作会出现在孩子的行为中，你常常可以通过观察他所处的环境以及面部表情推测出他的下一步行动。孩子的下一个行动常常表明他真的在对各种选择进行思考，或至少在想下一步要采取的行动。

我们在拍摄电视系列片《从出生到3岁》时捕捉到一个非常有启发意义的事件——一个活泼好动的23个月大的孩子在厨房的餐桌旁向爸爸妈妈炫耀自己，为了维护自己的个人权力，她嬉笑着拒绝把爸爸想放进水槽里的几把勺子给他。在试图把勺子从爸爸够得着的地方挪开时，她不小心打翻了一杯牛奶，随后她低下了头，对自己造成的后果感到有些内疚。她的爸爸说："干得不错，孩子。真不错。"她的妈妈开始收拾残局，接着，她爸爸假装严肃地说："这是谁干的？是不是你？"那个孩子听了以后仍然一动不动，低着头过了大约 10 秒钟。最后她回答说："不，不是我干的。是丽莎（她的姐姐）干的。"这一行为体现了我们所谓的初级思考能力。毫无疑问，这个阶段的孩子会尽自己最大的努力迅速而巧妙地想出一个逃避惩罚的办法。她实际上产生了一个想法。这种早期的谎话可能是体现儿童思考能力的第一个明显迹象。

这个孩子真的认为她的回答能够起到作用。她有这种想法不是因为她很笨——相反，她非常聪明——而是因为她的早期思维是皮亚杰所谓的"自我为中心"——也就是说，她还不会考虑其他人的观点。在这个早期发展阶段，她还不会在做出回答的时候考虑到现实情况，即她的爸爸妈妈不但看到了事情的整个经过，而且很清楚这件事和她姐姐一点关系也没有。在第 3 年末期，发展良好的孩子就会冲破这种不会从别人的角度考虑问题的思维限制。到那时，他们就会明白，其他人的看法可能和自己的不同。

18 个月以内的孩子比 2 岁的孩子更加冲动。他们会用实际行动去尝试各种可能的解决方法，而不是用头脑进行思考。在皮亚杰关于自己的 3 个孩子智力发展的早期著作中，他详细描述了每个孩子在 1 岁的时候是如何在类似的情况下通过不同的方法试图拿到某个他们够不着的东西的，例如，当被放在婴儿床里的时候。然而，在他们快满 2 岁的时候，再把相同的问题摆在他们面前时，他们会先花一点时间思考各种可行的办法，然后，在思考之后采取的第一个行动都是能够解决问题的正确行动或接近正确的行动。

更多关于智力行为发展的讨论超出了本书的范围。了解这些发展的最好也是惟一的来源就是皮亚杰的著作。随着孩子智力能力的发展，对孩子的教育时机也会越来越多。一个重要的例子是，从孩子能够思考问题并因而获得抽象思维能力的时候开始，你就能够开始使用理性的手段对孩子的行为进行约束了。

在第六阶段中，孩子理解各种解释的能力有所提高。由于智力能力的提高，孩子理解与时间有关的现象的能力也随之提高。在第六阶段，孩子的短期记忆力将发育完全。与8个月大的孩子只能在头脑中将一个物体的形象记住几秒钟不同，17个月大的孩子可以在第二天仍然记得他想要的某个东西放在了哪里。

尽管有这些显著的发展，但第六阶段的孩子距离智力上的成熟仍然有很大距离。

第六阶段与偶然事件

能够体现第六阶段孩子智力不成熟的一个有趣的例子是，他们根本不知道偶然事件发生的可能性。一个在这方面最常见的例子是兄弟姐妹间的误解。如果你2岁大的孩子被他的哥哥姐姐不小心弄疼了，他根本就无法理解“意外”这个概念。他认为，如果自己被弄疼了，就肯定是有人故意伤害他。他们的想法就是这么简单。你可以反驳他的看法，或向他进行解释，但直到你筋疲力尽，仍然起不到任何作用。皮亚杰在他的著作中列举了很多关于儿童早期思维中的奇怪现象。

第六阶段推荐的养育方法

在第六阶段中，除了在孩子的社会能力发展方面之外，你可以很顺利而出色地完成育儿工作。你会有一段愉快的时光来引导孩子的语言和好奇心的发展，而且，这时候你无需担心孩子日渐增长的新运动技能的发展。困难会出现在教会他如何在家庭里生活这一问题上。但你要有信心，良好的结果是非常有可能获得的，而且没有什么比一个发展良好的2岁孩子更激动人心的了。他们是大自然的奇迹之一。

鼓励语言的发展

在经历了出生后第一年后半年的一个缓慢的起步之后，孩子的语言发展会在第六阶段呈稳步加速的状态。在前面的章节中，我描述了教给宝宝语言最有效的方法。从第10个月左右开始，宝宝就会经常向主要看护人表达自己的请求。当这个年龄的孩子向你靠近时，一定是出于以下三种原因：他需要帮助；他在寻求舒适；他想要和你分享某种令人激动的事情。通常，这些原因很容易识别，如果你按照我描述的方式给予回应，孩子就会获得良好的语言学习结果。你对宝宝的回应方式以及对宝宝语言发展水平的了解都是有效语言教育的基础。

在后面的部分，你会看到一个图表，详细描述了0～3岁期间孩子语言习得的总体情况。

以一种正好符合或稍稍高出孩子理解水平的语言与孩子说话是最有效的。我们发现，父母通常会低估两三岁孩子的理解水平。和其他任何学习过程一样，语言发展在孩子注意力集中的时候效果最好。这就是为什么我强调要在孩子对某个事物特别感兴趣的时候进行教学的原因。如果你能够正确地发现这种兴趣，用语言描述它，再配合做出一些动作，你就能成功地吸引孩子的注意力。与发现孩子的兴趣相比，想让一个蹒跚学步的孩子的注意力重新回到你谈论的话题上要困难得多。

为孩子大声朗读

还没有证据显示给婴儿读书能促进其语言发展。但是，常识认为这样做没有什么不好，而且宝宝和父母都很喜欢。给孩子读些简单有趣的故事——尤其是在晚上睡觉之前——是个好主意。但是，如果在白天，当孩子想要做其他事情时，你却坚持要给他读书，我认为结果肯定不会太好。

由于语言的习得在第六阶段会大大加速，因此，语言教育的任务会随着每个月的逝去而变得越来越轻松。在这个阶段初期，非常简单的故事开始引起孩子的兴趣。随着时间一个月一个月地过去，他会对更为复杂的故事表现出兴趣。当孩子的兴趣减退的时候，你会看得出来。在这个时候，不要强迫他。他只是还没有准备好，但是很快就会准备好了。

到了这个阶段的中期，孩子很可能会非常喜欢听你给他读书，而且也喜欢自己看书了。

电视的作用

在第六阶段末期，孩子可能会开始对电视给予更多的关注。适当地看一些诸如《芝麻街》这样的节目，对于孩子语言发展水平的提高会有所帮助，但是你也要知道，即使从来不看任何电视节目，孩子也仍然可以学习语言，从你那里学习语言是绝对重要的方式。

语法和理解

尽管不到18个月的孩子仍然不会说太多的话，但他学习和理解新词语和诸如介词、否定式和复数形式等语言学元素的速度是非常快的。例如，一个儿童在第2年所掌握的词汇量可能会从1岁生日时的5～10个单词增加到300个左右（在我们的父母教育项目中的孩子，通常在2岁生日以前就能很好地掌握400多个单词）。此外，到一个孩子2岁的时候，他将能够掌握作为语言交流基础的相当大部分的语法结构。14个月大的孩子可以理解大约6个简单指令，例如“亲我一下”和“挥手再见”。这意味着，如果你有急事并非常想把他独自留下一会儿，你现在在孩子的一生中第一次可以说：“我不希望你做A、B或C。”并且能够相信他会理解这些话语。在第六阶段末期，一般的孩子将能理解复杂得多的指令。例如，你可以让2岁大的孩子把鞋拿到他的屋里去，然后拿某个玩具回来，这时候你可以相信，孩子不仅能理解这个指令的顺序，而且能够记住这个指令，直到完成任务。

尽管第六阶段的宝宝在语言学习方面已经有了长足的进步，但他还有很长的路要走。你使用的指令和告诫不应包含几小时或一两天之后的事情，因为宝宝的时间观念仍然有限。例如，如果你对一个14个月大的宝宝说，如果他不做X或Y，爸爸回家后就会惩罚他，你就是大大高估了他的能力。

宝宝在人生头3年的大部分时间里都只有此时此地的概念。他们仍然主要针对眼前能够看到的事物做出反应，而不能对以后会发生的事情作出反应。因此，在充分利用每个阶段新的能力时，你可能会对孩子的能力有过高的期望。对孩子能力的过高期望是一个比较普遍的现象，尤其是当家里有新婴儿出生的时候。

第一次尝试说话

在14～24个月期间，大部分宝宝会开口说话。没有人知道是什么决定了一个宝宝从何时开始说话。这仍然是人类早期发展方面又一个未解之谜。随着说话能力的逐渐增长，在第2年的最后2、3个月里，我们可以期待宝宝说话越来越多。

一个孩子在几个月里什么也不说，然后突然开始说出完整的句子，这种情况几乎是不可能发生的。你的宝宝更有可能的情况是，他先使用一个词来表达一个句子，例如，“一些”表示“我要一些”，或“更多”表示“我要更多”。

在20～22个月期间，你的孩子可能会使用包含两个词的句子。一旦孩子开始学会这些简单的表达方式，他们就会由此学会使用短语，而且，很有可能在快到2岁生日的时候，宝宝就能说出相当完整的句子了。

一个非常有趣的现象是，在第六阶段，孩子会使用类似句子形式的一串声音组合，其中还有音调变化和重音，但是没有可以辨别出来的意义。我不清楚这种令人费解的声音是否有什么重要意义。

对话的重要性

一旦孩子开始经常说话，你就有可能同他进行对话了。你肯定会为此感到高兴。毕竟，对话能力是其作为人的特点不断增加的另一个标志。成年人对于不会说话的生物会感到不习惯，家庭里惟一不会说话的生物就是宠物。很明显，一个婴儿比一条金鱼要复杂得多，也重要得多，但同时，在他会说话之前，他与较大的孩子和成年人在这个非常重要的方面都有所区别。

在良好的养育条件下，宝宝会自然地与其他人进行对话，有时是出于非常认真的目的，有时则是为了好玩，还有些时候只是为了保持社会接触。育儿有方的父母会自然而然地对这种语言给予回应，并和宝宝进行适当的对话。

一旦对话能力出现之后，你同孩子在一起的经历就会变得更加丰富，而且你从一些方面促进孩子能力发展的机会也会增多。例如，你会发现，鼓励会说话的孩子进行“假扮”游戏和幻想游戏比以前容易多了。此外，通过孩子越来越强的沟通能力更好地了解他的思想，是一件非常令人兴奋的事情。

鼓励智力发育

思考能力在第六阶段的出现是一个引人注目的现象，长期以来一直很神秘。这是父母最不同寻常、最为兴奋的经历之一，尤其是初为父母的人。数不清有多少次，年轻的父母告诉我，他们对自己18～24个月大的孩子新出现的智力能力感到怎样的喜出望外。只有亲身经历过这一切，你才能理解这样的感受。

在此阶段，父母无需费多大的精力就能促进孩子思考能力的发展。一旦孩子到了2岁半的时候，与一般的父母相比，那些有着良好教育背景的父母在培养孩子智力发育方面就会享有优势。具体的信息和思想对于智力发展有着越来越重要的促进作用，你接受的教育越多，能够传授给孩子的信息和想法的贮备就越丰富。然而，在孩子2岁半以前，他的语言和智力能力还非常有限，以至于大多数成年人甚至是能力平平的人都完全能向他们的孩子提供获得良好发展所需要的信息。确实，在第2年中，关于这个世界的大多数事实和想法都超出了孩子的理解能力。在孩子2岁半以前，所有正常成年人所具有的基本智力水平都足以满足孩子的学习需求。

我非常赞成孩子在头几年中智力要取得稳固发展。然而，我不赞成为追求智力早熟而进行强迫式的教学。如果你能够不危害孩子在头几年中的其他发展目标，我也不反对教孩子认识字母和数字。有些孩子很早就会对这些事情表现出好奇心。如果你的孩子问你字母和数字，那很好。但强迫他学习一些指导性的材料，在我看来没有任何意义。

我们在研究中见到过一些发展格外良好的孩子，然而，他们在头3年中没有接受过任何特殊的教学。参与我们的密苏里项目的一些家庭的孩子，没有接受过任何强迫式的教育，他们到3岁生日时也都达到了非常高的智力水平。参与我们目前正在进行的“父母是孩子的老师”项目的孩子平常的智力得分也大大超过了全国平均水平。这些孩子是通过养育实践达到这一水平的，大部分孩子的家庭环境都很普通，以一种轻松的方式来培养孩子自然的学习愿望。基本上，如果一个孩子的世界中有大量适合其发展水平的学习机会，孩子有选择的机会，以及一个能够有效使用语言的较为年长的人，那么，孩子的智力发展就会得到促进。

有趣的是，那些能够促进孩子良好语言发展的养育方法同时也能促进良好的智力发展。此外，如果能够有效地教给宝宝家庭生活的规则，他就会在社会难题上花较少的时间，这样，他就有更多的时间和精力进行学习。

最后，如果父母想尽办法促进孩子的智力早熟，他们就有可能削弱孩子天生的学习兴趣，并会在某种程度上把孩子的成就作为对孩子的评价标准，而忽略了孩子本身。

培养好奇心

要满足第六阶段孩子的好奇心是非常容易的。如果发展良好，孩子就会对任何事物都感兴趣。对第五阶段宝宝设定的指导原则仍然适用：确保孩子在家中进行最大限度的自由探索；尽可能使厨房变得有趣而安全，并向孩子开放；准备一些特别的玩具和其他物品，但不要让孩子随意拿到，在他看起来感到无聊或想要找些事做的时候再拿给他。

要尽可能在宝宝向你表达请求并希望你分享他的热情的时候，给予他热情而赞赏的回应，以此形成他对学习的自然热情。要在任何可能的时候为他提供相关的信息和想法，以此培养他的兴趣。例如，如果他拿来一个自己用培乐多粘土制作的东西并显示出骄傲的时候，你可以对他的作品赞美一番，然后建议他模仿爸爸的汽车做一辆小汽车。或者，你可以建议他做一个苹果或香蕉。你的评价是否精彩并不特别重要，重要的是要支持和扩展他的兴趣。毫无疑问，你的这种行为会使他明白，对事物充满好奇心、热爱学习和探索是你非常赞成的。你的赞同对孩子意义重大，尤其是在这个特殊的阶段。

你可以带孩子出门或去购物中心或者任何其他地方，从事一些与家里不同的活动作为补充。你可以确信，他总是能够找到自己感兴趣的东西。

以下这两件事是你应当避免的：（1）大量剥夺他与你在一起的时间；（2）经常让他长时间感到无聊。

在第六阶段培养健康的社会能力发展

对付违拗症

在14～16个月期间，你的宝宝在其人生中会第一次产生自我意识。这种意识的第一个模糊迹象会在这几个月中出现。当你让他把某个东西给你而他回答："不，这是我的！"或是其他能够明显表现出他的自我意识的时候，你就可以确定孩子的自我意识出现了。一旦发生这种现象，违拗症就会出现。

违拗症的出现是不可避免的。它可能早在 13 个月时就会出现，也可能到 18 个月时才出现。违拗症是第六阶段开始的最明显的标志，通常出现在孩子会使用自己的名字或所有格之前。违拗症有几种表现形式，没有一种是令人愉快的。孩子可能会也可能不会说"不"这个词，但他肯定会用行动表达这个意思。

随着自我意识的出现，蹒跚学步的孩子会对刚刚感觉到的特权感到兴奋，并且至少会在接下来的 6 个月中进行权力试验。挑战你的权威成了家常便饭，任何使他感受到自我力量的行为都会令他着迷。他会希望自己能够发号施令。他会对各种事情变得固执而挑剔，包括穿衣服和吃东西。

一旦违拗症开始出现，它就会和其他发展——诸如对攀爬和把东西放进嘴里的持续喜爱——共同给你带来更多压力。随着压力的增加，纪律问题变得更加紧迫了。我们已经看到，分散孩子的注意力对于第五阶段的宝宝非常有效。不幸的是，第六阶段开始后，这个办法就没用了，因为这个时候，顽固态度开始抬头。在这几个月里，孩子的决心会日益增强，但是他还不具备充分的理性。怎么办？

人性化的纪律约束

在第六阶段中，很多父母会因为气得不行而第一次打孩子。我们在早期的观察中看到过这种现象——有时发生在那些孩子发展得非常好的家庭里。结果，在本书较早的版本中，我觉得无法告诉父母们永远不要打他们的宝宝。对于一个不懂事的 18 个月大的宝宝，如果要对他表示严厉，父母还能怎么做呢？现在，我可以高兴地告诉你，我们已经发现了一种有效而人性化的方法，它有个绕嘴的名字——禁止与主要家庭成员接近。

禁止与主要家庭成员接近

回想一下，在第五阶段，我建议你利用所有9～10个月大的孩子不喜欢身体受到限制的特点对其进行管束。这些宝宝需要在任何想要活动的时候都能随心所欲。如果剥夺他的这种权利，哪怕只有短短的几秒钟，你就会知道它对于宝宝有多重要。

我对管束第六阶段宝宝的建议，建立在孩子对接近家庭主要成员的需要之上。这是这个年龄的孩子的一种普遍而被深深地感觉到的需要。作为第六阶段蹒跚学步的孩子的社会行为的焦点，孩子会在此阶段完成与家人建立起亲密关系的过程，而接近家庭主要成员的需要对于亲密关系的建立是必不可少的。我们对于孩子的这种接近父母的需要通常没有充分的认识，只是因为我们通常不会阻止这种行为。

如果16个月大的孩子在挑战你的权威的过程中有出格的表现，你就要告诉他，如果他不停止这种令人不快的行为，你就要把他关在外面了。如果他仍然不听，你就在你的房间门口竖一个栅栏，把他放到栅栏的另一边。他可以到任何地方去，除了这个家里最重要的地方——你所在的房间。等到他开始抱怨的时候，看看表，让他哭15秒钟，然后走到他身边对他说："现在我让你进来，但是，如果你再做不好的事，我就要再用这个栅栏。"然后，把栅栏拿开。

如果你坚持使用这样的办法，几次之后，"栅栏"这个词就会对孩子具有特殊的意义，它的威胁作用可能就会生效。在第六阶段刚开始的时候，这个办法可能不会起作用，可能在几个星期里都是如此，但假以时日，它就会有效了。你每有效地设立一次约束，你的权威就得到了巩固。而你每失败一次，你的权威就会受到损害。

重要的是，要让你的孩子明白，在你们的关系中，你具有最终权威。他需要了解到，不管你多么爱他，一旦你坚决说"不"，不论他在做什么，都不能再继续。有趣的是，以这种方式养育的宝宝，在2岁时会成长为我们所见过的最快乐的孩子。另一方面，如果你因为宝宝的眼泪而向他投降，尽管能够避免当时的不愉快，但是从长期来看，情况会变得更糟。

通过设定严格而有效的约束，你是在教给孩子与人交往的规则。他将明白，在大多数时候，他都能很快得到他想要的东西，但是，一旦你说不行，他再做什么都无济于事了。

他的期望和权利将以一种现实的方式发展。在他满 2 岁之前，他将明白这些道理，有一天，他的试探和挑战行为将会停止，他将成为整个街区最快乐的 2 岁孩子。如果你遵从这个建议，你也将成为整个街区最快乐的家长。

约束的设定是头 3 年养育工作中最为困难的一件事。

这里我还要给你一个建议：当第六阶段的孩子做了任何令你头疼的事情时，你都要自问："如果他现在 8 岁，我会让他这样做吗？"如果你的答案是"不"，那就要阻止他。

或许，我在过去的五年中学到的最令人兴奋的事情就是，你可以让一个不到 2 岁的孩子具有得体的行为，如果你这样做了，每个人都会生活得更好，而且与过度放纵的宝宝相比，你的宝宝也会变得更加快乐。

第六阶段的孩子对别人的坏脾气可能使他难以相处，以下两点会让你感到些许安慰。第一，这种情况会发生在每个孩子身上，因此你的宝宝出现这种行为并不是因为你是个不合格的家长或者是个令人烦的人；第二，孩子的违拗症可能会消失，尽管不一定会消失。违拗症是否会消失以及何时消失直接取决于你。在最好的情况下，在孩子到了 21 个月或 22 个月的时候，令人不快的行为会有所减少。到那时，你的感觉就犹如拨云见日，你与孩子的相处会再次变得令人愉快。然而，不要对完美的结果抱有太大的期望，尤其是对家里的第一个孩子。更现实的情况是，孩子不听话的行为至少会持续到满 2 岁。我们告诉那些参加我们项目的家长，如果孩子的试探和挑战行为在他到 22 个月的时候就消失了，那就说明家长所做的工作非常出色。如果这些行为在 24 个月的时候消失，说明家长的工作做得不错；如果这些行为在 26 个月的时候仍然存在，说明家长还需努力。

如果在第五阶段和第六阶段中没能有效地对孩子设立约束，家长就会在第3年（第七阶段）继续遇到未解决的纪律和控制方面的问题。这些孩子在第3年中会经常发脾气。由于他们的力量、智力和意志力都有所增强，因此你会觉得他们比以往任何时候都更加难以相处。

我想要强调的是，我已经了解到，虽然第3年中孩子发脾气的情况非常普遍，但并非不可避免。从第五阶段一开始就设定严格而合理约束的一个更为重要的好处是，你无需在第3年继续应付孩子的坏脾气。

严格的纪律在第六阶段中无疑是非常重要的。然而，由于第六阶段的孩子所承受的压力非常大，尤其是在14～21个月期间，因此要想在这场有关权威的争执中坚持到底并获得胜利，明智的家长就应当根据自己的判断，在某些不那么重要的方面对孩子偶尔做一些让步。这种偶尔的让步并不意味着全面的放任，也不意味着放弃父母的控制权。根据我们的观察，教子有方的父母从来不会放弃自己的控制权，但是他们非常聪明，而且有着足够的信心，可以让他们的孩子在这个阶段偶尔赢得一些小战役的胜利，这些小小的胜利对于孩子显示自己的力量有着特别重要的意义。

用理性的方法管你的孩子

有不少家长都试图和很小的孩子讲道理。当宝宝只有7、8个月大，第一次出现坏习惯（如揪头发）的时候，就能看到一些父母跟宝宝讲道理。他们还试图在宝宝未被允许做想做的事情（如停止使用尿布，或从另一个婴儿手中抢走一个玩具）而哭闹的时候，向宝宝进行解释。

这种行为是无效的，原因有两个：第一，父母所使用的语言远远超出了宝宝的理解能力；第二，其中所包含的道理对于宝宝也太难理解。这在很大程度上限制了头两年中对孩子的管束方式。

我们告诉家长们，一旦孩子具有了抽象思维能力，他们就可以从使用“栅栏”对孩子进行管束转向对孩子讲道理。当孩子发展情况良好时，他会在大约 22 个月的时候或其后不久具备听懂道理的能力。我们建议你使用以下办法来测试一下这个阶段是否已经到来：看着你的孩子制造一场小小的麻烦，例如打翻了果汁，需要其他人去清理。过一会儿之后，假装严肃地问他："这是谁干的？是你吗？"如果你的 22～23 个月大的孩子犹豫了一会儿之后回答："不是我。是猫咪（或其他人）干的。"这就说明你的孩子已经有了产生想法的能力。标志着这个新阶段开始的不仅是他的否认，而且是在有意的思考之后所想出的让别人成为替罪羊的办法。

你和你的伴侣应当列出两个清单——第一个是你的孩子当天最喜欢的东西，另一个是他当天最喜欢的活动。要想取得最好的效果，就需要经常更新这两张单子。有了它们，当你的孩子出现行为不当或向你挑战时，你就可以说："如果你再朝妹妹扔东西，我就要在 20 分钟之内不让你玩你最喜欢的卡车！"你应当强调"20 分钟"。或者，你也可以说："如果你现在再不进家来，我就让你在半小时之内不能看巴尼动画片！"你威胁的期限不能太长，因为那样就不起作用了。

每次你对孩子进行威胁之后，如果他不服从，你就必须说到做到。每当你这样做的时候，你的权威就会得到加强。这时候孩子会明白，无论任何时候，你的权威都是绝对的。

"说出来"

在 17～20 个月期间，孩子对挫折的忍受能力是最低的。通常，在同一个时期，他使用的词汇量也刚刚开始增加。当你看到挫折已经形成时，养成告诉他"请说出来"的习惯会有所帮助。

如果你能够使孩子的主要兴趣保持平衡，你就能更加轻松地指导他社会能力的健康发展。如果对这个重要任务没有足够的认识，你可能就会在无意间导致孩子需要你的过多陪伴。一个 24 个月大的粘人的孩子是非常难以相处的。我看到过很多父母因为陷入这种境地而后悔不已。此外，如果这是你的第一个孩子，而你很快将要生第二个孩子的话，这种情况也会在日后继续给你带来麻烦。一个与主要看护人过度亲密、而对其他事情兴趣较少的孩子，在家庭中添了其他孩子之后，他会感到难以接受。同时，这种孩子也较难适应幼儿园的生活。

在这个时候，你一定不能延长孩子认为这个世界是专门为他而创造并且是围着他转的最初想法。让他继续维持这种想法非常容易，尤其是对于第一个孩子。但是，如果你这样做了，就是对他的一种伤害。

第六阶段是一个过渡时期，婴儿期逐渐结束，孩子开始离开家与同龄的小伙伴一起玩耍或进入幼儿园。当然，你应当让孩子明白，他是非常重要的，他的需要和兴趣是非常特殊的，但他并不比世界上其他人更重要，尤其是不比你更重要。这种看似矛盾的观点实际上非常有效。毕竟，你的目标是培养一个令人愉快而发展良好的3岁孩子。

解决兄弟姐妹的问题

让第六阶段的孩子为迎接新出生的弟弟妹妹做好准备

你可能听说过一些课程、讲座或书籍能够帮助你让家里较大的孩子为新宝宝的到来做好准备。这些课程几乎无一例外地主张你与较大的孩子进行大量的谈话，给他读某些特别的故事等等。在我看来，如果较大的孩子还不到3岁，那么最好的办法是在头几年中教会他尊重你的权利。

帮助孩子面对年龄稍长的哥哥姐姐

如果14个月大的宝宝有个年龄相差不超过3岁的哥哥姐姐，对他来说，他所要面对的各种压力就非常大以至于他无法应付：他不仅要应付自我意识和违拗症的出现，还要应付哥哥或姐姐一再做出的攻击性行为，而且他的情绪控制能力还很有限。你还要记住，较大的孩子在心理和感情上也仍然很不成熟。考虑到这些情况，作为父母，你会发现自己也陷入了一个痛苦的养育难题之中。

如果你的确面临着这个问题，那么你就应当继续对较大的孩子表现出坚定但慈爱的态度，这一点非常重要。你要安慰他，让他相信你仍然爱他，不仅仅要这样对他说，而且每天要花一些时间（也许是 1 小时）单独和他在一起。你还应当鼓励他多到外面去玩，这样，如果他有时在家里有不愉快的经历，也不会给他造成太大的压力。

帮助孩子面对年幼的弟弟妹妹

第六阶段的孩子本来就处在情绪动荡之中，因此可以想象一个 18～24 个月的孩子为新生的弟弟妹妹让出自己的生活空间会有多么困难。如果这个较大的宝宝是家里的第一个孩子，这种接纳就更加困难。同胞竞争本来就会给宝宝和父母带来很大的压力，年龄相近的孩子之间的同胞竞争就更加痛苦。宝宝的整个世界都改变了，而且并不是变得更好。因此，宝宝需要你的理解。然而，你一定不能忘记，他也必须受到控制。很多家里的第一个孩子会严重伤害自己的弟弟妹妹。

帮助第六阶段的排行中间的孩子

要想对孩子的社会能力发展有完全的了解，就需要考虑到每一个孩子。对于排行在中间的孩子来说，有一个令人欣慰的因素，那就是他从来不会像第一个孩子那样知道自己可以获得父母全部的关注。因此，由于新宝宝而引起的父母注意力的转移对他的影响远远小于第一个孩子。另一方面，作为一个年龄间隔较小的第二个孩子，第六阶段的宝宝会形成比独生子女更具进攻性的性格，而这对于他的弟弟妹妹来说不是什么好事。和家里最大的孩子一样，也需要对他进行同样的控制和考虑，并且，他也特别需要你的安慰，要让他知道自己仍然是父母的所爱。

培养孩子的能力

社会能力

以可接受的方式吸引并保持成年人的注意

获得另一个人的注意，是宝宝最早出现的社会技能。由于具有啼哭的能力，婴儿很早就学会了如何引起成年人的注意。第六阶段的孩子仍然需要频繁地吸引他人的注意以满足自己的基本社会需要，这种需要在第2年中显得非常强烈。然而，有了14个月或更长时间的生活经历之后，第六阶段的宝宝现在已经掌握了除啼哭之外的更多获取关注的方法。我们认为，一些父母在这个阶段给予孩子的过多照顾反而给孩子造成了伤害。如果一个家长平常总是能够预知到孩子的需要，那么孩子就不会学会那么多吸引其他人注意的方法。家里的第二个和第三个孩子在这方面可能会好一些，因为父母通常不会花那么多时间预知他们的需要。

面对太难的任务向成年人寻求帮助

在第六阶段，父母在处理孩子发出的寻求帮助的请求时，情况开始变得有些微妙。这种寻求帮助的自然倾向从总体上来说是很健康的，它与孩子获得成年人关注的需要紧密相关。第六阶段的孩子当然应该明白当他需要你的时候，你会去帮助他，但有一个倾向需要注意，那就是有时候孩子不是因为自己做不了的事而请求帮助，而只是想要独占你的时间。尤其是在家里的第一个孩子身上，后一种趋势通常较为强烈，并且会导致他在2岁时候的过度依恋。

向成年人表达钟爱之情和轻微的不快

既能表达钟爱之情又能表达烦恼的能力反映了孩子对人际交往感到舒适和自信。这种强烈的安全感和信任感对第六阶段孩子的日常生活是极其重要的。随着孩子作为独立的个体越来越成熟以及自信的增强，他表达自己的不快的倾向也会增强。对于这个年龄的孩子，你既不应对他的试探行为过度放纵，也不应完全压制，而是应当设法保持平衡。如果不小心应对，就有可能抑制孩子处理人际关系的自然能力。父母自己对表达积极和消极情绪的长期习惯会对孩子这方面的能力造成影响。我建议，你应该在自己这方面行为的极限之内，最大限度地帮助孩子按照他自己的方式表达其情绪。

领导与跟随

由于孩子在满2岁之前不会出现太多与同龄人之间的社会行为，因此，在第3年以前，我们在孩子身上还看不到领导与接受同龄人领导的行为。然而，我们可以推测，父母或兄弟姐妹的行为对于孩子日后与同龄人交往的行为会造成影响。你应当让孩子有机会在你们共同进行的活动中扮演领导者的角色，但是，在这个早期阶段，大多时候当然应该要求他按照你说的去做。

向同龄人表达友情与轻微的不快

轻松地向同龄人表达感情的能力与向成年人和哥哥姐姐表达感情的能力相似。在第3年中，随着对同龄人的社会兴趣的出现和增长，向同龄人表达情感的行为会有迅速的发展。

与同龄人竞争

一些家长不愿鼓励孩子的竞争意识。然而，在我们研究过的那些发展良好的3～6岁孩子身上，竞争行为是一个经常出现的行为。由于不同的家庭对于竞争意识的看法不同，因此，我不会试图说服任何人去鼓励孩子的这种行为。然而，不管你是否鼓励它的发展，竞争行为都有可能在第3年出现在孩子身上，最有可能出现在孩子跟哥哥姐姐的竞争上。

对个人成就表示骄傲

在第2年当中，随着孩子开始掌握一些令自己感到洋洋得意的技能，他对成就的骄傲感会继续发展。孩子在第六阶段大多时候的成就都显示在新技能的获得方面，而不是创造出诸如绘画或积木塔之类的作品。孩子常常会对第一次能走路感到极大的喜悦，并且对于别人的赞扬会非常高兴。同样，当他能够拉着一个带四个轮子的玩具到处走时，他可能会两眼放光地看着你，这表明他对自己的成就感到非常骄傲。我强烈建议你对宝宝的这种骄傲感表现出赞同。第一个拼图玩具能够为孩子提供另一个有成就感的机会，并且能让他沉浸在你的热情赞扬之中。

进行角色扮演游戏和“假扮”游戏

你应当鼓励孩子幻想和扮演的自然天性，尤其当他希望自己赶快长大的时候。特别是在第六阶段末期，这种行为会开始大量增加。你的孩子很可能会同他的毛绒玩具和你一起玩“过家家”或“看病”游戏。他在这种游戏中会非常认真。

非社会能力

语言发展

有效的语言教育的核心是要继续采用我为第五阶段宝宝提出的反应方式。在我看来，这种重在发现宝宝当前兴趣的反应方式是父母在孩子的头几年中帮助其语言发展的最重要的方法。给宝宝一些书，鼓励他们看书，并且经常给他们讲故事也有意义，但是我必须再次指出，从来没有任何研究证明过这种方法的有效性。

在宝宝大约9个月大的时候，第一本让他产生兴趣的图画书主要是对练习手-眼技能有用。然而，你的宝宝有时也会安静地坐着翻书。在整个第六阶段中，宝宝对书的兴趣会与日俱增。他会有自己最爱看的书。他会挑出一本书，爬上你的膝头，让你念给他听。有时，他也会挑出一本书，自己坐下来看。

书在第六阶段之所以变得非常重要，一部分原因在于它们在保证宝宝与你的近距离接触方面有用。尽情享受这段时光吧。喜欢你的陪伴是第六阶段宝宝的主要特征。过完2岁生日之后，你的孩子就不会像现在这样总是缠着你了。等到他14岁的时候，你就会非常怀念第六阶段，因为在这个阶段，没有什么比赖在你的膝头更让他喜欢的了。

随着在第2年里语言发展的加速，蹒跚学步的孩子会开始对简单的故事和适宜的电视节目给予更多的关注。

注意到微小细节和细微差异的能力

我们发现，发展良好的3～4岁孩子是非常准确的观察者。他们能比大多数孩子更快地注意到微小的差别和异常现象。他们的这种天赋会在别人绘画时犯了错误或是把错误的东西放在了桌子上时表现出来，也会在时间序列方面表现出来，而且有趣的是，在逻辑方面也是如此。聪明的3～6岁的孩子会迅速注意到别人在讲故事或解释某事时所犯的逻辑错误。他们还会留意故事或游戏中事件发生的先后顺序，如果有人在游戏中不按顺序来，他们很快就能发现。在与第六阶段的孩子在一起时，你要时刻记住他们的这种能力，要试着向他们指出事物的有趣特征和细小的相似之处及差别。

对结果的预期能力

早在9～10个月大的时候，如果父母穿好衣服走向门口，宝宝就有可能开始表示反对。这种行为显示出，宝宝具有了对结果进行预期的能力，这是一种成人之后在诸如安全地驾驶汽车等方面反映出来的能力。这种行为的最早标志出现在哺乳的时候，3个月或4个月大的孩子会以吮吸动作来表示对吃奶的期待。到3岁的时候，对结果的预期能力在不同孩子身上会表现出明显的差别。你可以通过日常活动来促进这种能力的发展。和前面一样，当孩子用某个话题引起你的注意时，你应该引导孩子对当前的事情进行预期，这种引导会比孩子将注意力集中在其他事情上时更加容易。

理解抽象概念的能力

孩子在第六阶段接触到的最常见的两种抽象概念或许就是词语和数字了。这并不意味着他们会数数，也不意味着他们能写下单词或是能将单词很好地说出来。但是，第六阶段的孩子会明白有些词适用于某类东西，而不仅是某个东西。对于一个8个月大的宝宝来说，“瓶子”这个词可能只是指他的奶瓶，但是对于一个2岁大的孩子来说，“瓶子”这个词通常是指所有具有瓶子特征的东西。从这种意义上来说，2岁大的孩子已经理解了一个抽象概念。在第六阶段末期，当孩子明白了“两块饼干”的意思是一块饼干再加上一块饼干时，他们就理解了也能用到其他东西上的一个抽象概念。

永远都要记住，第六阶段的孩子是一个具体的思维者。他可以通过有限的方式来思考和谈论他所能看到、感觉到和触摸到的事物，但他还不会熟练地思考和谈论其他东西。他只是停留在此时此地。如果你想要谈论一个不在此时此地的物体或事情，你就要想办法把它与目前的情况联系起来。

从其他人的角度看问题的能力

理解别人的观点是一种特别有趣的能力，而且，我不知道如何促进小孩子的这种能力的发展。皮亚杰指出，将自己置于他人的立场，并从他人的角度来看待问题的能力通常要在孩子7、8岁以后才能形成。我们在研究中发现，发展良好的学龄前孩子会在7、8岁之前表现出这种能力。实际上，我们在3岁孩子的身上就看到过这种能力的初期迹象。

进行有趣联想的能力

聪明的3～6岁孩子常常会进行有趣的联想。如果你自己就具有适合孩子特点的相互关联的想法，而且有时在给孩子讲故事的过程中能产生这类想法，你就为孩子在这方面树立了一个榜样。

计划和进行复杂活动的能力

在幼儿园中，一群15～20个月大的孩子中只有几个人有能力把其他的几个孩子聚集起来，并组织他们进行活动。你可以通过让孩子承担并执行比其在第一年中只需一两个步骤的任务稍复杂一些的任务，来帮助孩子发展这种能力。

有效利用资源的能力

这是一种与管理能力密切相关的能力。如果你在使用各种物品的时候表现出一些想象力，孩子就可以通过自然的方式学会有效利用资源的能力。例如，为了拿到高架子上的某个东西，你有一次站在了椅子上，另外一次站在了梯子上，或者，如果你使用了几种不同的方法来搅拌食物，你的孩子就会从中学到各种物品的不同用法。如果在不刻意的情况下，你向孩子显示了自己有效利用资源的能力，而且，如果你有时向孩子指出你是怎么做的，孩子就有可能从你的榜样中获益。

双重注意力

你会很有趣地发现，孩子在集中精力做一件事时，还能够同时对身边发生的事进行关注，而且这种能力会逐渐提高。如果你到一所孩子们正在玩拼图游戏或画画的幼儿园或日托中心去参观，你就会注意到一些孩子在抵御分心的事情方面做得比其他孩子要好。你会看到这些孩子频繁地向四周看，似乎要随时了解身边发生的事。

我们确实不知道该如何让儿童获得这种能力。从理论上来说，你可以鼓励一个孩子同时进行一个以上的任务，但是，如果你太早鼓励他这样做，只会危害到他的专注力的发展。

第六阶段的推荐物品

在后面的表格中我列出了适合第六阶段孩子的精选的推荐物品。该表格是基于该阶段孩子的特有兴趣制定的，这一时期的儿童喜欢探索适宜的物品，练习运动技能，尤其喜欢攀爬。

对于儿童教育的发展来说，没有任何一种商业玩具是真正必需的。第六阶段的孩子会花大量时间与父母互动，练习那些能够帮助他们控制身体的技能，并对居住的区域以及其中的所有东西进行探索，以至于没有太多时间来玩儿玩具。然而，的确有不少针对这个年龄段孩子的商业玩具能够引起他们的兴趣，而且，祖父母在给孩子买礼物时也需要有所参考。

大玩具
小车和其他结实的四轮玩具，孩子可以坐在上面四处活动。
带有较高手柄的四轮学步车，类似于超市的购物车，当孩子在推动它的时候可以起到支撑作用
娃娃马车
摇摆椅
小滑梯和攀爬器具
玩具厨房（一定要为玩具厨房配备各种“食品”、“杂货”和其他必备品）
情景玩具，如车库和农场
小桌子和小椅子，适合与毛绒玩具、洋娃娃和家长一起玩过家家
玩具屋
户外玩具如沙盒（带盖）和小（直径150厘米）的浅水池

小玩具
故事书，从最简单的到复杂一些的电子书，带有按钮，按下按钮会发出与故事相关的美妙声音
各种大小和形状的球
较小的人物和动物形象的娃娃和玩具，以及卡车和汽车
进行“假扮”游戏的道具：装有钥匙和镜子的钱包、玩具电话、茶具
一级、二级和三级拼图
可以进行涂鸦的材料：一大叠纸和无毒、可洗的蜡笔
洗澡玩具
大物品
大的空箱子
大的防碎镜子
楼梯
成年人家具
小物品
炊事用具
塑料容器
橱柜和抽屉里的安全物品
水（特别推荐）

有惊人用途的拼图

稍有难度但孩子又能完成的拼图，可以成为第六阶段孩子非常好的玩具。这种拼图不仅适合孩子的发展状况，而且有助于加强孩子对自己成就的自豪感。此外，这种玩具还能让你在早晨多睡一会儿，或是在出差回来后获得一些安宁，并且不用花太多的钱。

这个年龄的孩子能够成功完成的第一个拼图是一块挖有圆形孔洞的板，孩子可以把一块有突起的圆形拼块插入孔洞之中。我把这称为一级拼图。与大多数一块式拼图不同的是，孩子在玩这种拼图的时候无需旋转拼块的方向，因为不管它的方向如何，都可以放入孔洞之中。

如何让孩子开始接触拼图游戏是非常重要的。你一定不希望使孩子产生挫折感，并使他对拼图游戏留下不好的印象。你可以把圆形拼块摆好，使其99.99%的部分位于孔洞之中。向孩子演示几次如何移动拼块使其落入洞中。如果孩子表现得十分笨拙，甚至向错误的方向移动拼块，你也不要感到吃惊。经过几次尝试之后，如果孩子仍然不能成功，就把拼图拿走，过几天再让他玩。到14个半月的时候，大多数孩子都能胜任这个挑战了。在宝宝第一次获得成功的那一刻，你一定要对他大加赞扬，夸奖他聪明，然后再把拼图摆好。在一旁观察宝宝的行为，当他再次成功的时候，再对他进行一番赞扬。要不断和宝宝玩这样的游戏。最后他就会从内心非常渴望成功，但由于这是第六阶段，你的赞扬会有助于宝宝的成长。赞扬他的人越多越好。

不要急于加大拼图的难度。过上几天，直到他能够非常熟练地完成这个拼图时，再拿出一个二级拼图。这种拼图可以通过很多途径获得。最好的办法是买一个有圆形和其他几种几何图形的拼图，但是在开始的时候，要把其他形状的全部拿走，只留下圆形的。之后，再选择一个比较容易的新形状，例如八角形或正方形。用同样的方法向孩子演示如何把这一块放入孔洞，并对他的成功给予充分的赞扬。

到18个月或19个月的时候，宝宝可能就可以进入第三级了。第三级拼图的每一块上仍然带有突起，但是一个孔洞中至少可以放入两个拼块。

到22个月左右的时候，宝宝就可以进入第四级了，第四级拼图的拼块上没有凸起。这种拼图可以有任何想要的难度。有些30个月大的孩子甚至能比父母更熟练地完成这些拼图。

拼图游戏对孩子的手-眼技能是个挑战。一旦拼块放对地方，他就会感到成功的喜悦，随之而来的是巨大的满足感。来自主要家庭成员的任何赞扬对于他都是重要的奖励，会使他的自豪感得以增强。

拼图很便宜，而且便于携带，你可以带着它们出门。在20个月大的孩子睡着了以后，你可以在他的小床上放一两个适合他玩的新拼图，但不要太容易。等他醒来后就会看到，这样你就可以多睡上半个小时了。

不推荐的养育方法

奖励孩子发脾气

在第六阶段，你的孩子很可能会发脾气。随着违拗症的出现，发脾气的情况会变得越来越多。你无法防止这个阶段的孩子发脾气，但千万不要奖励这种行为。你要尽可能阻止这种情况的出现，如果你无法阻止孩子发脾气，千万不要——我再说一次，千万不要——奖励孩子发脾气。对孩子的发作给予很多关注是很自然的事情，但这非常不明智。你一定不能让宝宝认为发脾气会使他得到奖励，对第五阶段和第六阶段的孩子来说，不管你是责备他还是安慰他，你的关注都是一种极大的奖励。这只会使孩子越来越喜欢发脾气，并养成习惯。

富有爱心的家长都会自然而然地安慰不高兴的孩子，但这种安慰容易导致孩子在下次无法随心所欲的时候再次大发雷霆。当孩子身体不舒服的时候，当然要对他进行安慰，但在他发脾气的时候不能安慰。因为你的安慰会让他无法明白你的立场，只会使孩子的脾气越发越大。

当孩子第一次发脾气的时候，他们通常是在寻求一种限制，是在让你去阻止他。我强烈建议你不要去管他，除非他的行为会伤害到其他人。在这种情况下，他的行为必须受到控制，在必要的时候，还应当受到惩罚。在第 2 年中，孩子发脾气的情况可能会很常见。如果你能够处理好，你就能减少孩子发脾气的次数，并且在第六阶段结束后使孩子不再发脾气。

在意志力之争中投降

在 14～16 个月期间的某些时候，你的宝宝很可能会开始挑战你的权威。他会使用三种方法：对你进行试探；尝试着去做你不让他做的事情；拒绝做你让他做的事情。这些行为的出现是必然的。

在极少的情况下，这种意志力之争在孩子过了 16 个月以后的好几个月都不会出现，但你要记住我的话：它就要出现了。一旦开始，你就要做好准备至少在接下来的 6 个月里与这个从前像天使一般的宝宝进行一番斗争。不要试图完全压制这种挑战，也不要试图赢得所有争执。对于第六阶段的孩子来说，小小的胜利有着重要的意义，这是孩子在进入青春期之前都不会再次发生的大事。然而，任何情况下都不应使你的孩子认为他有着比你更多的权威。永远不要让他有这样的想法。

对于那些性格极其温和的人来说，要做出这种严厉的行为有些难度。如果你是这一类人，那么你在孩子的社会化问题上注定会遇到更多的困难，尤其是你的孩子脾气特别坏的话。对付孩子的挑战对你来说不是件轻松的事，但是，你至少应当同你的伴侣一同制定一个计划。无论你的性情如何，你的宝宝都必须学会遵守你制定的规则。你越坚定，你的孩子将来就会越快乐。

过早的大小便训练

在孩子的发展过程中，强制进行大小便训练是没有任何意义的——同样，要使孩子戒除使用安抚奶嘴的习惯或任何还需要持续一段时间的习惯也是没有意义的。一旦孩子到了 2 岁左右，他就会在相对较短的时间里自己学会这些事情。对远远不到 2 岁的孩子进行大小便训练通常是很困难的。如果你试图在孩子 14～24 个月之间进行这种训练，就会导致违拗症的提前出现，而这将是最令人头疼的阶段。

第六阶段的孩子（如果他有哥哥姐姐的话）所具有的模仿其他家庭成员的自然倾向会导致家里的第二个孩子比第一个孩子更早地接受大小便训练。如果父母对孩子的大小便习惯采取一种合理的宽松态度，孩子就会在不承受父母不当压力的情况下，自己在第七阶段中主动开始大小便训练。在卫生间放置一个小便盆并且为孩子示范如何上厕所会有所帮助。

让孩子吃得过多

我对第五阶段的孩子提出的餐间零食的建议在第六阶段仍然适用。在第五阶段，父母可能为了显示自己的关心或是因为不知道如何让孩子一直有事可做而给孩子过多的零食，但在第六阶段，孩子正常的违拗行为会成为过量喂养的原因。第六阶段的孩子可能会成为父母的长期压力的来源，而你可能就会考虑能给你带来片刻安宁的任何方法。如果按照本书的建议去做，你就会减少这方面的麻烦。然而，如果出于任何原因，你发现自己每天都给第六阶段的孩子提供好几次零食或饮料，就需要停下来考虑一下问题出在哪里。还有一点值得注意，很多医学研究表明，长期肥胖的根源就在于出生后的头几年中。

第六阶段不推荐的物品

发条玩具

发条玩具都要求孩子多次将一个旋钮旋转380度，才能使盖子下面的娃娃弹出来。这个任务对于大部分第六阶段的孩子来说太难了。但是，如果你愿意为孩子完成上发条的工作，而且你和你的孩子都很喜欢这种玩具，买一个也无妨。

带槌木琴，串珠和牵拉玩具

第六阶段的孩子很少会玩这些玩具。

有潜在危险的东西

你必须要小心那些存在潜在危险的东西，例如小得能够吞下的东西、尖锐得能够划伤孩子的东西，以及能够作为危险投掷物的小而重的东西。容易吞下的东西包括弹球、棋子和任何直径小于4厘米的东西。

在这个阶段，食物引起的窒息也很常见。最常见的能够引起窒息的食物包括圆形的、比较硬的食物，例如一块热狗。

对于容易引起窒息的食物碎块和玩具的部件，也要多加小心。

锋利的会造成割伤的物品包括玩具车和火轮车，因为它们的轮子可以很容易地被取下来，带尖的轮轴会暴露在外面，容易对孩子造成伤害。

具有潜在危险的投掷物包括玩具士兵和高尔夫球。它们都足够小，能够被这个年龄的孩子扔出去，而且足够重，容易对人和东西造成伤害。

标志着第七阶段开始的行为

第七阶段——第3年——是本书所讨论的最后一个阶段。在这个阶段，孩子会出现一些非常有趣的新发展。

理性的出现

如果一切顺利，在孩子2岁左右，如果早的话会提前到22个月的时候，你就会发现孩子的违拗症有所减弱。你的孩子不仅会变得比较听话，而且你会看到他的社会能力有所提高，同他在一起变得令人愉快了。祝贺你！

对同龄人的真正社会兴趣的出现

从2岁生日开始，孩子会越来越喜欢和其他孩子一起玩，而他对于主要家庭成员和家的完全而强烈的兴趣会有所减弱。

心理能力和情感控制力的提高

随着第七阶段的开始，你会注意到孩子的心理能力和情感控制力有了显著提高。你会发现，同6个月前相比，现在和你生活在一起的是一个比以前成熟得多的小人儿。你的宝宝不再是个婴儿了，他已经是一个孩子了。当然，这个成熟的阶段不会突然到来，但是，你会对他的理性和控制能力的快速提高感到惊讶。

对话的增加

与上述能力发展有着密切联系的是谈话的增加，尤其是会话性语言运用的增加。通常，第七阶段的孩子运用句子和思维的能力使他们能够进行简单而令人愉快的对话。在宝宝的头几年中，这是最令父母高兴的经历之一。

第 8 章

第七阶段：24～36 个月

概述

2 岁的孩子已经形成了非常稳定的人格。在两年的时间里，通过长期坚持不懈的努力和大量交流，孩子已经与其主要看护人建立起一种详细的社会契约。他已经对客观世界有了真正的熟悉和参与，对自己的身体已经具有了很好的控制能力。尽管这时候孩子的身上仍然保留着婴儿时期的特征，但是，到他 3 岁生日时还把他称为婴儿已经不太合适。你现在是和一个年幼的儿童生活在一起了。

与某些 2 岁的孩子相处并不十分愉快。毫无疑问，这些孩子在 2 岁以前被父母宠坏了。如果一个 2 岁大的孩子认为自己的需要比其他任何人的需要都重要，并且习惯于发脾气以及经常做出令人不快的举止，那么他的此类行为很可能在接下来的一段时间里会持续下去。

一个 2 岁大的孩子在个性方面另一个不太理想的结果是过度害怕。在我们的研究中曾经看到，一些孩子在 8 个月至 2 岁期间体验了过多的敌意和恐惧。在大多数情况下，这种体验发生在有年龄很接近的哥哥姐姐的家庭里。另一种不太常见但更加令人痛心的情况是，有些孩子的恐惧是由他们的父母造成的。一个容易被忽视的事实是，很多孩子在出生后的头2年中生活环境非常不好。撇开那些生活在欠发达国家极度贫困环境中的孩子不谈，不幸的是，很多孩子出生在子女过多的家庭里，或者是父母有严重的情感问题的家庭里。在这种不幸的环境中，孩子通常会在2岁的时候认识到世界是一个充满敌意的地方，他们在接近父母的时候必须小心谨慎，学会看父母的脸色。令人欣慰的是，大部分情况并非如此。

在最好的情况下，一个2岁大的孩子可以成为一个非常快乐、充满幽默感、创造力和自信的孩子，并且成为父母快乐的源泉。

发生在2岁生日前后的另一个重大变化是孩子的非理性行为向理性行为的转变。随着孩子变得更加懂事、聪慧和善于交往，他在第2年末期所表现出来的有教养的行为实际上只是一种表面现象。在这个外表下面潜藏着的仍然是一个非常容易失去情感控制并且会因而做出各种令人不快的行为的人。在较好的情况下，孩子在开始第3年生活的时候一般都能改掉这些行为。当然，最明显的原因是孩子在第3年中语言沟通能力变得更强了，但还有比语言能力的增强更为普通的原因。第七阶段孩子的思维能力显示出他们正在趋向成熟，同时也表明他们已经不再处于婴儿时期，而是进入儿童时期了。

在第3年中，你还会看到自己的孩子对其他孩子的兴趣有了迅速而稳定的提高，并开始越来越多地与其他小伙伴展开真正意义上的社会交往。我们通常会看到这个年龄的孩子离开家到外面活动的时间越来越多，而对主要家庭成员和父母的强烈关注有所减弱。我们还发现孩子的心理能力快速发展，他似乎更懂事了，尤其是在社会领域。一岁半的孩子非常容易因为生气或受到伤害而情绪失控，但是，3岁孩子的情绪控制力就好得多了。

随着这些重大发展而来的是，孩子说话开始增多以及对与人对话的喜爱。此外，新获得的攀登和跑跳等身体技能更加娴熟，更加令我们感到现在与我们打交道的是一个相对成熟的小人儿了。婴儿时期已经结束了。3 岁的孩子在人类发展道路上已经走过了令人惊异的旅程。

第七阶段的一般行为

非社会体验的减少

从孩子的第一个生日开始，与人相关的行为就开始增加，而与人无关的行为则随之减少。快到 1 岁生日时，在全部行为中大约有 10％是与人相关的。宝宝在平均每个小时中有 6 分钟左右的时间会试图对别人造成影响——得到他们的注意或是让他们做出一个行动。到了 2 岁左右，这个比例变为 20％的社会行为和 80％的非社会行为。到了 3 岁的时候，社会行为的比例接近 30％，而非社会行为的比例则相应下降。

第七阶段孩子主要的非社会行为与第六阶段相似。探索物体的特性和练习简单技能仍然是他们的主要活动，但其重要性相对有所降低。我们的研究显示，18～21 个月大的孩子醒着的时候大约有 18％的时间是在对小物体进行这两种行为。然而，到了 2 岁半的时候，这种行为的比例会下降到 14％。随着时间的流逝，孩子会逐渐从这种与小物体的简单互动行为过渡到同其他孩子之间更加复杂的社会互动行为。但是，对小物体的积极探索仍然占据了第七阶段孩子的很大一部分时间。

在第 3 年中，孩子的凝视行为也会大大减少。正如我们所看到的，在 1 岁的时候，我们通常会发现这种行为占孩子的清醒时间将近 17％；在 2 岁的时候，凝视行为下降到 14％左右；在第 3 年的时候，则下降至 6％或 7％。随着凝视行为的减少，一个与之相关的行为有所增加——在听人说话的时候的凝视行为。这种行为在 1 岁的时候占孩子清醒时间的6%多一点，在2岁半的时候占11%左右。由于第七阶段是语言能力有极大发展的时期，因此这个阶段的孩子对语言所表现出的极大兴趣也就不足为奇了。

语言可以来自听其他人说话（现场语言）或是来自电视机、收音机或录音机发出的声音。一个孩子可以在现场听妈妈与哥哥或姐姐或他自己谈话。我们相信，妈妈与孩子之间的对话对于语言学习是最为重要的。

空闲时间或非任务行为通常会在第3年有所减少，从第2年的10%～12%下降到第3年的7%或8%。与之类似的“消磨时间”状态在这一时期也会减少。我认为这种趋势反映出一个事实，即在婴儿期结束后，孩子发生意外的可能性有所减少，因此他们的活动范围不再经常受到限制，父母也不再对他们进行严密的看护。第七阶段孩子醒着的时间里吃东西所占的时间比例为5%左右。

你可以看出，占据孩子大量日间时间的非社会行为的种类相对较少。实际上，以上所讨论的七种行为总共占据3岁儿童53%左右的时间。在2岁半的时候，这七种行为占据47%左右的时间。这种差异反映出随着时间一个月一个月地过去，孩子的行为变得越来越复杂，他们的行为种类也越来越丰富。

社会体验行为

我们发现，刚刚进入第七阶段的2岁大的孩子只在几种社会体验上花较长的时间，而且花在社会体验上的时间远远少于非社会体验。第七阶段孩子最常见的社会体验是他试图保持其他人的注意——保持社会接触。可以想象，在通常情况下（大约90%的时间），这个人就是孩子的妈妈。在2岁左右的时候，保持社会接触的行为占孩子全部清醒时间的6%左右。2岁半的孩子就不那么粘人了，他们的此类行为只占4%的时间。

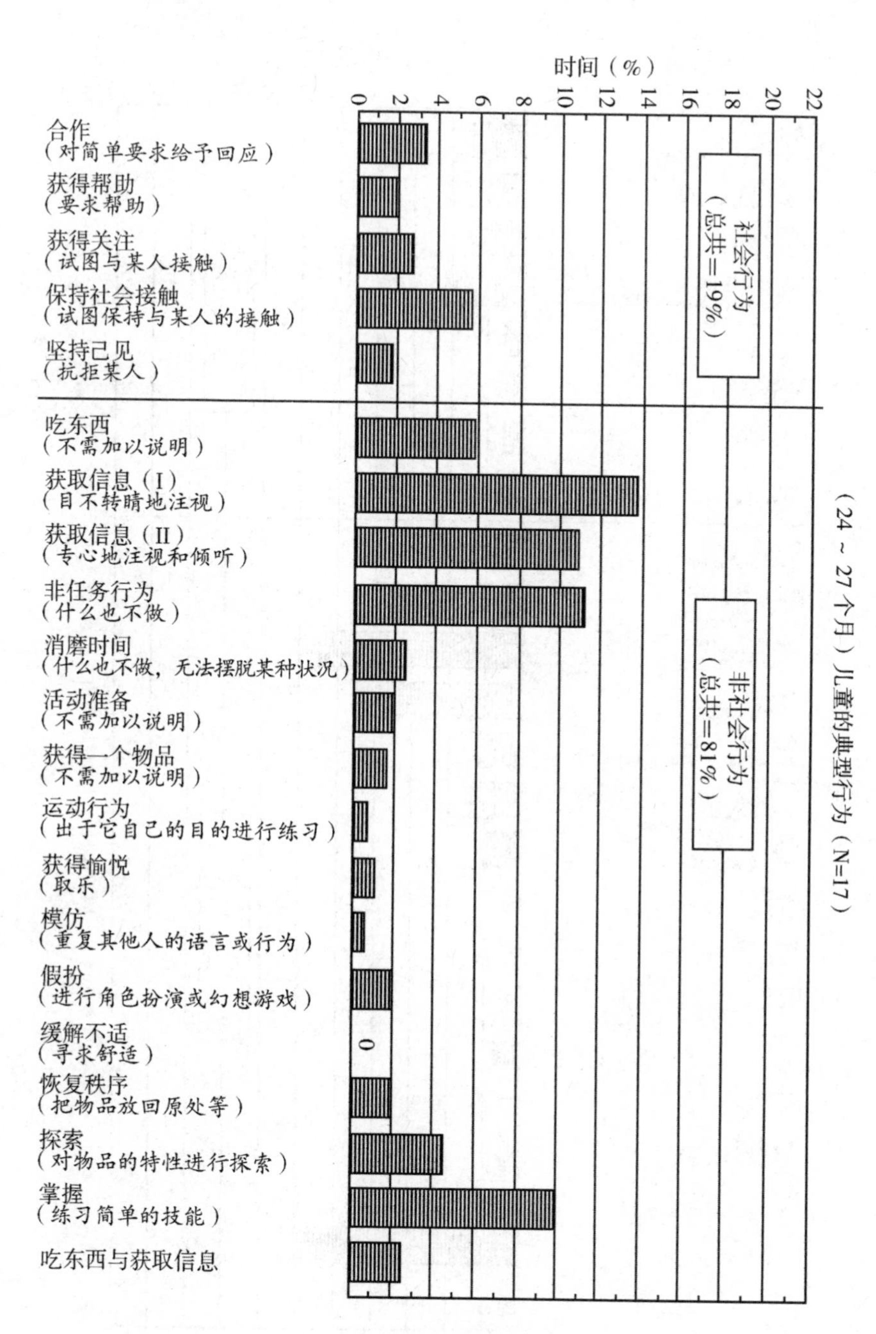

（24 ～ 27 个月）儿童的典型行为（N=17）

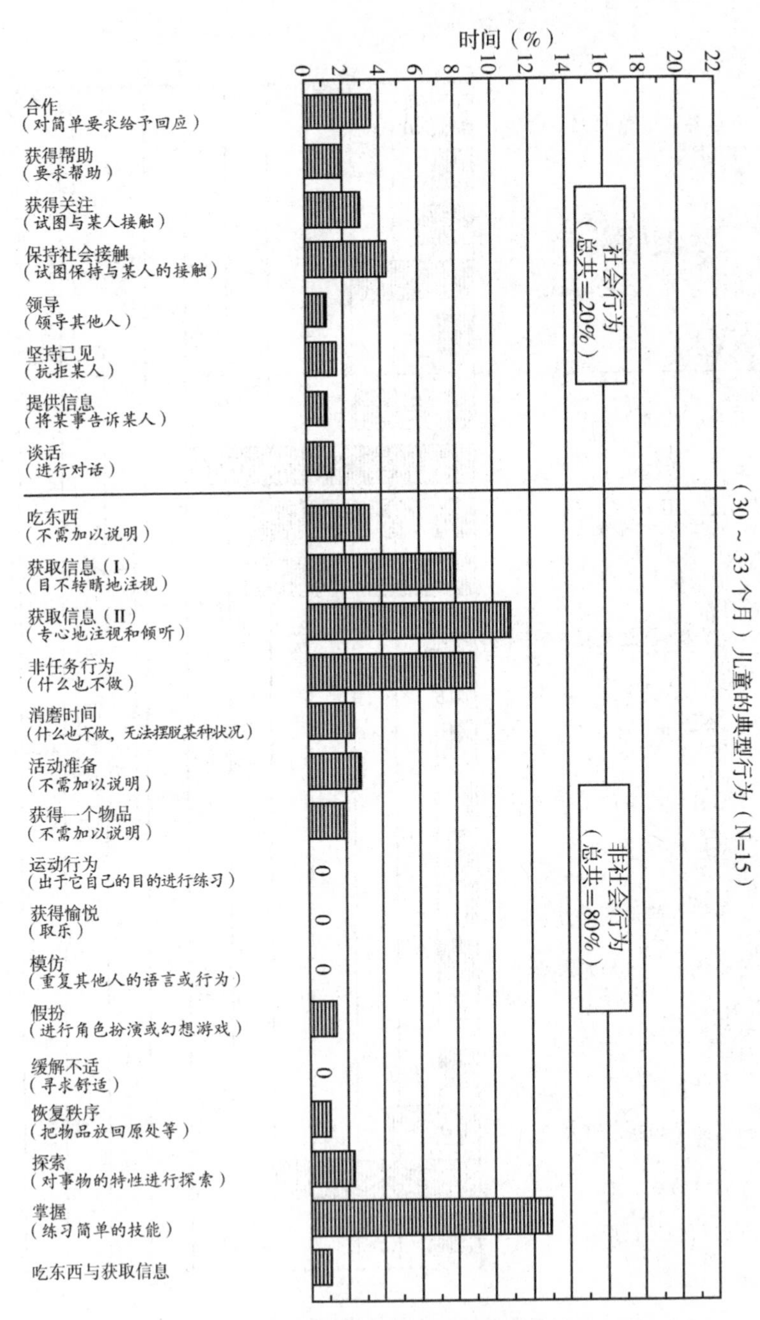

（30 ~ 33个月）儿童的典型行为（N=15）

第二个最常见的社会体验是遵从父母的简单要求，约占孩子清醒时间的3%左右。试图获得别人的注意是第三个常见的社会体验，约占2.5%～3%的时间。要记住，孩子获得以及保持他人注意的能力有了很大提高，因此他们用于这种行为的时间比以前有所减少。

另外两种重要的社会体验是试图获得成年人的帮助（约占2%的时间）和拒绝一个成年人或其他孩子的提议（约占1%～1.5%的时间）。上述五种社会体验总共占据的时间少于孩子对小物品进行探索和练习运动技能所花的时间。

你会注意到，一个3岁孩子的生活并不像有些人所说的那样是从早到晚坐在妈妈身旁的。从前，儿童早期发展方面的文献过于关注母亲与儿童关系的重要性，以至于人们倾向于认为所有的孩子都会整天围着妈妈转。然而事实是，在头3年当中，在孩子醒着的大部分时间里，他会对客观世界进行探索并练习运动技能。从全职父母的角度来看，宝宝与他们亲密接触的时间要多得多，但在心理时间和实际时间之间存在着很大的差距。

第七阶段孩子的明显兴趣

持续的兴趣

第五阶段和第六阶段宝宝的三种主要兴趣——主要看护人、探索世界和练习新的运动技能——在第3年中仍然是他的大部分行为，但有了一些重大变化。例如，在社会能力发展方面，原先孩子的社会兴趣几乎完全集中在父母身上，尤其是父母对他行动的反应上，现在，这种情况有了变化。在第七阶段，一个新的重要元素——与同龄人的真正交往——开始出现并稳定增长。

在探索世界方面，你会发现孩子在第3年中开始对一些重要方面产生兴趣。尤其值得注意的是，他们对语言的兴趣与日俱增，特别是对跟他们直接相关的语言。在练习新运动技能和控制身体方面，现在他们已经能够熟练掌握大部分在婴儿时期获得的基本运动技能了。所有超过2岁的孩子都能轻松地走、跑、跳和攀爬，他们尤其喜欢后面的三种运动，尽管他们的攀爬技巧还不成熟。在第3年中，孩子会获得一些新的特别技能，例如骑小三轮车；在第3年中，他们还会和第2年一样喜欢荡秋千。很多其他的运动挑战——例如学习使用胡桃钳或打孔器——都会激起第七阶段孩子的兴趣。然而，此时还不会有非常大的变化。

新出现的兴趣

创作作品

到第3年末期，孩子开始将他们在两年中辛辛苦苦获得的技能和信息结合起来，将其用于我们所谓的“完结活动”(consummatory activity)。在第七阶段，你会看到孩子的第一幅具象派绘画作品，尤其是当他们得到了鼓励或是有哥哥姐姐可以模仿的时候。你还会看到他们的第一个建筑作品。在玩积木时，孩子可能会建造出城堡或宝塔——和前面一样，尤其是当他们得到鼓励或有人可供模仿的时候。如果有第一流的商业玩具，孩子还会创造出家庭、农场或城镇的情景，这是他们新获得的协调与组织能力的另一个标志。这些新出现的兴趣会在接下来的几个月里稳定发展。

假扮行为

新出现的另一个非常有趣的重要行为是进行越来越复杂的幻想游戏，既可能独自进行，也可能与其他人共同进行。大量的此类行为是孩子发展良好的显著特征。

电视

在第3年中，另一个新出现的兴趣是看电视。这种兴趣的最初反映是在宝宝大约4个月的时候对广告节目的反射式反应，尤其是那些有突然音量变化的广告。长时间地看电视在第2年末或第3年初之前不会出现，因为这一行为所依赖的智力与语言能力的充分发展要到这个时候才会出现。不要指望2岁半的孩子会看电视里的教给人如何缝围裙的讲座节目，但他会对卡通节目中富于变化的声音和动作感兴趣。对于像《芝麻街》这样的节目，他也会表现出比较浓厚的兴趣，这种节目是针对非常小的孩子而特别设计的，能够不断吸引他们的注意力。此外，如果你允许，孩子对录像带也会越来越感兴趣。

第七阶段的学习发展

前面列出的四个教育目标——语言、好奇心、社会能力发展和智力——在整个第3年中仍然是孩子学习发展的目标。在第五阶段和第六阶段提到的保持三种主要兴趣的平衡在第七阶段仍然具有十分重要的意义。而且，你的目标仍然不仅是要鼓励孩子这些兴趣的发展，还要保持这些兴趣的平衡。

语言发展

如果一切顺利，2岁大的孩子应当能懂得400多个单词了，包括你在日常同他对话中用到的大部分词汇。他应当经常说话，尽管可能还不会说太多。一些2岁大的孩子会使用短句子进行简单的对话了。其他孩子仍然只会使用简单的单词或不完整的句子。很多孩子经常会使用由七八个单词组成的句子，这会令你感到很惊奇。你无需对2岁大的孩子说话的表现太过担心，只要他对语言的理解能力发展得很好就行。

好奇心的发展

我希望你2岁大的孩子能独自玩耍，并且对所有新鲜事物都有强烈的兴趣。他的好奇心应当同3个月时对自己小手的兴趣一样强烈。

社会能力的发展

第三个方面是社会能力的发展，这是相当复杂的。我希望你的2岁大的孩子已经具备了与成年人进行有效交往所需的所有基本社会技能。在大部分时间里，2岁多的孩子都应当是一个令人感到愉快的孩子。他的违拗症和对你权威的挑战在此时应当已经结束。他应当喜欢自己并为自己感到骄傲。他应当知道自己有能力，并感到自己被人尊重。他应当能够与几乎每个人都和睦共处，除了与他年龄相差不多的兄弟姐妹。

这些社会目标不仅适用于只有一个孩子的家庭，也适用于有几个年龄相差超过3岁的孩子的家庭。但是，对于那些有年龄相差不到3岁的孩子的家庭来说，情况就很不同了。

同胞竞争

有年龄相差不多的弟弟妹妹

我曾经警告过你，在家里较小的孩子学会爬行之后，较大孩子的行为会发生重大变化。我描述了我们在很多家庭中通过大量观察得到的结论——较大的孩子会发现与刚学会爬的弟弟妹妹分享父母的关注是最困难的。

较大的第六阶段的孩子会陷入一种特别的困境，这是因为他在第2年的后半年中有着强烈的社会需求，还因为他在这个阶段的智力和情感还不成熟。这样的一个孩子在进入第七阶段的时候很可能会继续给父母造成很大的压力。不幸的是，家里较大孩子和较小孩子之间的敌意在这个阶段还不会消失。然而，有两个重大变化需要给予特别的注意。第一是较小的孩子已经不再是个容易被击败的人了。一个 8、9 个月大的孩子对于一个 20 个月大的孩子的攻击所能采取的惟一防卫手段就是哭。不论是身体上还是心理上，较小的宝宝都不是第七阶段孩子的对手。然而，啼哭通常都会奏效：一个年长的人通常会听到哭声并赶来保护更小的宝宝。

第七阶段的孩子很可能会因为家里另一个宝宝的存在而断断续续地在好几个月中感到不舒服。然而，一旦较小的宝宝到了 15 个月或 16 个月的时候，他就会成为第七阶段孩子的与以前不同的一个麻烦。这个小宝宝会开始意识到自己是一个人，并且开始出现违拗症和自信，他可能会开始对较大的孩子以牙还牙，以他过去对待自己的方式来对待他。此外，在这种环境中的较小的孩子有时会拥有两种非常有力的武器——咬人和揪头发。第七阶段的孩子此时已经有了很多对疼痛的体验，小宝宝新的攻击行为有时会迫使较大的孩子投降。从最低限度来说，在这个阶段，两个孩子已经变得更加势均力敌了。

进而，对于全职看护人来说，一个新的问题出现了。在前几个月中，父母可以肯定地认为，孩子之间的任何不愉快都是由较大的孩子引起的，但是，这种假定不再总是正确的了。较小的孩子可能会越来越多地成为两个孩子间的冲突的发起者。这种情况很正常，但对于全职父母来说，这是造成压力的一个最普遍的原因。年龄相近的兄弟姐妹之间的不友好可能每天都会出现。

想象一下，这种困难局面在很多父母毫无准备的情况下年复一年地出现，他们都在纳闷这到底是怎么回事，为什么养育子女不像吹嘘的那样愉快。我怀疑很少有父母能应付得了这种由一个处于第六阶段和一个处于第七阶段的孩子所带来的长期压力，而不管他们的能力有多出众。出于这个原因，我建议在这个阶段雇用替代看护。

有年龄相差较小的哥哥姐姐

值得讨论的第二种情况是，第七阶段的孩子是两个年龄相差不多的兄弟姐妹中较小的一个。在第7章，我解释了第六阶段的孩子经常会对稍大一些的哥哥姐姐做出进攻行为。在第七阶段中，这种情况通常继续存在。然而，这时候情况会变得对父母来说稍好一些。较大的孩子此时至少有4岁了，也或许5岁甚至更大了，他的大部分时间都在外面、在幼儿园跟小伙伴儿一起玩或者在朋友家里玩等等，并且对同龄小伙伴的兴趣在一两年前就已经开始形成了。这会使所有人的生活都比以前轻松一些，尤其是孩子的父母。但是，你要做好心理准备，第七阶段的孩子和他的哥哥姐姐之间有时仍然会有攻击性行为和争吵。

没有人真正知道这种情况还要持续多久，但肯定不会很快消失。

在三个年龄相近的孩子中排行中间

由于没有这方面的研究可供参考，在讨论排行中间的第七阶段孩子时，我们只能进行推测。可能你需要了解的最重要的一点是，排行中间的孩子从来没有过像第一个孩子那样被人取代的痛苦。在出生后的头18～24个月中，他从来没有得到过毫无经验的、焦急而兴奋的父母全身心的关注，因此，为更小的弟弟妹妹腾出位置对他不会造成像对第一个孩子那么大的影响。然而，排行中间的孩子很有可能变得比一般的孩子更富有攻击性。

这些兄弟姐妹间有趣而重要的不同组合是理解儿童社会能力发展的基础。如果父母对孩子的社会能力发展有基本的了解，他们就能根据不同的情况处理年龄相差不大的兄弟姐妹之间的问题。

我希望那些正期待着第一个孩子出生的家长，或是只有一个孩子的家长在看过这本书之后，能够让孩子有3年或更长的时间间隔。当然，其前提是父母能够有这种选择。我们看到很多夫妇直到三十几岁或四十几岁才要孩子，由于年龄的紧迫感而不得不使孩子的间隔时间很短。很明显，每个家庭都必须在他们的生育计划中考虑到很多因素。我只能提供非常有限的帮助。我不是家庭顾问，但是却与由各种不同成员组合的家庭有着长期广泛的接触，我确实感到有义务阐明这个问题。如果能够做出选择，你一定要让孩子出生的时间至少间隔3年或更长。

如果你的孩子年龄差距不到3岁已经成为事实，这本书将帮助你使问题减到最少。不幸的是，据我所知，你在养育年龄差距较小的多个孩子时，肯定会遇到更多的困难。

在本章的后面部分，我们将提供应对同胞竞争这个困难问题的建议。

对同龄小伙伴的兴趣

在良好的环境下，当孩子进入第七阶段时，他们开始显示出对同龄小伙伴日益稳定增加的真正社会兴趣。第六阶段的违拗症和我行我素已经成为过去，他们知道自己在父母面前的地位，而且他们现在将兴趣转向了同龄的小伙伴。但是，如果你2岁大的孩子仍然频繁地与你争斗，如果他仍然在试探你，如果他仍然很不听话，或者最糟的是，如果他已经形成了令人苦恼的行为方式，那么他对同龄小伙伴的社会兴趣就还不会出现。这样的孩子——我希望不是你的孩子——通常是不快乐的，并且他很少向父母之外的人，尤其是他妈妈（或是其他主要看护人）之外的任何人寻求帮助。显而易见，作为初次交往的小朋友，他也不是什么好人选。然而，他本身对同龄小朋友也不大可能表现出太大的兴趣。他的社会精力仍然完全集中在妈妈身上。

调教很好的第七阶段孩子不会经常发脾气。但不幸的是，很多孩子都是带着同家长之间未解决的问题进入第七阶段的。如果家长在孩子的头两年中对他过度放纵，这个孩子就有可能会在第3年中以一种不那么愉快的方式显示出某种顽固的抵触性格。很多28个月、30个月或32个月大的孩子仍然在和他们的家长进行拉锯战，因为他们知道如果自己强烈地抗议，就能够得到想要的东西。这样的孩子也非常喜欢发脾气，尤其是在第3年的前半年。如果父母读过这本书，并严格按照我们的建议去做了，他们就能够避免这样的麻烦，他们的孩子就会顺利地进入第3年。

对于发展良好的孩子，在第3年中会出现我们在优秀的3～6岁孩子的行为中看到的三种社会能力：（1）轻松地向同龄人表达情感的能力；（2）领导与跟随同龄人的能力；（3）对竞争的兴趣和愿望。

我们已经在涉及到向成年人表达情感的问题时讨论过其中的第一种社会能力。轻松地向同龄人表达情感，反映了发展良好的孩子在这之前的18个月向父母表达钟爱之情的同样的自信心。

至于第二种能力——领导与跟随，一些3～6岁年龄段的孩子在同其他孩子共同进行的活动中只愿意处于领导地位，而不能扮演跟随者的角色。另外一些孩子喜欢跟随，但没有领导其他人的能力。当然，还有一些孩子这两样都做不到。发展良好的3～6岁孩子应当能够有效而轻松地领导别人和被人领导。这种社会能力可能会在第3年中出现。

最后是发展良好的学龄前儿童表现出的竞争行为。发展良好的3岁孩子知道自己有能力和别人竞争，并且渴望接受新的挑战。“我能做得比这更好”是典型的第七阶段孩子所说的话。我不相信这意味着他们的目的是称霸于其他孩子。当他们说自己能做得更好时，他们只是在叙述一个事实。他们知道如何出色地完成一件工作，而且，他们知道自己有能力。然而，他们还不够圆滑，认识不到这样说有可能会伤害别人的感情。随着第七阶段的发展，你会看到这种新的竞争行为开始出现。

我们知道，在我们的社会中，某些文化讨厌竞争行为，并且不赞成孩子表达对其他人的不快。你当然可以选择不允许你的孩子做出这种行为，这是你的权利。然而，这些特点广泛存在于来自很多种族和经济社会背景中发展良好的3～6岁孩子的日常行为当中。

关于第七阶段孩子的社会行为，最后需要指出的一点是：第七阶段的孩子倾向于每次只与一个孩子进行交流。这种趋势会一直持续到学前阶段。

智力发育

到了第七阶段，我希望你2岁大的孩子已经进入一个智力发展的新阶段——孩子既能利用手和眼通过“试错”的方式解决问题，也能越来越多地利用头脑来解决问题。头两年中显示出来的大部分智力行为都属于“试错”类型，我们称之为“感觉运动智力”。当婴儿试图抓取一个够不着的东西时，他通常会用实际行动尝试各种方法；而2岁以上的孩子通常会先思考可供选择的解决方法，选择好最为可行的一个，然后才行动。从通过行动解决问题向通过思考解决问题的转变，发生在婴儿期的晚期。现在，孩子已经比1岁时更有能力对事情和状况进行思考了。他已经变成了一个思考者。这种新能力使你能够开始用理性的方法控制他了。在“第七阶段推荐的育儿方法”部分，对这个话题有更详细的讨论。

与第2年相比，第七阶段的孩子已经成为一个更加成熟而具有思想的个体。他比以前对客观世界及其恒存性已经有了更多的了解，他知道，即使不在现场看着一个物体，它也是存在的。他对物体的运动路径以及简单的因果效应也有了更多的了解。他知道变化是如何发生的，并且能够在很多情况下对结果进行预期。他的短期记忆已经发展完全。他每天醒着的时间也比以前更多了。最后，你已经可以和你的3岁孩子谈论昨天甚至上个星期的事情了，他已经能很好地处理这些概念，当然，你也可以和他谈论将来了。

第七阶段的孩子是一个思考者，或者是皮亚杰所谓的“以自我为中心的思考者”。根据皮亚杰的观点，“自我为中心”是指这个年龄的孩子只会从自己的角度考虑问题。你还记得那个和父母一起玩时把牛奶洒在餐桌上的第六阶段孩子吗？在认真思考了一会儿之后，她宣布是姐姐弄洒了牛奶，尽管她的父母一直在旁边看着。作为一个早期的思考者，她在思考的过程中除了对逃避惩罚的需要之外，还想不到别的。

皮亚杰还描述了第七阶段孩子的其他特殊的心理素质。其中，特别有趣的是对生命的看法。在这个阶段的孩子眼中，任何活动的东西都是有生命的。因此，以你的方式来假设孩子会如何看待一片在大街上被风吹动的树叶，你可能就会犯错误。

让我用发生在自己家里的一件趣事来说明这一点。我曾经用一个完整的龙虾壳来测试我的3岁女儿对生命的看法。刚刚看到龙虾壳的时候，她表现得稍微有些害怕，直到我向她保证这个东西不会伤害她，因为它不是活的。起初，她对我的话半信半疑，但她决定小心翼翼地接近它。突然，那个放在台阶上的龙虾壳轻微滑动了一下，她立刻向后跳开——在她看来，这意味着龙虾是活的。

在和一个2～3岁的孩子打交道时，重要的是要记住，尽管他的思维已经非常活跃，但其运转方式仍然很不成熟。一旦你的孩子进入了第七阶段，我建议你了解一下皮亚杰的研究结果。它们是很不寻常的。顺便说一句，皮亚杰在这方面所做的研究是在20世纪20年代以瑞士儿童为对象（其实是他自己的孩子）进行的。总体来看，他的发现被证明都是正确的，但是，与皮亚杰的研究对象相比，现代美国儿童通常会在更早的时候进入新的智力发展阶段。

对第七阶段孩子的最终教育目标就是发展在第6章中讨论过的那些能力。在第七阶段，随着孩子越来越接近3岁，对3～6岁孩子的能力评估越来越与本书密切相关。在第3年中，如果一切顺利，你就可以看到所有这些能力都开始发挥作用。在以下的部分中，我们将讨论父母如何在第七阶段促进这些能力的发展。

第七阶段推荐的养育方法

培养能力：社会能力

获得并保持成年人的注意

孩子获得并保持成年人注意的能力在第七阶段会变得越来越熟练。在这个阶段，重要的是要确保孩子在保持你的注意时所使用的方法是能被社会所接受的，并且是合理的以及有效的，还要确保孩子知道何时停止。我曾经在前面指出，婴儿的自然倾向是过于关注他们的主要看护人，从而失去了很多其他体验。你要时刻留心你的孩子如何（以及多么频繁地）保持你的注意。这种意识将帮助你对孩子这方面的能力加以引导。

确定任务难以完成后，向成年人寻求帮助

孩子会用两种方法来确定一项任务是否太难完成。显而易见的一个方法，也是头两年中尤为常见的一个方法是，他们自己进行尝试。在第 3 年中，随着孩子具备了更多的思考能力，他们会使用第二种方法——先在头脑中进行尝试。从 2 岁生日时起，你的孩子在向你寻求帮助之前，可能没有可以观察得到的解决问题的努力，但这并不总是意味着他没有对问题进行彻底的思考并确定自己无法解决。这种解决问题的方式的转变可能会导致你得出错误的结论，认为你的孩子在向你寻求帮助之前根本没有怎么努力。

当第七阶段的孩子仅仅是出于独占你的时间的目的而向你寻求帮助时，他的动机通常十分明显。我建议你适当满足孩子的请求，但不要鼓励孩子掩饰他的真实意图或是和你过度亲近。这个问题与很多其他相关问题一样，对于只有一个孩子的父母来说通常较难应

付。如果你在第七阶段的前半期需要面对这个问题，也没有什么可惊奇的。

向成年人表达钟爱之情和轻微的不快

在讨论第六阶段的孩子时，我曾提到表达自发的情感的重要性。在此，我仍然建议鼓励第七阶段的孩子在任何需要的时候向你表达他的感觉。我不是指你应当不断地问他是否爱你，但是，当孩子自发地向你表达亲情时，你应当表示欢迎并尽情享受孩子的爱。相应地，如果他对你或其他人表现出轻微的不快，你就要问问自己他是否有理由这样做。如果有，就应该作一些让步。这并不是说你应当对孩子严重的敌意或大发脾气持宽容态度，你要做的是理解孩子，但是态度要非常坚定。

父母常常发现自己很难接受孩子所表达的不快。但是，你应当准备好应付这种局面，如果孩子将自己的烦恼表达出来，你要提醒自己这种消极情绪的表达是孩子成长中必不可少的一部分。你要坚定地设立规矩，但同时也要小心地寻找引起孩子不快的原因。

领导和跟随同龄人

你可以在孩子与你的互动中给他练习领导能力的机会，以此促进其领导能力的发展。尽管我们不知道孩子在与成年人或哥哥姐姐的接触中所学到的领导与跟随的技能、态度和行为在多大程度上能转化到与同龄人的接触中，但有些转化确实能发生。

要想帮助孩子发展领导与跟随同龄人的能力，就应当让他经常有在愉快并受到看护的环境中与同龄人在一起的体验。从孩子2岁半时开始，这种体验就可以在游戏小组、幼儿园甚至日托中心进行安排。我们发现，发展极其良好的2岁孩子能够和同龄的小伙伴愉快地玩耍，前提是其他的孩子也同样成熟，并且看护孩子的人富有经验。我们建议你为孩子循序渐进地安排这种体验，一开始每周一天，每天3个小时；然后增加到每周3天，并持续几个月；直到孩子30个月大的时候上幼儿园，就可以有每周5天，每天3个小时的体验了。

在第3年中，孩子在玩耍时喜欢两人一组。对于第七阶段的孩子来说，多个玩伴是没有必要的。如果在你家附近有一两个孩子可以经常和你的孩子一起玩，你就可以不用费任何力气。问题是，如果只有这一两个玩伴，接触不同孩子的机会就受到了限制，而且，第七阶段的孩子有可能会形成一个孩子控制另一个孩子的不良关系。在这种情况下，孩子练习领导与跟随能力的机会与可以接触很多不同的孩子时相比就相对较少。

向同龄人表达友爱之情和轻微的不快

孩子向其他人表达情绪——无论是积极情绪还是消极情绪——的能力会在头3年中得到发展，这种能力的发展部分是通过孩子与核心家庭成员的接触来实现的，部分是通过在第3年中孩子与同龄人的接触来实现的。不管是在家里还是在幼儿园，你都应当鼓励孩子表达自己的感觉。

与同龄人进行竞争

培养孩子的竞争精神的想法会使一些人感到不快。但是，如果你对此不是特别反对，我就建议你对孩子适度的竞争精神加以鼓励。特别是在美国这个看重个人成就、独立和个人责任的国家里，一个不愿意竞争的孩子可能会处于不利的地位。此外，“竞争”这个词的很多内涵早已得到人们的肯定。竞争行为暗含着的是圆满完成一件工作所需的一些洞察力，对一项任务始末的理解，以及发现和利用各种资源完成一件工作的兴趣。

在我看来，在谈论养育方法时，竞争有时被赋予了错误的解释。从最好的方面来说，一个具有竞争意识的人是非常渴望成功的，渴望把事情做好，并且使自己的工作做得比别人好。具有竞争意识的人很有可能具有较高水平的自信。正是在这种健康的意义上，我们要孩子具有竞争意识，也是从这种意义上，我建议你鼓励孩子的竞争意识。通过对孩子的成就给予关注、做出自豪的表达并且为孩子更好地发展自己的能力和创作更好的作品而提供帮助，一句话，就是帮助孩子成为一个能力更为出众的人，你就可以很容易地鼓励孩子发展竞争意识。

对成就感到骄傲

随着孩子变得越来越老练和懂事，他们在第3年中会继续一种趋势——希望自己的成就得到赞扬。这种倾向会在孩子3岁时得到确立。第七阶段的孩子会经常骄傲地提起自己新获得的一个技能或是新创作的一件作品。

孩子在第3年新获得的能力可能包括骑三轮车、搭积木，或是模仿较大的孩子进行绘画或写字。孩子会通过很多方式表现出对成就的兴趣，以及因为取得成就而受到赞扬的喜悦。

在此，特别重要并需要提醒你的是，如果孩子所做的事并不真正值得表扬，那么你的表扬就不会给他带来好处。这并不意味着你应当设立不现实的高标准，而是说，如果孩子的成就没有达到他应有的能力水平，而你表扬了他，就可能导致他降低自己的标准，或是导致孩子不适当的期望。你应当基于孩子的成就给予孩子与之相符的赞扬，同时要记住，对孩子成就的衡量要考虑到孩子相对简单的发展水平，即使是在第3年。

进行角色扮演游戏和“假扮”游戏

在洛伊斯·墨非（Lois Murphy）的开拓性著作《儿童的性格》一书中，主要人物是一个发展良好的名叫科林的男孩，他的一个非常有趣的行为是经常会穿着模仿某个人物的衣服去上幼儿园，并且在一天当中会花大量时间来扮演这个人物。他所选择的模仿对象通常是某个成年人。

事实上，所有2～4岁的孩子都会在某种程度上进行角色扮演游戏。然而，在我们的研究中，发展良好的3～6岁孩子进行角色扮演游戏的次数和形式都与发展欠佳的孩子有所不同。

总的来说，发展良好的孩子会选择扮演成年人的角色。他们经常会扮演医生、律师、护士、演员、卡车司机和宠物店老板。此外，这些孩子有时会假装自己是某个虚构的英雄，例如蝙蝠侠或超人。而那些发展欠佳的孩子倾向于扮演较为落后或是没有太大抱负的角色，典型的例子就是扮演婴儿或假装自己是一个动物。

另一种相关的行为是“假扮”或幻想行为——例如，假装在烤蛋糕或是和幻想中的伙伴一起玩。

角色扮演是一种有趣的行为，父母可以在这种行为中与第七阶段的孩子进行富于建设性的交流。一些父母可能担心如果鼓励孩子进行此类游戏，就会影响他们对现实的把握。我们的观察显示，这种担心是毫无根据的。对于大部分发展良好的孩子来说，他们的父母常常鼓励孩子进行幻想游戏。你也许应该更多地鼓励你的第七阶段孩子进行这种游戏。

培养能力：非社会行为

良好的语言发展

我们一再观察到发展良好的3～6岁孩子说话特别清晰，会使用大量富于表现力的语言，并且通常在各种语言技能方面都十分出色。到孩子满3岁的时候，他应当能够理解在其一生的日常对话中将要使用的大部分语言。你越多、越有效地运用语言与孩子交谈，他的语言能力就会越好。回想一下我们描述过的教子有方的父母对孩子的主动表达给予回应的方式。到现在为止，你应当有过几千次机会进行这种回应，并且也应当建立了一种同孩子进行交流的轻松而有效的方式。

到你的孩子进入第七阶段时，他的语言发展应当已经超出了平均水平。如果你一直在使用我们推荐的技巧，尤其是采纳我在第五阶段首次提出的回应方式，你的2岁孩子就应当懂得了400多个单词，而这个阶段孩子的平均水平是懂得300个单词，他甚至可能已经变成了一个话匣子。而且，如果你的家庭是双语家庭，那么你的孩子现在应当在这两种语言上都已经超出了全国平均水平。

鼓励孩子持续而良好的语言发展并不需要你做很多事情。如果孩子的生活是有趣的，并且如果他每天花很多时间和你在一起，那么他的语言能力在第七阶段将有很大的发展。我再次建议你继续使用图书并给孩子讲故事，虽然没有任何研究证实过它们的价值，但常识认为这样做会有好处。

尽量不要低估孩子的语言能力，但也不要使谈话始终超出他的能力。我建议你采用一种稍微超出孩子能力水平的语言同他交谈。

关于看电视，我建议让第七阶段的孩子看《芝麻街》。尽管这个节目是为发展稍缓的3～4岁孩子设计的，但一个发展良好的第七阶段孩子通常都会喜欢这个节目。在我看来，如果适当地让孩子看录像和好的电视节目，就会为他的生活增添一种乐趣。然而，如果你对孩子看电视特别反感，那你就不要让他看。因为还没有任何证据能够证明此类电视节目有益于孩子的教育，或对孩子的教育是必要的。

注意微小细节和差别的能力

发展良好的3～6岁孩子是非常准确的观察者，他们能够很快地发现各种矛盾和反常之处。帮助第七阶段的孩子锻炼观察能力是一件简单且令人愉快的工作。例如，如果你的孩子让你看一本图画书中的东西，你就有了一个自然的机会来帮助他提高语言能力，增强他的好奇心，并且锻炼他的观察技能。假设他让你看的是一幅有关火车的画，你不要只回答说“噢，没错，这是一列火车。”你应当说：“噢，没错，这是一列非常有趣的火车，它在这一侧有3个轮子，在另外一侧可能也有3个。妈妈的汽车每一侧只有2个轮子。”你为他提供什么信息并不重要，只要它与这幅画或当前的情况有逻辑关系，并且能够拓宽孩子的思路就可以。你有无数的机会可以向他指出各种事物的相似之处和差别，所有这些都会令第七阶段的孩子感到兴趣盎然。但是，我要提醒你的是，不要过度扩展这种练习。要简短而适度，除非他希望深入下去。你会发现，他对这些话题虽然感兴趣，但其兴趣通常是有限的。

对结果进行预期的能力

如果你正在给浴缸注水，而你的孩子能够提前想到如果你忘记关水龙头会发生什么事情，这就说明他已经能够对结果进行预期了。或者，如果另外一个孩子试图一次拿太多东西，你的孩子可能会指出他拿的东西会掉。一个具有这种对事件的结果进行思考的能力的孩子，就能避免麻烦，并且满足了自己比其他孩子强的心理需要。

帮助你的孩子养成对结果进行预期的能力也同样非常简单：你只需不时地指出接下来要发生什么。每次你的孩子肚子饿了的时候，你都可以提醒他在你给他做饭时，他必须等待。当他特别饿的时候，他可能不太容易听进你的话；但当他不太饿的时候，他就可能会对你所说的话加以注意，这是一个很好的学习机会。

理解抽象概念的能力

这是一种非常广泛的认知能力。一个能够数数的孩子，能够很好地运用词语并且懂得事物类别名称的孩子，一个认识字母和颜色的孩子，就是一个能够有效处理简单抽象概念的孩子。一个能够谈论不在眼前的事物或是以前发生的事情的孩子，就是一个能够很好地处理抽象概念的孩子。

通常，3～6 岁孩子的谈话都是围绕着实际存在的人或事物来展开的。尽管抽象能力的确已经出现，但学龄前的儿童还是更容易理解此时此地的事物。

这是一个由于孩子的智力尚未成熟，你在养育孩子中必须知道的限制。例如，你可以利用家里的几把钥匙和锁告诉一个第七阶段的孩子钥匙的作用。然后，你可以和孩子谈论钥匙和锁的关系，以便让他建立起钥匙及其开锁功能的抽象概念。但是，如果你和孩子谈论诸如真理、道德或偶然事件的话题，就超出了他的理解能力。我建议你在试图提高孩子的抽象理解能力时要循序渐进，因为这种教育会随着时间的流逝自然而然地发生。

从别人的角度考虑问题的能力

皮亚杰为了了解这种能力设计了一个有趣的小实验。他在山脉模型的不同位置上放了几个洋娃娃。然后问孩子，这几个娃娃从它们各自站着的地方能看到什么。还没有学会从别人的角度考虑问题的孩子只会描述他自己看到的东西。但是，已经具备了这种能力的孩子就会相当准确地描述出每个娃娃能够看到的东西。我们发现这种能力广泛存在于发展良好的3～4岁孩子身上，尽管这比皮亚杰所指出的出现这种行为的平均年龄要小很多。

从别人的角度考虑问题的能力是你在孩子身上较难培养的一种能力。这种行为与孩子在第3年中不从别人的角度看待问题的强烈倾向相反。第七阶段的孩子倾向于只从自己的需要出发来看待这个世界。这种思维方式被称为“自我中心主义”，这是一个被皮亚杰广泛讨论和研究的现象。

如果一个2岁大的孩子兴高采烈地向父母走来，并且衣服上和手上沾满了巧克力糖霜，那么成年人对他的反应可能会因人而异。有的父母可能会同时考虑这种情况的两种因素——糖霜及其意义，以及孩子脸上兴奋、愉快的表情——并给予两者同样的重视；有的父母可能会只注意孩子兴奋的表情，为之感到高兴，并想要知道孩子为什么这么兴奋；还有的父母可能因为过于关注巧克力糖霜及其代表着什么，而几乎没有注意到孩子的表情。那些只注意到巧克力糖霜及其为他们带来额外麻烦的父母，就是从自我为中心的角度考虑问题——换言之，他们的头脑被自己的兴趣和需求占据了。那些注意到孩子兴奋表情的父母则是从孩子的角度看待问题。因此，自我中心主义并非只存在于儿童身上，我们在生活中都会有这样的经历。通常，我们以自我为中心的程度取决于具体的情况及其对我们情感的重要性。

鉴于孩子在此阶段的这种倾向性，我们建议你在对孩子的自我中心主义进行干预时要适度。但是一旦有这样的机会，你就要告诉孩子这个世界在其他人的眼中是什么样子。你会发现孩子经常表现出对这种观察的兴趣。然而，当孩子感到非常生气或不高兴时，不要尝试进行这种教育。如果你的第七阶段孩子极其生气地向你走来，因为哥哥把他自己最喜欢的玩具拿回去了，而这个玩具是他正在玩的，此时，就不是教给他如何从别人的角度看待问题的时机。你会很自然地想要向他指出，这个玩具也是哥哥最喜欢的。你可能会问他："如果别人拿着你的玩具不还给你，你会怎么想?"如果这番话对他不起什么作用，你也不要惊讶。为了让别人行使权利而牺牲自己的利益，对于这个阶段的孩子来说是很困难的。

实验：沾满巧克力糖霜的孩子

对于大部分人来说，向孩子甚至是只有 2 岁大的孩子解释自己对某事的感觉是件很容易的事，尤其是结合具体的事例。如果你正在和他谈论一双你穿着太小的鞋子时，你可以举个例子，指出尽管这双鞋对你来说太小了，并且会使你的脚很疼，但它不会使孩子的脚疼，因为这双鞋对于他来说一点也不小。

进行有趣联想的能力

我们在幼儿园进行观察时，经常会看到老师给孩子讲故事。所讲的故事有时有着奇异的情节，如史前怪兽或童话中的王子。我们发现，发展得特别好的孩子会对故事进行有趣而具有创意的联想，这使我们认为，创造性的想象是孩子的一个明显特征，并且能够在孩子满3岁的时候出现。

听故事，不管是像电视节目《芝麻街》中的故事，还是某个成年人或哥哥姐姐讲的故事，都有助于激发儿童的想象力。如果你鼓励孩子进行适当的创造性思考——这可能是一个适度的想法——你就会有助于一种了不起的才能的发展。

实施复杂活动的能力

我们把这种能力称为“管理能力”。发展良好的3岁孩子能够把另一个孩子和一些材料组织在一起，计划、组织并实施复杂的活动，例如玩商店游戏、过家家游戏或打猎游戏。

这种能力的发展也有赖于孩子的生活及心理的成熟程度。在头3年当中，你的促进作用可能不会非常明显。例如，你可以让孩子注意你组织活动的方式。你可以适当地向他描述你烤蛋糕、做饭或修理电器的一些步骤；你可以在组装一个玩具时让孩子在一旁观看，并向他解释你的步骤。养成在孩子关注的时候，大声谈论你正在做的事情的习惯，可能是一个最简单而有效的方法。

有效利用资源的能力

这个阶段的孩子显然还不会用笼子把真正的狮子关起来，或是用网去捕捉它们。用大纸板箱作为笼子是一个有效利用资源的方法。这是一个你在做事情时大声谈论会起到作用的领域。如果你在执行一项任务时这样做，你就能够帮助你的孩子明白资源的不同用法。例如，你可以告诉他如果需要锤子来砸某个东西，而手边正好没有锤子，就可以用其他东西代替。向他指出，用一块很重的石头来敲击，可以得到和锤子一样的效果；或者如果自己无法移动某个东西，可以让三四个人来帮你抬，而不是自己徒劳地费力，这也是一种很好地利用资源解决问题的方法。

双重注意力

双重注意力是指可以将注意力集中在手头的一项任务上，同时还能留意身边纷乱环境中所发生的事情。我们以小组为单位对 3～6 岁的孩子进行了研究，发现该年龄段发展良好的孩子拥有这种能力。但是，发展处于平均水平的孩子在这方面就存在问题。对于这样的一个孩子，当其他人向他提出请求时，他要么会因为回应别人而放下手边的事情，要么至少忘记了自己原来的思路或者所注意的事情。一些 3～6 岁的孩子永远无法在纷乱的环境中集中精力做一件事。他们总是会被其他事情分神，无法集中注意力。对于这种能力，我们也不知道如何培养。

总而言之，以上这几种能力都可以用来指导有效的养育实践。然而，你没有必要每时每刻都进行这几方面的教育，也很少有人能做到这一点。我们所观察过的教子有方的家庭在孩子第 3 年中不会在这方面花费大量精力，他们也不会为了让孩子获得良好的早期教育而在孩子人生头几年中牺牲其他的兴趣、乐趣和活动。

在头 3 年中，要想做好养育工作并不需要花费大量的时间，如果我使你认为这项工作的确需要大量时间，就是一种误导。根据我们的实际统计，那些有着发展良好的儿童的家长，平均每天只有 70 分钟将全部注意力放在他们 1 岁的孩子身上。（初为父母的人会花费两倍的时间，但他们是另一种类型。）即使是在头 3 年的后期阶段，那些教子有方的父母直接与孩子互动的时间也很少超过 90 分钟。

有些父母对这些统计数据的准确性表示怀疑。他们感到自己所花的时间远远不止于此，尤其是在第六阶段。但心理时间和实际时间之间存在着很大的差距。令我们印象深刻的是，实际上父母每天都要花很多时间做家里的其他事情，即使是在条件非常好的家庭。

应付同胞竞争

到现在为止，你应当知道，同胞竞争给大部分家长带来的巨大困难给我留下了多么深刻的印象。如果你有一个第七阶段的孩子，还有一个新生的婴儿，那么你在这个问题上还不会遇到太大的麻烦。如果你有一个第七阶段的孩子，同时还有一个9个月或10个月大的孩子，你就可能已经深刻体会到了由同胞竞争所带来的烦恼，及其所需要的特殊关注。如果你有一个第七阶段的孩子和一个第六阶段的孩子，你可能会非常希望看到本书的这部分内容，因为你很可能已经忍受这种长期的压力好几个月了。

在讨论第六阶段的孩子时，我简要地涉及了应对同胞竞争这个话题。在第七阶段，同胞竞争的话题需要给予更多的笔墨。以下建议会有用。多年来，我们已经在很多家庭使用了这些方法，我非常欣慰能把这些方法传授给你。

你首先要考虑的是宝宝会遇到的危险。我要警告你的是，一般第七阶段的孩子能够给弟弟妹妹造成非常严重的伤害。因此你一定要小心。要尽可能让较大的孩子明白，你绝不容忍他伤害弟弟妹妹的行为。此外，千万不要认为，你已经多次向第七阶段的孩子发出了警告，你的工作就结束了。你要随时提高警惕。

其次，你要记住较大的孩子对弟弟妹妹一直心怀不满。理解这一点是处理这个问题的第一步。接下来，你要记住的是，当较大的孩子在场时，你对小宝宝的过分关心会使情况变得更糟。不仅父母需要在这方面多加小心，而且应当警告其他人，尤其是祖父母们，也要避免这种行为。

接下来，让较大的孩子经常到外面去玩，这样可以减轻他的压力。可以让他和其他孩子一起玩，去幼儿园，或是让临时照顾孩子的人带他出去玩。如果你不这样做，而是让较大的孩子在家里长期生活在同较小孩子之间的不公平竞争所带来的压力之下，日复一日，你就无法使情况得到改善。

除了最为重要的安全防护之外，解决同胞竞争问题最重要的部分是爸爸或者妈妈每天花些时间单独陪伴较大的孩子。我们强烈建议你每天花半个小时左右的时间做这件事，因为父母的单独关注是较大孩子的最迫切需要。不管你费多少口舌向他解释你仍然爱他都无济于事。在同胞关系方面，没有任何一种课程或书籍认为较大的孩子有能力理解这种情况，或者孩子的情绪控制能够替代父母的单独关注，要求孩子自己能够解决这一问题是不现实的。在这段单独的时间里，不要让较小的孩子在场。

随着时间的推移，情况会逐渐变得轻松一些。在第3年里，较为年长的第七阶段孩子很可能会表现出顺从，并且降低了对生活的热情。不要对此感到心灰意冷，这是孩子对环境的一种自然适应。如果父母双方能够积极应对这些问题，较为年长的第七阶段孩子就能够顺利度过这段时期。随着他对同龄人以及在外面玩的兴趣的逐渐增加，情况对大家来说都会有所改善。

人们常常会问，年龄相差不大的孩子未来的发展将会有怎样的前景。不幸的是，关于这个课题还没有充分的研究，[①] 因此我们无法预测这些孩子最终是否能成为亲密的伙伴，或者这种早期的不友好是否会延续很长时间。有些人在25岁的时候会说："我和我妹妹小时候经常打架，但是现在我们相处得很好。"但是，还有些人会说："小时候我就不喜欢她，现在还是不喜欢。"

①尽管近年来公布了一些关于同胞关系的研究报告，但是相关信息都是通过采访获得的。我相信在各种不同的情况下对实际行为进行观察是进行这个课题研究的惟一有效的方法。

不推荐的养育方法

过度强调智力成就

或许，最为常见的养育问题是一些父母过于关心孩子的智力成就。由于受到一些不正确的早期教育信息的误导，很多人得出了这样一个结论——让2～3岁的孩子上一所在教育方面卓有成效的幼儿园极其重要。但是，世界上并没有这种具有卓越教育成效的幼儿园。这并不意味着我不建议让孩子上幼儿园。有很多原因表明，幼儿园能够为孩子带来有益的经历，并且能够为父母提供帮助。然而，对于良好的智力发展来说，幼儿园并非必不可少。研究者们已经对很多类型的幼儿园进行了多次研究，到目前为止，还没有发现一所幼儿园能够对孩子有长久的益处。

2岁大的孩子是个复杂的生物，很多发展过程在他身上同时进行着。在我看来，把一个人的智力发展摆在第一位会对儿童造成潜在的危害。通过对3～6岁的孩子进行的广泛观察，我们发现很多孩子在智力方面成熟较早，他们能够流利地进行对话，并能做简单的算术，知识量也远远超过了一般的同龄孩子，但是，他们在与其他孩子和成年人交往时表现得比一般孩子更加笨拙和焦虑。

一个各方面平衡发展的孩子——也就是智力和社会能力平衡发展——可能无法在各方面都达到与经过特殊教育的智力早熟的孩子同样的发展水平。例如，如果你在努力培养一个音乐天才，所花费的时间、进行的学习和练习很可能会使这个孩子具有优秀的音乐技能。但是，这个孩子去外面和其他孩子一起玩的机会可能就会因此而减少，他在掌握运动技能方面可能也不如同龄的大多数孩子，而且他对生活中很多活动的天然兴趣可能也会受到影响。

我的建议是：要注意孩子的平衡发展。对智力发展的过度追求常常会使其他同样重要甚至更加重要的方面受到影响。

昂贵的教育玩具

对第七阶段的孩子来说，我对昂贵教育玩具的看法类似于对幼儿园作用的看法。不管你收到了什么宣传材料，在报纸上看到了什么广告，你都要记住，没有一种玩具被证明对于该阶段的孩子具有教育价值。不要因为邻居的孩子拥有市面上所有的教育玩具而感到不安，与你的孩子相比，他没有任何优越的地方。

无人看护的游戏小组

特别是在第七阶段的早期，我建议你在孩子同其他小伙伴一起玩的时候要保持警惕——出于同样的原因，对孩子在日托中心和幼儿园的活动也要多加注意。对于第七阶段孩子的第一个朋友，你也必须谨慎挑选。3 岁的孩子已经是一个在心理与情感上相当成熟的小人儿了。然而，正如我们所看到的，2 岁的孩子在这些方面仍然很不成熟，他仍然会被原始的破坏欲所控制。有时候，如果两个孩子经常在一起玩，时间长了，性格温顺的孩子会逐渐屈服于另一个孩子的胁迫，看到这样的情况是很令人痛心的。这种心理压力可能不如更为普遍发生的身体上的偶尔伤害那么明显，但它所造成的长期影响可能更加严重。我并不是反对 30 个月以下的孩子和其他孩子一起玩，但是你应当知道，如果你不进行充分而有效的看护，并且如果玩伴的行为不是很有教养，那么你的孩子很可能就会有一段较为痛苦的经历。

在我们的父母教育项目中，大部分孩子都在头两年中顺利度过了对父母的依恋期。他们已经不再对父母做出试探性的行为。他们懂得了生活中的规则，并且感到很满意。他们已经准备好了与同龄人交朋友。

然而，我们需要警告父母们，典型的 2 岁孩子通常发展得并没有那么好，父母应当对他们的玩伴多加注意。父母们应当寻找一个在社会能力方面与自己的孩子处于同等水平的孩子，而且应该是顺从的孩子，两岁或三四岁的孩子都可以。直到满30个月的时候，这些玩伴的交友能力在个性发展的基础上才开始定型，因为24～30个月期间是一个过渡时期。

过度放纵

长期的过度放纵将会在第3年出现令人不快的结果。一些孩子会在第七阶段变得非常难以对付，尤其是当家里还有一个刚刚会爬的婴儿的时候。同时，这个时期也是家长应当对孩子态度坚决的时期。如果你习惯于向孩子屈服，或是任凭他发脾气，对他的不良行为不理不睬，这样对他没有一点好处。(我必须坦白地说，如果他在2岁时仍然没有改掉这些行为，那么在很长一段时间里，你都会不得安宁。)你应当投入特别的精力，尽快完成这个基本的社会化过程。如果你在孩子的第3年能够以慈爱但坚定的态度对待你的孩子，就会使你和孩子受益无穷。

需要注意的是，我们通过试验发现，对于初为父母的人来说，最困难的事情就是避免对孩子过度纵容。尽管有我所知道的最好的教育服务提供帮助，但是，这些父母仍然会过分补偿孩子以确保自己的孩子能够快乐，并一如既往地爱着父母。这种行为导致的后果就是过度放纵。

让我再重申一些能够帮助父母避免对孩子过度放纵的小窍门。首先，父母的指导思想应当是让孩子了解他是一个非常特殊的人，但是他并不比其他任何人更特殊，尤其是他的父母。第二，父母应当采取一种健康的利己主义态度。最容易过度放纵儿童的人就是孩子的父母。我们建议父母应当明确孩子和他们自己的权利范围。父母们应当检查孩子的行为，确保孩子所有的权利都能得到尊重，同时也不允许孩子侵犯其他人的权利。

第 9 章

孩子在头 3 年中教育发展的总结

概述

本章的目的是对前面讨论过的早期发展问题进行总结。我们设计了九个图表来总结前面讨论过的问题，以此作为你的参考要点。

这些图表被分成三组。第一组称为“必要信息”，是关于头 3 年中孩子成长和发展的必需信息，用来指导你切合实际地完成教育工作。第二组称为“教育基础”，是关于四个主要教育过程的发展的。第三组称为“特有能力的发展”，是那些优秀的 3～6 岁孩子发展的特别好的能力。

第三组图表中使用了“特有能力”一词，因为本书并不涵盖孩子在头 3 年中不断发展的所有能力。有一些能力没有在本书中给予讨论，因为据我们所知，对于这些能力，没有任何特殊的教育方法或环境能够有效地促进其发展。例如，在我们的研究中发现，发展欠佳的孩子在知觉或运动发展方面并不比一般的孩子差。一些在此方面具有特殊兴趣的人可能会对这种说法持有不同看法。正如你所知道的，市面上的一些书籍自称能够帮助你在头几年中促进孩子运动能力的发展；还有一些书宣称对在头3年中引导孩子的感觉运动发展——尤其是视觉运动发展——非常重要。如果你愿意听从这些作者的建议，当然是你自己的选择。

父母们面临的一个主要问题是感到迷惑。产生迷惑的部分原因在于长期忽视寻求一些关于孩子早期发展的准确信息，另一部分原因在于缺乏教育部门的充分指导。如果你听从本书的建议，我相信你的3岁孩子将会有一个良好的人生开端，而且最重要的是，他将成为一个快乐的孩子。然而，如果你希望他在2、3岁的时候能够拉小提琴、做俯卧撑或者读书，那么你就必须从其他地方寻求指导了。

这些图表是按照孩子从出生到3岁的顺序排列的，并且以每3个月为一个时间段来划分。图表中垂直线和水平线的交汇点代表一般孩子出现此类行为的年龄。水平线表示的是开始出现这种行为或过程的不同年龄。在某些情况下，水平线也表示一个正在发展的过程，这个过程从所示的开始时间发展到结束时间。

在大多数情况下，一个过程发展的时间长度是很明显的。在图表A-1中，在运动发展方面，你会看到最先出现的是头部控制。垂直线和水平线表示婴儿通常会在4个月左右获得头部控制能力，也就是当他被竖直抱起时，稳定地保持头部位置的能力。水平线表示这种能力第一次出现在3个月到4个半月之间。通过对比的方法，如果看一下图表C-1“社会能力”，你就会发现最上面的一条线（名为“吸引和保持成年人的注意”）上没有垂直标记，这条线从出生开始一直到3岁。这说明在这种能力的发展过程中没有冲刺阶段，而是从出生到至少3岁时都以一种相对连续的方式发展。

尽管水平线（图表C-1中）表示吸引他人注意的能力在3岁时结束，但并不意味着在3岁以后，孩子就不再学习这种能力了，而是说这种能力的集中学习发生在头3年当中。此外，图表A-1显示了头部控制能力的集中发展趋势和时间范围，但是这并不意味着一个孩子在早于或晚于这个时间范围获得头部控制能力就是非典型的。这些图表是用来描述大多数孩子的发展情况的，可能有3/4或更多的正常孩子属于这个范围。

必要信息

图表A-1显示了在头3年当中出现的主要运动能力的发展。还有一些运动能力的发展也会在这段时期出现，但是没有在图表上显示，例如在头3个月中出现的当某个物体迫近时的眨眼能力，以及这一时期双眼聚焦的能力。这些行为都很重要，但是图表A-1只包括了那些对学习具有重要意义的运动能力。

在运动能力发展方面存在的问题远远少于语言、智力和社会能力方面。只要生活在一般的环境中，大部分健康的孩子都能够获得正常的运动能力。因此本书无需对此给予特殊的关注。

要想让宝宝受到教育并能在最大限度内感到快乐，我确信你应当了解他每天的兴趣所在。图表A-2及其描述的活动是复杂的。如果你想要了解更多的信息，我建议你回过头去翻阅相关章节的文字叙述。

图表A-3需要给予一些特别的注意，因为“摆脱限制”(shedding limitation)这个概念在前文中较少涉及。重要的一点是，你要知道从孩子刚出生时完全柔软无助到3岁时具有令人惊讶的能力，在此期间他所面对的自然限制有哪些。例如，一个不到3个月的孩子是一个离不开婴儿床的生物，他的感觉运动能力非常有限。注视活动的物体是他在醒着的时候能够做的仅有的几种活动之一。因此，我们需要了解颈紧张反射的作用，知道它会使2个半月以下的孩子倾向于注视自己的极右方或极左方，而不是正上方。如果你希望给2个月大的宝宝一个合适的Mobile玩具，那你就不应把它悬挂在宝宝的正上方。

同样，所有的孩子在头几年中都需要年长的人对其进行某种程度的控制和指导，而大部分成年人都喜欢利用语言来控制和指导他们的孩子，这意味着要想成为一个教子有方的家长，就要对孩子的语言能力有所了解。

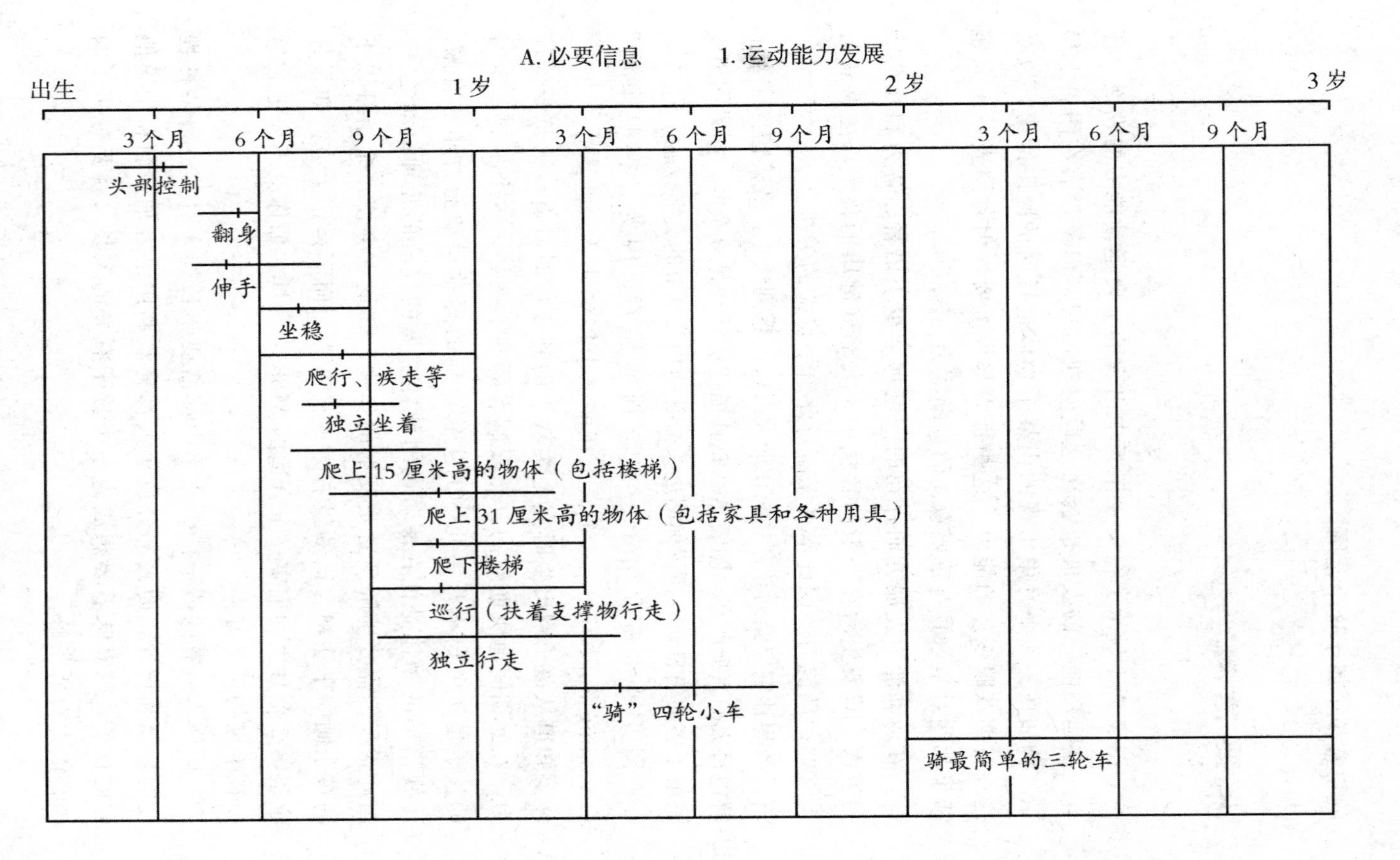

A. 必要信息　　1. 运动能力发展

A. 必要信息　　2. 典型行为

出生　　　　1岁　　　　2岁　　　　3岁

3个月　6个月　9个月　　3个月　6个月　9个月　　3个月　6个月　9个月

睡觉/吮吸和啃咬拳头/短暂的视觉兴趣/胳膊和腿的运动

广泛的视觉兴趣（自己的手和其他人的脸）/用手击打/胳膊、腿和头部的运动/吮吸和啃咬手边的任何东西/同任何人进行交流，有意啼哭（为了寻求陪伴）

广泛的视觉兴趣/手－眼行为（击打、触摸、伸手和抓取）/胳膊、腿和躯体的活动（包括翻身）/吮吸和啃咬手边的任何东西/自己发出声音玩/与人交流，尤其是主要看护人

广泛的视觉兴趣/利用小物体的简单的手的活动/练习坐起来/腿部练习/吮吸和啃咬手边的任何东西/自己发出声音玩并对词语给予注意/与人交流，尤其是主要看护人

广泛的视觉兴趣/练习新掌握的运动技能（爬行、攀登、巡行、行走）/与主要看护人交流并开始认识主要看护人/探索物体的特性，尤其是能拿起来的小物体/啃咬手边的任何东西/对词语给予注意/练习简单技能，例如开门关门、打开合上盖子、填满和倒空容器、把物体立起来等/学习简单的因果关系，例如电灯开关、推球、打开盒子即跳出一个奇异小人的玩具盒、电视机开关等/与稍大一点的哥哥姐姐竞争（被动地）

广泛的视觉兴趣/倾听语言/练习简单技能和运动技能（跑、“骑”小马车等）/探索物体/什么也不做（消磨时间）/获得物品/吸引并保持主要看护人的注意/回应简单的要求（合作）/坚持己见并对他人的意志进行试探/与稍大一点的哥哥姐姐竞争（被动和主动）/在需要时寻求帮助/练习新获得的运动技能/深夜睡眠问题出现

广泛的视觉兴趣/使用和倾听语言/练习各种运动技能（包括骑三轮车和涂鸦）/探索新事物/进行幻想游戏（角色扮演游戏）/创作作品（简单的绘画和拼图、搭积木等）/吸引和保持主要看护人和同龄人的注意/练习领导和跟随同龄人/对简单的要求给予回应/对话/在需要时寻求帮助

A. 必要信息　　2. 典型行为

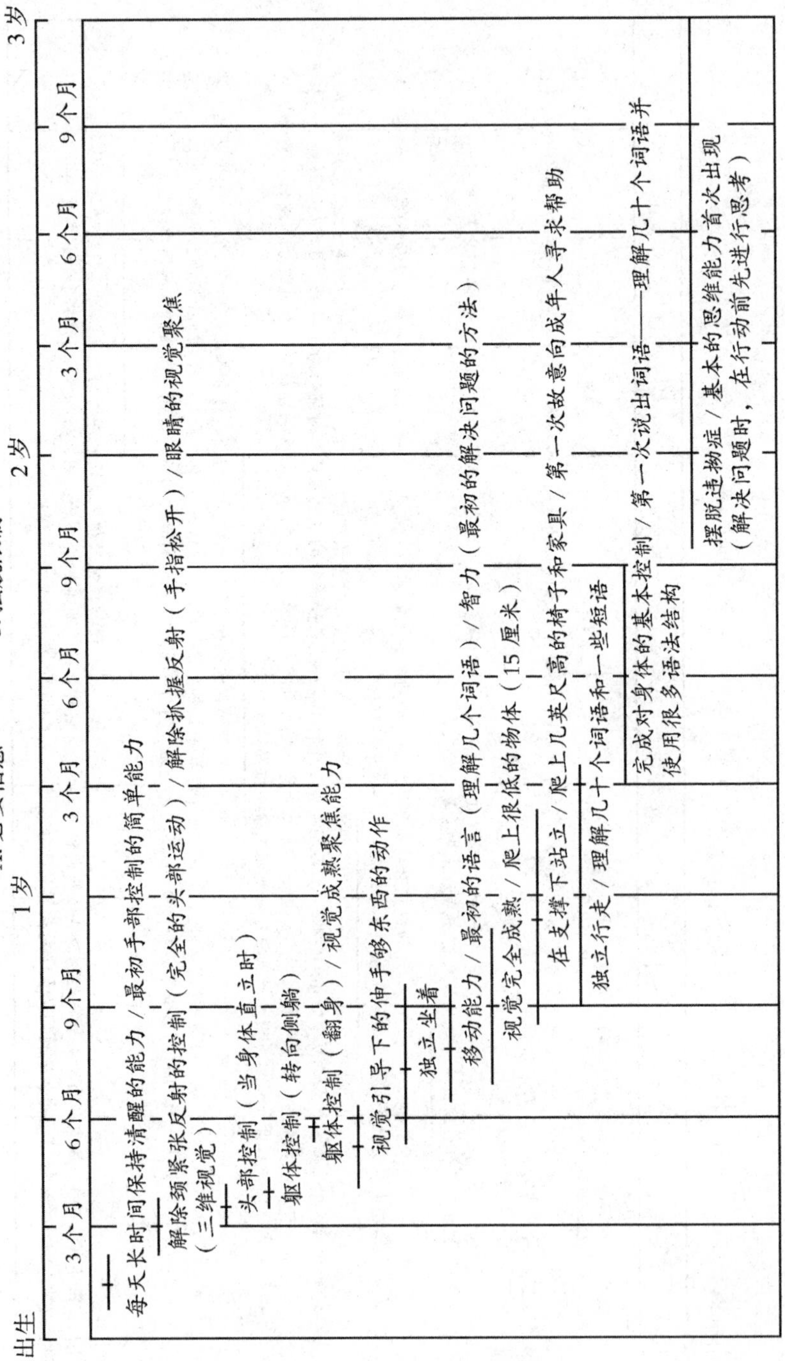

A. 必要信息　　3. 摆脱限制

出生　1岁　2岁　3岁

3个月　6个月　9个月　3个月　6个月　9个月　3个月　6个月　9个月

每天长时间保持清醒的能力 / 最初手部控制的简单能力

解除颈紧张反射的控制（完全的头部运动）/ 解除抓握反射（手指松开）/ 眼睛的视觉聚焦（三维视觉）

头部控制（当身体直立时）

躯体控制（转向侧躺）

躯体控制（翻身）/ 视觉成熟聚焦能力

视觉引导下的伸手够东西的动作

独立坐着

移动能力 / 最初的语言（理解几个词语）/ 智力（最初的解决问题的方法）

视觉完全成熟 / 爬上很低的物体（15 厘米）

在支撑下站立 / 爬上几英尺高的椅子和家具 / 第一次故意向成年人寻求帮助

独立行走 / 理解几十个词语和一些短语

完成对身体的基本控制 / 第一次说出词语——理解几十个词语并使用很多语法结构

摆脱违拗症 / 基本的思维能力首次出现（解决问题时，在行动前先进行思考）

A. 必要信息　　3. 摆脱限制

教育基础

不要被图表B-1中的前几项条目所迷惑，严格地讲，这几项条目与语言本身无关。由于这几项内容的确与孩子对声音的最早反应有关，因此将它们在此处列了出来。要特别注意各种语言能力首次出现的时间范围是很宽泛的。在前面的图表中也能看出这一点，语言是个多变的领域，尽管语言的多变性可能会使父母感到忧虑。父母经常会为孩子很晚还不会说话而担心，这是没有必要的。同走路能力一样，说话能力出现的时间范围也是非常宽泛的。在孩子出生后的头3年中，你更应该关心的是他理解语言的能力，而不是说话的能力。

对于孩子的教育发展来说，没有什么比良好的好奇心更加重要的了。儿童好奇心发展方向的变化见图表B-2。

对于图表B-3，惟一可能会令人困惑的是关于儿童发展的一些特殊条目，这些条目与孩子不到3岁的哥哥或姐姐有关。在儿童与年龄相差较大的哥哥姐姐的关系方面，这里没有给出任何信息。

图表B-4在很大程度上来源于皮亚杰的著作。如果你希望更多地了解这个有趣的话题，我建议你看一看亨特的著作《智力与经验》(Intelligence and Experience)。

B. 教育基础　　1. 语言发展

出生　　1岁　　2岁　　3岁

3个月　6个月　9个月　3个月　6个月　9个月　3个月　6个月　9个月

对尖利声音的惊吓反应

对声音感兴趣 / 用口水发出声音玩 / 对声音有所反应

听懂几个词语

认知词汇的增加（理解的词汇的平均数量）

3　12　50　100(E)†　>300(E)†　>750(E)†　>1000(E)†

听懂几个指令（“挥手再见”等）

说出几个词语

说出的词汇的增加（词汇的平均数量）

(0–5)　(10–15)　(20–25)　(200–275)　(400–450)　(800–900)

说出句子的长度（词汇的平均数量）

1　2　3

典型的语言成就

2岁时

重复两个连续的数字
理解几个介词——外面、里面、上面
理解几个常用的代词，如：我、我的、你
使用“不”这个词
发出单词前面的p、m、n、b、w、h的音
使用词语进行请求

3岁时

使用代词“他的”和“我的”以及介词“前面”、“对面”和“后面”
使用“什么”和其他一两个疑问词
使用否定句
使用单词的现在时和过去时
发出字母p、b、w、m、n、h、t、d、-ng、k和g的音
重复3个数字
理解成年人的大部分句子
理解反身代词（触摸她自己）和所有格（爸爸的孩子）

†（E）= 估计

B. 教育基础　　2. 好奇心

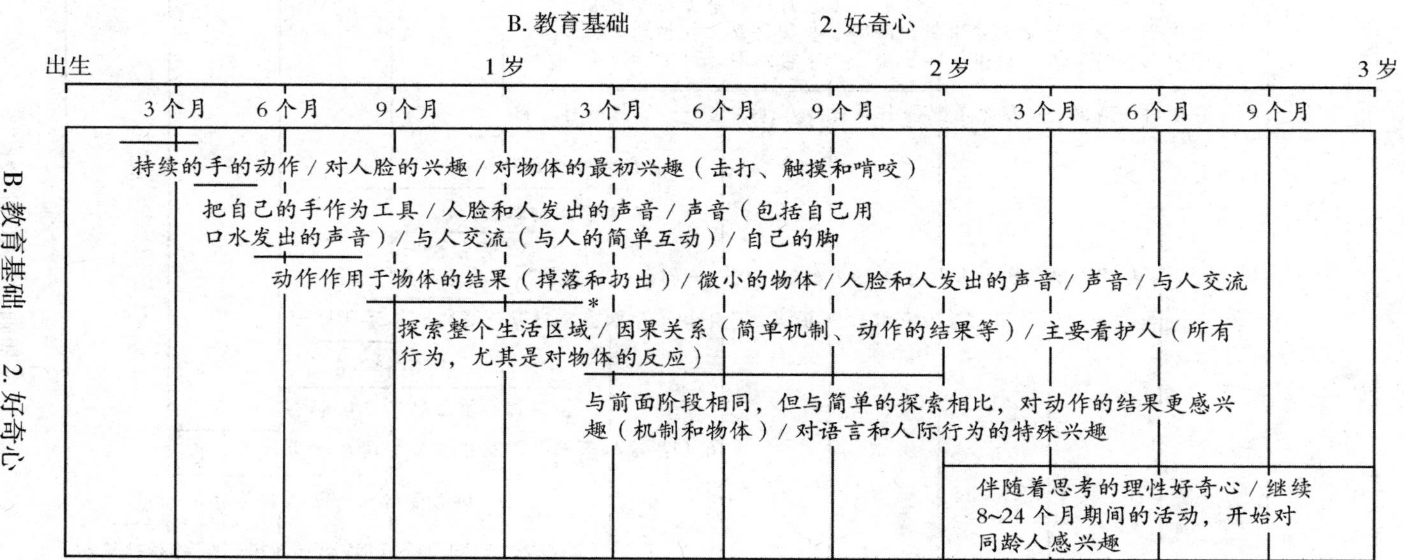

* 实际上被纯粹的好奇心所控制的时期

B. 教育基础　2. 好奇心

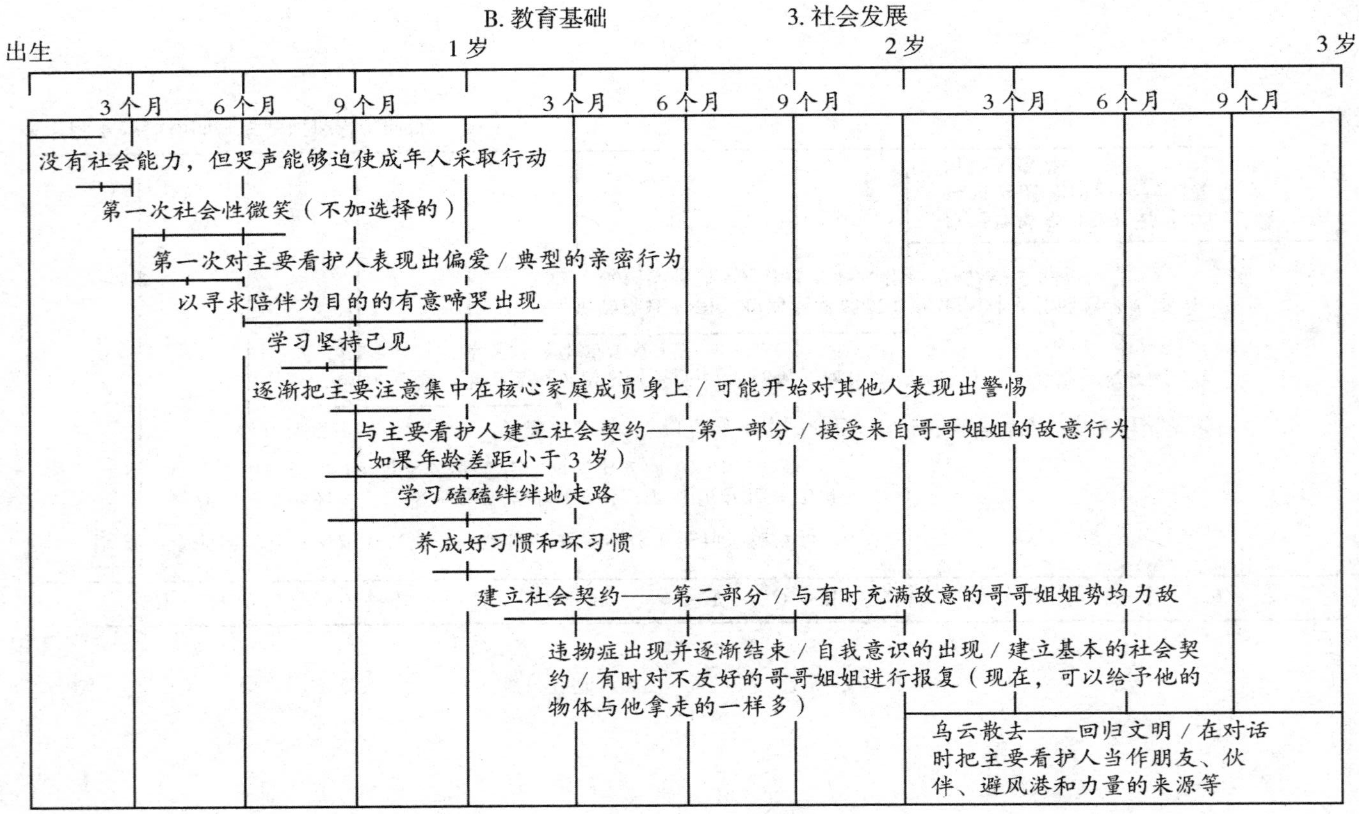

B. 教育基础　　3. 社会发展

出生　3 个月　6 个月　9 个月　1 岁　3 个月　6 个月　9 个月　2 岁　3 个月　6 个月　9 个月　3 岁

没有社会能力，但哭声能够迫使成年人采取行动

第一次社会性微笑（不加选择的）

第一次对主要看护人表现出偏爱 / 典型的亲密行为

以寻求陪伴为目的的有意啼哭出现

学习坚持己见

逐渐把主要注意集中在核心家庭成员身上 / 可能开始对其他人表现出警惕

与主要看护人建立社会契约——第一部分 / 接受来自哥哥姐姐的敌意行为（如果年龄差距小于 3 岁）

学习磕磕绊绊地走路

养成好习惯和坏习惯

建立社会契约——第二部分 / 与有时充满敌意的哥哥姐姐势均力敌

违拗症出现并逐渐结束 / 自我意识的出现 / 建立基本的社会契约 / 有时对不友好的哥哥姐姐进行报复（现在，可以给予他的物体与他拿走的一样多）

乌云散去——回归文明 / 在对话时把主要看护人当作朋友、伙伴、避风港和力量的来源等

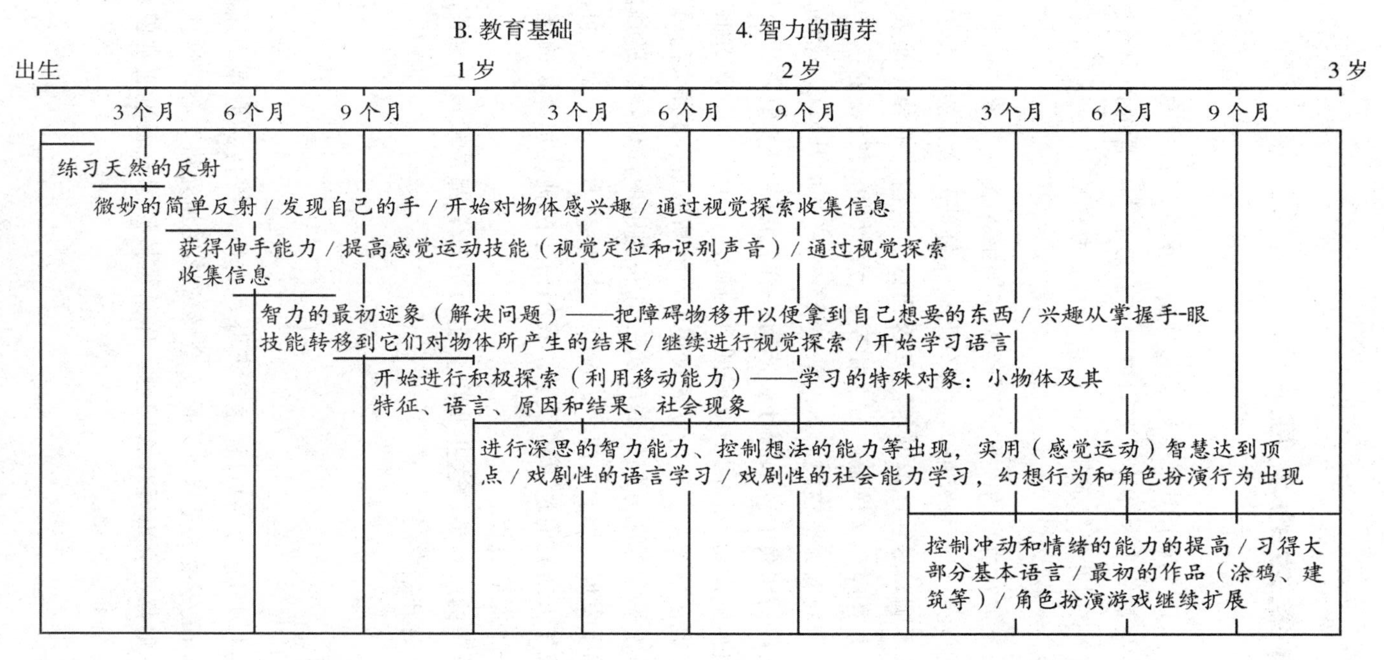

B. 教育基础　　4. 智力的萌芽

特有能力的发展

本部分的两个图表描述了几种特别重要的教育能力，这几种能力会在儿童的头3年中出现，并且会在较长的一段时间内逐渐发展。例如，“吸引并保持成年人的注意”的能力在整个3年期间都在不断地发展。

关于“在适当的时候向成年人和同龄人表达友爱之情和轻微的不快”：在我们的研究中，大部分发展良好的儿童都能够表达轻微的不快或不满，尽管他们并不经常这样做。他们能够轻松地表达友爱之情，并且经常这样做。与之相反，发展得相对较差的孩子在表达感情方面的能力也较差，不论是向成年人还是向其他孩子都如此。

与前面图表中显示的社会能力一样，图表C-2中非社会能力的获得通常需要相当长的一段时间。例如，孩子注意到微小细节和差异的能力在整个头3年的发展过程中都有所体现。3周大的时候，婴儿第一次学会了区分妈妈的乳头和乳头周围的部位，从那时候起他就开始了发展这种能力的漫长过程。当30个月大时，孩子可能就能发现成年人所犯的逻辑错误了。我相信这两种区别事物的能力都属于同一个发展过程。

有趣的一点是，这些非社会能力大部分都是从孩子刚刚过完2岁生日时开始发展的。

基础

婴儿头8个月的目标是发展基本技能，保持对世界的兴趣（好奇心），最重要的是建立人际安全感或感受到爱和关心。这些方面的发展一般都不会出现什么问题。你只需按照感觉行事通常就会获得良好的结果。

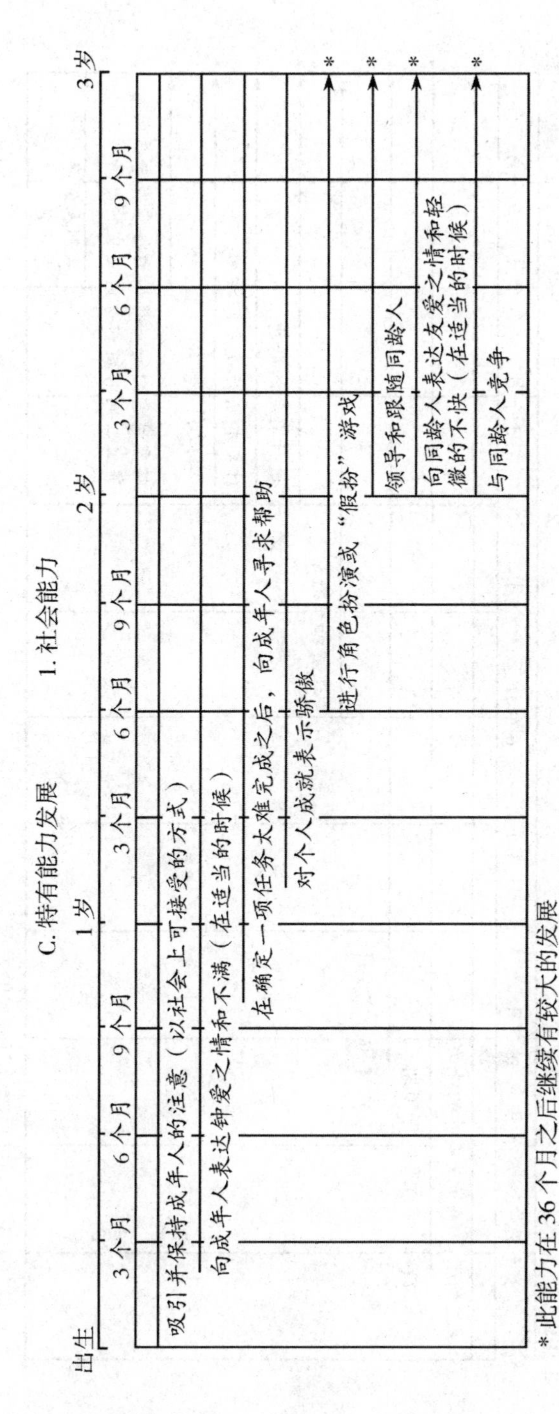

C. 特有能力发展　1. 社会能力

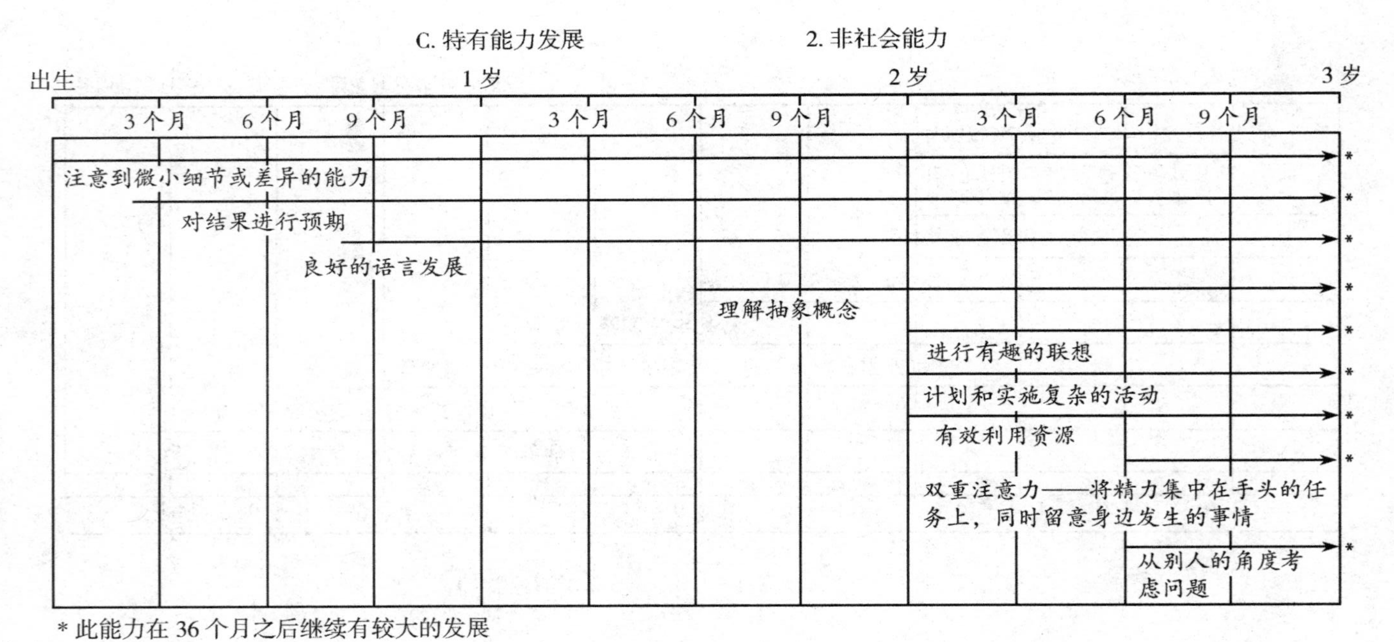

C. 特有能力发展　　2. 非社会能力

但是，在这头 8 个月中存在着两种危险：听觉能力受损和有目的啼哭的过度发展。避免这两种危险是非常重要的。

你要详细了解你的宝宝能做什么，不能做什么，以及对什么感兴趣，这是非常关键的。这样你才能避免有目的啼哭的过度发展，才能集中精力为宝宝设计一个对其进行教育的有利环境，并不断加以改进。

8～24 个月这段时间是养育工作的一个困难时期，在这段时期，你需要付出很多的努力才能获得最好的教育效果。引导儿童良好的语言、智力和好奇心的发展非常容易，但是，帮助你的孩子成为一个健康的社会个体就比较困难了。关键的问题是父母对孩子过度放纵的倾向。过度放纵会导致不良的社会行为，并且会使孩子变得不快乐。你要以慈爱但坚定的态度对待你的孩子，这一点非常重要。

最后，有多个孩子的家庭面临的最大压力来自于孩子的年龄差距较小（不到 3 年）。不管你的能力多么出众、精力多么充沛，在这种情况下，你的工作都会面临更多的困难并且难以得到理想的回报，还会影响到较大的孩子。

帮助孩子快乐地度过人生的头 3 年，对于孩子将来的成长十分重要，也有助于所有的人享受快乐的生活。大部分父母决不是没有能力做到这一点。学习有用的知识并获得偶尔的帮助可以使养育工作更加轻松和成功。但至今，父母们仍然必须努力去寻找这些信息和帮助。而这些信息和帮助应当由国家教育体系向每个抚养孩子的家庭提供。

0～3岁养育的相关话题

引　言

我从1957年起就开始从事儿童发展的研究。从1965年的哈佛学前项目开始，我和我的同事就开始从事一种儿童发展研究者通常没有机会从事的工作——我们将研究扩展到了新建立的家庭中进行实地工作。在这个工作中，我们一直希望为这些家庭提供有用的服务，但是，我们研究的主要目标是积累育儿方面的知识，最终使所有父母和孩子都能从中获益。

在哈佛和布鲁克林早期的教育项目，以及我们的密苏里项目和正在进行中的“父母是孩子的老师”项目中，我们和数以千计的各种家庭进行了愉快的合作。这些家庭各具特点，从夫妻双方均有博士学位的波士顿地区家庭到各个社会阶层的家庭——包括受教育程度非常有限的密苏里乡村地区的年轻人家庭。

回顾这些经历，我对能够拥有这样的机会心怀强烈的感激之情。随着时间的流逝，我们对于早期教育的看法得到了升华、矫正和深化。我们还总结出很多关于如何安排解决问题的优先顺序的知识，例如，在我们与有两个或两个以上孩子的家庭的合作中，我们发现，给不同家庭带来最大问题的普遍原因是孩子出生的时间间隔太短——两个孩子的年龄相差不到3年。这种情况是如此普遍，以至于我觉得有理由花很多时间在本书中以及任何其他场合对之进行认真地讨论。与之相似，在同初为父母的人接触时，我们发现养育孩子时的最大困难是如何避免过度纵容和宠坏孩子。此外，头3年中未被发现的轻度到中度听力损伤也很普遍，这一点也给我们留下了深刻的印象。最后，关于婴儿替代看护这个敏感问题在过去的25年中也引起了很多争议。

在过去的38年中，对人类发展和养育进行研究的这些经历是对这部分的主题进行安排、选择和排序的基础。

第10章

主要问题

如何避免把孩子宠坏（或如何帮助孩子成为一个既快乐又聪明的孩子）

从宝宝满6个月起，你就应当开始防止宠坏孩子。这个问题的关键是宝宝的啼哭，尤其是需求性啼哭。到14个月的时候，宝宝被宠坏的迹象就会十分明显了。他可能会成为一个比发展良好的宝宝更爱哭的孩子，动不动就哭，并且经常会不愉快。一个这样的宝宝会在其第二年出现的违拗期期间使全家人的生活都很悲惨。到他满2岁的时候，说他已经“被宠坏”就是很准确的了。对于这个过程，我和同事们已经见得太多了，其真实性一点儿也不神秘。

幸运的是，我们已经知道了何时以及如何防止宠坏孩子。不要认为防止宠坏孩子非常容易，你知道我曾经就这个问题写了一本书——《养育一个快乐的、不被宠坏的孩子》（Raising a Happy, Unspoiled Child）。

让我概括一下造成宝宝到3岁时不快乐的最普遍方式。只有那些非常爱孩子的家庭才会宠坏孩子。经常得不到关心的孩子不会被宠坏。造成孩子被宠坏的根源就在于大部分父母在宝宝的头几个月中对其无节制的关注、钟爱和关心的自然而极为重要的倾向。

我在前面描述过宝宝出生之后不久就开始的一个循环：宝宝感到不适——啼哭——父母过来安慰他。这是一个自然而必要的循环。在人生的最初6个月中，啼哭的宝宝必须迅速得到安抚，这样他才能获得人际安全感。这种行为的目的是使孩子到六七个月时通过数千次体验学会将某个人与自己感觉的好转建立起联系。

由于这种体验一再出现，孩子就会产生自然的学习过程，到了5个半月至6个月时，他就能学会故意利用哭声叫来大人。

从这个时候开始，直到孩子拥有了身体运动能力（通常在7个半月到8个月之间），他们经常会感到时间过得很无聊。例如，6个月大的孩子除了仰面躺着或趴着，或是坐在婴儿椅上四下看看并偶尔听到一些声音之外，没有什么事情可做。这种状况与9～10个月大已经学会了爬的宝宝形成了鲜明的对比，后者已经可以主动地四处进行探索了。这样，我们就不难理解6个月大的宝宝为什么会用哭声来让父母把他抱起来，或是至少让一个年长的人来为他提供一些娱乐。如果这个策略取得了成功，他对啼哭的利用就得到了强化。到这个阶段为止，一切尚好，没有什么危害。

但是几个月之后，情况就不那么理想了，9个月或10个月大的宝宝会开始在应该睡觉的时候给父母制造麻烦。很常见的情况是，这样的孩子会在晚上9点到凌晨2点或3点之间的任何时间醒来，随后就开始通过啼哭来要求陪伴。当然，他啼哭的原因也有可能是因为疾病或身体不适。然而，通常的情况是，宝宝啼哭只是因为在灯光昏暗的房间里无人陪伴，他在醒着，而且无事可做。因此，他就开始运用曾经减轻过其无聊感的工具——啼哭。很容易看出来对啼哭的运用之所以会变得根深蒂固，是因为在之前的几个月中他从自己因不适而啼哭所引起的反应中获得了有益的体验。同样也不难看出，这种行为也是父母麻烦的开始。

不久以前，我接到乔治亚州一个牙医打来的紧急长途电话，他略感尴尬地描述了他和他的妻子为制止他们11个月大的孩子在夜间啼哭所经历的过程。情况甚至严重到他们不得不在午夜到早上6点之间至少开车带宝宝兜两次风。他们称之为紧急情况也就不足为奇了。他们与大多数面临同样境况的父母一样都快疯了。（我应该在此提一下，他们已经同儿科医生讨论过这个问题了，这个医生告诉他们，宝宝的身体没有问题，就让宝宝哭好了，不要去管他。）

下一个能够观察得到的宠坏孩子的情况发生在孩子1岁多一点的时候。此时，这些孩子开始熟练地利用啼哭来克服父母的抵抗。我们看到过很多13～14个月大的孩子非常有效地利用这个令人头疼的工具来达到自己的目的。错误发生在孩子6～12个月期间，父母们没有让孩子明白这种故意啼哭得不到什么结果。相反，这些父母使孩子认识到，如果他大哭特哭，通常或至少经常就能克服父母的反对而达到自己的目的。简而言之，这些父母没能很好地对孩子设立并实施限制。12个月大的孩子经常啼哭是因为他们被奖励这么做。

在15个月或16个月的时候，随着违拗症和我行我素行为的出现，父母开始承受另一种压力。此时，他们不得不对付一个故意挑战他们权威的孩子。很多家长总是认为孩子还小，并采取习惯性的容忍态度，而且还允许很多令人不快的行为，例如扔东西或踢人。他们之所以会容忍这样的行为，一部分原因在于他们很爱自己的孩子；另一部分原因是，他们害怕如果对孩子太严厉，会导致孩子不像以前那样爱他们；还有一部分原因是，他们不知道该怎么对付这个不断寻找机会挑战他们的权威的孩子。不论何种原因，孩子的不被社会接受的行为方式都已经根深蒂固了。

与对付孩子的违拗症问题紧密相关的是，父母在这个阶段倾向于克服诸多不便来满足孩子微不足道的需要。在这种确保宝宝的需要都要得到满足的热望之中，父母就习惯了由此给自己造成的长期不便。

最后，在第2年的下半年，父母们有一种设立了限制却不贯彻到底的倾向。一个家长如果看到一个第六阶段的宝宝正在做父母反对的事，这个家长可能会态度坚决地说一些话来制止孩子的行为，然后就走开了，继续去做饭或接电话，而没有看到孩子的这种行为又在继续。孩子会从这种经历中了解到，只要自己在父母生气的时候注意一下就行了，父母很快就会走开，自己就可以继续做想做的事了。

这种非常普遍的处理方法会造就一个可能有着良好的智力、语言和身体能力，但是却很难相处的2岁孩子。我们曾经看到有的父母为了摆脱这样的孩子而不得不暂时离家几个星期。

这个问题会由于第六阶段的孩子正处于对父母的早期依恋的最后阶段而一天到晚地缠着父母，变得更加严重。这样的孩子在进入第3年的时候很可能仍然不知道在成年人面前可以做什么和不可以做什么。这样的孩子会经常发脾气，尤其是在第3年的前半年；而且，如果他有一个年龄相差不多的弟弟或妹妹，他很可能会给家里带来极大的麻烦。出于非常明显的原因，这个问题对于家里的第一个孩子来说最为严重。你可以想象得到，这样的孩子对于同龄人来说也不是一个有吸引力的小伙伴。

你能避免这种结果吗？答案是肯定的。你需要做的第一件事就是要牢牢记住孩子各个发展阶段之间的差别——就是我们前面所讨论的那些阶段——因为时机的选择十分重要。例如，你可以保证不宠坏孩子，只要你在孩子出生后的头几个月里对他漠不关心就行，但这是个馊主意。宝宝在出生后的头6、7个月中经常感受到我们在前文中描述过的愉悦而舒适的经历是绝对必要的。但是，为了避免宠坏孩子，从4个半月的时候开始，你可以做出一点改变。你需要记住，从大约1个月的时候开始，你的宝宝将开始利用故意啼哭来得到陪伴。

宝宝的兴趣是事情的关键所在。如果知道这些兴趣是什么，并且让他有机会在一天的大部分时间里都能做自己感兴趣的事，他就不大可能感到无聊和沮丧。如果他在大部分时间里都有事可做，他就不会过多地利用故意啼哭来得到陪伴。至于如何为4个半月至7个半月大的宝宝安排适合其发展阶段的活动，详情请见第四阶段和第五阶段的相关内容。

一旦你的宝宝学会了爬，你就要在家里采取防止事故发生的措施，并鼓励他进行探索。

在6～14个月期间，你就要把我介绍过的有关社会的三课教给他，尤其是要让他知道，他有权坚持按照自己的想法行事，但这种权利是有限度的，这个限度由你来决定。

在这几个月期间，要通过设立明确的限制并坚持这些限制来牢固地树立起你的权威，即使宝宝会大哭。你要记住，如果你的宝宝对他在家里和生活中被赋予的权利开始有了现实的期待，一些不愉快的事情就是不可避免的了。如果你用爱、坚定和理解的方式对待宝宝，他通常就会在8～22个月期间减少哭的次数，抱怨也会减少，并成长为一个快乐的2岁孩子。要想获得2岁时的快乐，就需要经历7～21个月期间偶尔的不快乐。

等到孩子17个月或18个月再开始设立限制是错误的，因为到那个时候，困难就会大大增加。还要记住，在这个时候，应当让孩子懂得，尽管他确实很特殊，但他并不比其他任何人更特殊，尤其是你。

如果你采取了这些方法，并且如果因家里的两个孩子的出生间隔大于3年而避免了过度压力，那么，我愿意向你保证，你的孩子在24个月时会成为一个令人愉快的伙伴（并一直保持下去），并且，在第3年，你将无需忍受他经常爆发的坏脾气。这个许诺怎么样？

同胞竞争与孩子的出生间隔

毫无疑问，由孩子的年龄差距不到3岁而带来的麻烦仍然是有多个孩子的家庭最大的压力来源。20年前，我曾经在本书的第一版中指出了这个问题。我当时说：我们发现没有任何办法能够帮助这些家庭解决这个问题——也就是，避免给相关的每个人所造成的巨大压力。

在这些年中，很多直到三十几岁甚至四十出头才要孩子的夫妇一直想知道是否能够缩短要第二个孩子的时间间隔，同时避免由此带来的悲痛。在进行了20年的研究之后，我仍然没有发现比1975年提出的更好的建议，而这个建议也只能帮上一点儿忙。

除了生下有严重身体缺陷的宝宝之外，没有什么情况会比由孩子年龄间隔较小而引起的同胞竞争更令聪明能干的母亲难过流泪的了。

很多父母曾经对我说："我现在已经快40岁了，没法等到3年以后再生第二个孩子。怎么办？"而我的回答一直是："我能帮助你，但是我没有能力改变规律。"2岁大的宝宝不会喜欢1岁的宝宝同他竞争。不管你怎么努力，都无法改变这个现实。

同胞竞争的问题不会在母亲第二次怀孕期间或是第二个孩子出生后不久就显现出来。毕竟，新生儿大部分时间都在睡觉，他的个头很小，哭声柔弱，并且大部分时间都待在另一个房间的婴儿床上。较大的孩子可能在宝宝会爬之前都能保持他的好脾气。然而，从宝宝会爬开始，他不仅需要父母给予更多的关照，而且还会开始和较大的孩子争夺玩具，较大的孩子会因此而打他或伤害到他。随着时间一个月一个月地流逝，较大的孩子可能会有退化的表现，变得更加孩子气，如果他已经学会了走路，他反而会去爬行，并重新开始使用安抚奶嘴或奶瓶，重新出现违拗症或开始发脾气；如果他已经学会了上厕所，他却可能会重新尿湿裤子。他可能会明显地表现出不高兴的迹象，心情低落，过度依赖父母，或是经常毫无原因地哭泣。实际上，在这种情况下，孩子表达自己的嫉妒的方式非常多。很明显，这是一种人们完全不愿意见到的情况，但如果它已经发生，我们能做些什么呢？

第一步是要保护较小的孩子。你要了解较大孩子的想法，这一点至关重要。如果你不知道他行为背后的原因，那你就无法使问题得到解决。有很多较小的宝宝受到哥哥姐姐的严重伤害，你不要低估这种危险。同时，你应当意识到，让较大的孩子对自己的攻击性行为感到内疚是毫无意义的，毕竟，他对弟弟妹妹的厌恶是一种天性。但是你必须让他明白，任何形式的攻击性行为都是不可接受和不被允许的。

第三个任务是让较大的孩子生活得更加快乐——他越快乐，新宝宝和父母的生活就会越轻松。一旦小宝宝回到家庭里，你就可以通过避免在较大的孩子面前过多地称赞小宝宝来缓解较大孩子的不安。还要尽快为较大的孩子安排户外活动。这些方法有助于缓解较大的孩子在家里受到的压力。如果较大的孩子超过了2岁半，给他安排固定的玩伴是个很好的主意。在任何情况下，让临时照顾孩子的人带较大的孩子到公园、动物园等地方去都会有所帮助。

极其重要的是，要让较大的孩子每天与父母双方独处半个小时左右，并且用他能够完全理解的语言告诉他爸爸妈妈仍然像以前一样爱他。

不要向较大的孩子提出额外的要求，这是大多数父母常犯的错误。大一些的孩子的确比小宝宝要成熟得多，但是，你还不能指望他的行为聪明而有节制。你不应要求他像个大孩子或是像个大哥哥大姐姐一样。在这种情况下，父母容易过高估计较大孩子的能力。事实上，如果家里有两个很小的孩子都需要特殊的关照，父母的工作将变得比以往更加艰巨。

很多父母询问是否有什么方法能让一个2岁的孩子为弟弟妹妹的到来做好准备。不幸的是，对未来复杂情况的理性解释对于这么小的听众来说是没有用处的。让一个孩子为新宝宝的到来做好准备的惟一最好方法是在他满2岁之前让他明白，尽管他是个非常特殊的人物，并且被父母深深地爱着，但他并不比世界上其他任何人更特殊，尤其是他的父母。

最后，让我重复一遍这个令人难以接受的事实：尽管父母们可以努力缓和同胞竞争的问题，但没有一种方法能使其状况像养一个孩子或年龄间隔较大的孩子那样轻松。父母双方都必须了解和接受这个事实。如果承担主要养育责任的一方感到没有得到伴侣对困难处境的理解，那么父母之间的压力就会大大升级。

纪律

对于初为父母的人们来说，仅仅要避免对孩子的过度放纵就比实施有效的纪律更为困难，这两个问题是紧密相关的。纪律问题在孩子学会爬之后才会出现，并且通常在第 2 年和第 3 年成为首要的问题。在孩子的养育过程中，只有很少的职能比执行纪律更重要。毕竟，正是早期的社会化过程，决定了一个孩子到 3 岁时是一个能与人愉快相处的孩子，还是一个可怕的孩子。根据我们的经验，把一个孩子培养成善于与人相处的孩子，要比把他培养成一个聪明而口齿伶俐的孩子困难得多。

何时以及如何对孩子进行纪律约束

我不认为有必要对 7 个月以下的婴儿进行纪律约束。那些自己想着要让这个阶段的孩子“小心”的人，是被误导了。婴儿在这几个月的大部分行为都不是有意识的。他不会故意去惹恼任何人。当他哭的时候，并不代表一种需求，他只是感到不舒服。

7～20 个月这段时间是有效的纪律约束变得非常重要的时期，并且是很多父母感到很难执行纪律的时期。我讲过三种方法。第一种是在第五阶段（8～14 个月期间）使用的在 15 秒内限制宝宝的活动。这种方法适用于所有宝宝。然而，这对于一些父母来说很难做到。这种方法确实使用了强迫力，并且是一种形式的对抗。我并不否定这一点，但是对于这个问题没有更轻松的办法。确保你的宝宝明白你所传达的信息，要比你传达信息所用的方式更重要。

如果在 10 个月的时候，宝宝养成了每次被抱起来时都把你的眼镜从脸上打掉的习惯，那么你就需要让他明白，这种行为是不被允许的。如果你觉得限制宝宝活动的方法太痛苦，我劝你赶快用其他方法来阻止宝宝的行为。有些父母会把宝宝关在婴儿围栏里一小会儿，你的宝宝仍然会哭，但是，至少你不必牢牢地抓着他了。还有些父母把宝宝放到一边不理他，同样，他还是会哭。有一种无效的方法是向他解释为什么不能把你的眼镜打掉或咬你。对于10个月大的宝宝来说，你的解释反而会强化他的坏习惯。

不论你选择哪种方法，都会使你的宝宝在当时感到不高兴，但如果你希望他以后成为一个快乐的宝宝，那么这种不快就是不可避免的。你的目标应当是确保当你说“不”的时候，不论他做什么，都不能改变你的决定。

在这个阶段，换尿布是你建立权威的经典良机，但我要再强调一遍，分散宝宝的注意力会有所帮助，但和他讲道理会起到相反的作用，而且，一些身体上的强迫似乎是必要的。

同样的原则在宝宝进入第六阶段（14～24个月期间）也适用。如果你在第五阶段已经设立了一些规矩并且有效地树立了你的权威，相对于社会化较差的14个月大的孩子来说，你就可以更轻松地度过下一个阶段。把宝宝和你之间用一个栅栏隔开15～30秒钟，对几乎所有的宝宝都是管用的。一些父母更喜欢把宝宝关在婴儿床或婴儿围栏里。需要再次指出的是，这里最重要的因素是你的权威的有效性，而不是惩罚方法。你不希望你的宝宝成为一个令人头疼的2岁孩子。如果在第五阶段和第六阶段不断地让他知道，他几乎总是能够立即得到自己想要的东西，但是当你说“不”的时候，不管他做什么，都无法改变你的行为，那他就不会成为令人头疼的孩子。

要花上好几个月的时间才能让宝宝明白这个道理，但一旦他明白了，结果将是令人愉快的。我还可以向你保证，这种坚定的态度不会减少孩子对你的爱，也不会压抑他的勇气和主动性。

一旦你的孩子具有了思考能力（这会发生在20～23个月期间），你就可以开始运用理性的方法来进行纪律约束了，但对他进行严格的控制仍然很有必要。

在对家庭环境中的儿童进行研究的过程中，我们对纪律问题给予了特殊的关注，这些孩子中既有快乐而发展良好的孩子，也有不那么令人满意的孩子。我们发现，不管家庭收入、文化背景和父母的受教育程度如何，严格的纪律总是会伴随着良好的社会能力发展。从孩子学会爬的那一刻起，他们的父母就会在宝宝做出不安全或不可接受的行为时向他传达出明确而坚定的信息。

在这些家庭中，告诉孩子不能做某事的命令通常不会重复两次以上，如果孩子仍然不停止这种被禁止的行为，父母就会采取进一步的行动。尽管其实际效果尚待彻底研究，但我们所研究的成功的父母都是这么做的。结果，几周之后，这些父母会比大多数父母更轻松，他们的孩子也比大多数孩子更快乐。

孩子何时第一次懂得“不”的含义?

在出生后的头6个月中，孩子不懂得任何词语的意义。到第4个月时，如果孩子的心情不错并且没在做其他事，你就可以期待他对自己的名字会有所反应。有趣的是，这种行为并不意味着他知道了自己的名字。要证明这一点，你可以过几分钟后再用其他名字叫他。要使用同样欢快而愉悦的声调，但是不要叫他戈登，而是叫他哥斯拉。你会得到同样的反应：他会停下来，转向你，并且露出微笑。他为什么分辨不出其中的差别？因为他还不懂得词语的意义。

婴儿会在6个月左右开始学习词语的含义。在整个第1年当中，其进步是相当缓慢的，在第2年开始时进步会加快。在8～10个月期间的某个时候，他们通常会对“不”这个字及其含义有初步的了解，但是需要伴随一种特殊的语调和严厉的表情。

从这时起，对孩子说“不”的次数就会增多。这并不意味着这个字总能有效，尤其是当它被过度使用时。实际上，如果你听到自己过于频繁地使用这个字，你就应当停下来并想一想造成这种频繁冲突的原因，然后就要做出改变，以减少麻烦产生的根源。

在7个半月到10个月期间，大部分宝宝都会开始独自移动。从这时起，你有时就需要对他的行为设立限制。一些父母试图让这个年龄的宝宝了解“不”的含义。宝宝从9个月开始就能明白这种限制的含义。然而，我建议你尽量少对第五阶段（8～14个月）的宝宝说“不”，而应该对家里做出调整，别让宝宝轻易就能够到那些易碎和值钱的东西。当你阻止宝宝够一个物品时，你就是在开始将不赞同——来自于对孩子来说是世界上最重要的人——与他进行探索的自然天性建立了联系。如果这类限制在他的生活中出现得过于频繁，你就是在冒险——阻止孩子的好奇心。

除了对家里进行整理使你不用经常说“不”之外，你还可以并且应当对7～12个月或13个月的宝宝使用分散注意力的方法。一个8、9个月大的宝宝看到了一个你不想让他玩的东西（可能因为危险或是易碎），他无法控制自己不去玩这个东西。一旦你注意到这个问题，一个很容易的办法就是转移他的注意力。你可以给他几个塑料杯或是一个玩具，把他的注意力吸引到这些东西上来，并同时拿走你不想让他玩的东西。他对新体验的强烈兴趣会使他的注意力立即转移到新东西上来，而他尚未发育的记忆力和有限的决心使他不会坚持要玩那个被拿走的东西。分散注意力的方法是使好奇心转移方向，而对孩子说“不”是阻止他的好奇心。

这种设立限制的方法不是那种用来对18个月大的孩子进行纪律约束的方法。你不要试图让第五阶段的宝宝学会自我控制，你只能对他进行外部控制。然而，如果你在这个早期阶段不开始进行有效的控制，问题在以后就会变得更难解决。在早期建立有效控制比较容易，这是因为孩子的记忆力还不强，而他的好奇心非常强，并且他还没有经验来与你对抗。

重要的是要记住两条原则：（1）在宝宝的正当权利和其他人的正当权利之间有一条界线；（2）你必须始终如一地将限制贯彻到底。对于第一条原则，常识会告诉你宝宝何时侵犯了他人的权利。他可能正在做一件明显自私的事情，例如从一个来你家里玩的宝宝手中抢玩具，或更隐蔽的行为，例如当你和一个孩子在一起时，他想获得你更多的关注。

如果你因为宝宝还小而对他过多地容忍，这对他不会有任何好处。有些儿童到2岁时坚信这个世界上没有任何人比他更重要。这通常是他们被深深地爱着和关心着的标志，但是，如果这种趋势继续下去，这些宝宝就会习惯于以自我为中心，从长期来看，这对所有相关的人都没有好处。是否为宝宝设定明确的界线取决于你。父母双方需要在这个基本问题上达成一致，尽管是与宝宝待在一起时间最多的家长对于宝宝会成为什么样的人具有最重要的影响。

对于第二条原则——要始终如一地贯彻到底——当父母希望孩子以某种方式行事时，必须要坚持下去。如果父母养成了坚持到底并使自己的要求得以遵守的习惯，那么对于孩子到第2年中期出现的违拗行为就容易处理了。

这个建议有时不那么容易执行，因为这需要耐心和决心，而且需要花费时间。如果你告诉一个15个月大的孩子不要拽窗帘或不要爬上咖啡桌，你就必须坚持这个命令而不论需要多长时间，直到孩子偃旗息鼓。另一方面，如果你怜悯孩子或注意力松懈，孩子就会认为如果他暂时停下并等一会儿，等到你一转身，他就可以立刻重新开始。

过度控制

与设立限制同样重要的是——让我再强调一次——让孩子有足够的自由去探索世界。如果你发现你的孩子经常惹麻烦，问题可能不在于他需要更多的纪律约束，而是因为环境不适合他。

如果你要么在旁边看护，要么把宝宝关在婴儿围栏里，那你和宝宝的日子就都不会好过。为刚学会爬的宝宝重新布置家居，确实非常必要。偶尔的禁止不仅比整天对宝宝说“不”更省力，而且也更加有效。总是对孩子唠唠叨叨的父母通常都是不快乐的，宝宝也同样不快乐，他要么和父母对抗——并因而建立起一种持续多年的对抗关系——要么放弃，这是更令人悲哀的。应当找到一种公正而合理的平衡。要坚定地贯彻到底，但不要为不值得的小事争斗。而且要对家里的布置进行调整，以将冲突降至最低。

严格的控制会使孩子感到缺少爱吗？

很多父母都认为爱和纪律是不可并存的，他们认为孩子受到的管教越多，对父母的爱和他感受到的爱就越少。情况并非如此。根据我的经验，如果父母从孩子 7、8 个月时开始始终如一地设立限制，并且如果这些限制反映了父母与孩子之间合理的权利分配，孩子就会感受到父母全部的爱。

一旦设立了基本的限制，父母和孩子都会习惯于基本平等的规则。当孩子第一次体验到自己不能为所欲为时，他所感受到的爱并不会因此而减少。当孩子要走向你正在打扫的地板上有碎玻璃的地方或是你忘记了关上门的楼梯顶时，你不会对控制他的行为考虑再三。当宝宝正在撕毁一份你还没有读的报纸时，你也应当同样直截了当。尽管这种行为不会带来任何危险，但是，如果你允许他这样做，那就是你的权利受到了他的侵犯。如果这看起来有些自私，那确实是；但却是一种健康的利己主义。要记住，如果孩子在第 1 年中得出结论，认为没有任何人像他一样重要，他就很容易发展成一种真正不被人们所爱的人。

反抗的年龄

在 15～21 个月期间，真正的违拗症开始出现，纪律问题逐步升级。但以前的基本原则现在仍然适用：你应当坚定立场，并在必要时采取行动，合乎情理，以便让孩子明白你说到做到。到了 17 个月的时候，孩子记忆力的发展使得分散注意力的方法不再有效了。同时，孩子的语言和智力能力也比以前有了很大进步，你可以向他发出简单的命令和指令，并且你要相信他能够听明白。

蹒跚学步的孩子能听懂的词汇数量从几十个到几百个不等，他还能听懂几十个简单的指令。这正好对你以前设立的限制有所帮助。如果孩子从 8、9 个月时开始就已经习惯了按照规矩生活，那么，在违拗症阶段就相对容易处理——注意，我没有说“容易”。

在20～22个月期间，我们会看到过去5个月中几乎像反射行为一样的违拗症有所好转。如果事情发展顺利，孩子的试探性行为和挑战性行为就会有所减少。你的孩子会开始变得更加理性。

2岁大的孩子可以非常懂事，并且善于与人相处。他也可能进入一个被称为“惹人厌的2岁”的阶段。如果你的孩子在进入第3年的时候还不知道在家里是你说了算，那么你就有麻烦了。记住，在第3年中，孩子的个人力量——他的智力、力量、想象力，以及进行复杂行为的能力——会迅速提高。如果你在第3年开始时仍然没有解决好对孩子的控制问题，那你就必须尽快着手解决。

听觉能力的极端重要性

正是由于听觉损伤的症状并不总是很明显，所以父母们应当对这种危险特别警觉。如果在出生后头几年的大部分时间里宝宝的听觉能力不好，那么他的发展就不可能达到自己应有的水平。获取语言的能力依赖于良好的听觉能力，而儿童的基础语言学习就出现在出生后的头几年中。3岁孩子中出现的语言发育迟缓，是导致学龄前儿童教育障碍的最普遍的原因之一。

严重的听力损失是指70分贝或以上的损失。幸运的是，这样的情况相对发生较少。在100个新生儿中只有1个属于这种情况。更为常见的是轻度至中度的听力损失，即20～55分贝的损失。最近人们发现，有1/4到1/3的孩子在出生后的头几年中都反复间歇地受到听觉损失的侵扰，这种情况与家庭收入水平无关。这对于任何承担着养育责任的父母来说都是一个极端重要的问题。

对于一个较大的孩子或是一个成年人来说，中度的听觉损失并不是一个严重的问题，因为他们可以基于以前所学的知识推断出自己听到的大部分内容。但是，对于第一次学习语言的婴儿来说，即使是轻微的听觉损失也会对他的理解和学习造成很大障碍。

语言能力的低下不仅会影响智力发展，而且还会影响社会能力的发展。获得他人注意的能力、从成年人那里获取信息的能力，以及进行领导的能力都在很大程度上依赖于孩子运用和理解语言的能力。我们无法通过手势或非语言的声音对孩子进行社会能力方面的教导。

在美国，对于各个社会阶层的儿童来说，轻度到中度听觉损失的发现和治疗形势不容乐观。例如，由神经细胞或传导缺陷而造成的听觉损失是相对少见的，但由呼吸道疾病（婴儿尤其容易感染此类疾病，特别是那些群体看护的婴儿）以及过敏反应而引起的轻度至中度的听觉损失就很常见。呼吸道感染常常会导致中耳问题（中耳炎），这在婴幼儿当中十分常见。

这种情况通常会伴随着中耳积液和听觉损失。当感染康复后，中耳积液通常就会消失，听觉恢复正常。但是，这种感染经常会在头 2 年当中反复发生，而且不管听觉不正常持续的时间有多长，对孩子学习的影响都不比天生的神经损伤小。

在较小的儿童中，轻度到中度的听觉损失常常在几年之内都不会被发现。如果一个孩子具有严重的听觉损失（70～80 分贝），即使是新生儿，他的行为也会表现出一些异常，在任何情况下，通过常规的医疗检查就可以发现这种严重的缺陷。但对于中度听觉损失来说，情况就不是如此了。

如果一个较大的孩子或成年人患有轻度至中度的听觉损失，通常比较容易发现。患者在说话时可能会比一般人模糊或是声音更大，他可能会出现反应慢或是听错话的现象。然而，对于 2 岁以下的孩子来说，他不会出现这些很容易发现的迹象。因为，人们不会期望一个婴儿能像普通人一样清晰地说话或是很好地听懂语言。

我倒是希望你的儿科医生会不断提醒你注意中度听觉损失的症状，但他们不会这样做。儿科医生必须处理很多有可能影响儿童发育的症状。非常正常的孩子有时也会表现出十分异常的行为，而这种行为常常会自动消失，孩子继续正常发育。

由于孩子在头几年中的这种特点，而且医生希望避免家长不必要的担心，因此，他们经常会安慰孩子的父母——这个或那个令人担忧的症状并不严重并且能够自动消失。这种做法常常使儿童听觉专家火冒三丈，因为在头几年中对潜在听觉损失的忽略会导致非常严重的后果。

怎么办

首先，在孩子的头两年中要对轻度或中度听觉损失给予特别的注意。在没有专业人士帮助的情况下，你必须自己担负起这个责任。遵循我们的建议（见后面的检查表以及在第4章中列出的检查听力损失的指导）去做，就能确保你的孩子在这方面一切正常。听觉损失应当和高烧一样要作为紧急情况来对待。如果一个儿科医生检查了你的宝宝，发现宝宝的体温大大高于正常值，那么他一定不会轻描淡写地告诉你6个月之后再来作检查。相反，他会尽一切可能让宝宝的体温尽快恢复正常。从学习的角度来说，我们相信也应当同样地对待听觉损失。如果你被告知或是怀疑3岁以下的孩子可能由于耳朵、喉咙或支气管感染而造成暂时的听觉损失，你就应当尽快让儿童听觉专家对孩子进行检查。

后面的检查表包括你应该对孩子听力问题引起警觉的信号。在其后面列出了你在发现这些问题之后应该采取的措施。

轻度至中度听觉损失的专业治疗包括两个主要方面：医学治疗以及对父母的特殊协助。典型的医学治疗包括对6个月以上的孩子使用助听器，还包括通过小手术来解除传导问题——例如，利用一个小导管来解决中耳压力问题（鼓膜切开术）。

即使无法采取任何医疗措施，父母立即了解到孩子的听力损失也是十分必要的。如果父母接受了这个事实，并且愿意接受专家的建议，那父母就可以在最大程度上减少听觉损失对孩子发展的影响。

父母对婴儿进行听觉损失检查的清单

年　龄	危险信号
出生至3个月	宝宝对91～183厘米距离内的尖锐声音没有惊吓反应；不能从妈妈的声音中得到安抚。
3～6个月	宝宝不会以转头和注视的方式寻找声音的来源；对妈妈的声音没有反应；不会模仿自己发出的声音，如“哦”、“巴巴”等；不喜欢会发出声音的玩具。
6～10个月	宝宝对自己的名字、电话铃声或其他人的正常音量的声音没有反应；无法理解常用的词语，例如“不”、“拜拜”。
10～15个月	当你要求宝宝指出或看向熟悉的物体或人时，他无法做到；无法模仿简单的语言或声音。
15～18个月	宝宝无法遵从简单的口头指令；能够理解的词汇量无法扩大。
任何年龄	宝宝不会被很大的声音吵醒或打扰；在叫他的时候他没有反应；对一般的婴儿床噪音没有反应；几乎只用手势来表达他的需要和愿望，而不是用语言；或愿意专心地注视父母的脸。

发现听觉损失后采取的措施

措　施	由谁进行
儿科检查，对上呼吸道要给予特别的注意。	医生或儿科医生
进行耳科检查和听觉检查，以弄清耳、鼻、喉的状况。如果听力有问题，孩子能听到多少？与之相关的治疗和教育过程是什么？	儿科听觉专家
对影响语言发展的各种因素予以关注，包括社会和经济因素。	父母以及医学和听觉学专业人士
如果不可挽回的听觉损失已经发生，寻找能够通过教育项目为父母提供帮助的机构。	医学和听觉学专业人士；婴儿诊所；医院或大学的语言与听力中心或保健中心；全国肢障儿童协会或残疾儿童组织；亚历山大·格雷厄姆·贝尔听障协会
来源：在亚历山大·格雷厄姆·贝尔听障协会的协助下整理。如果希望从这个组织获得更多的信息，可给他们写信。	

但是，父母必须面对事实。一些专家报告说，有的父母拒绝承认孩子的听觉缺陷。这样的反应是可以理解的，但它不会使孩子的状况得到改善。

在人类早期发展中有很多无法逾越的困难，但是轻度至中度的听觉损失代表着完全不同的情况。现有的知识和技术能够使我们成功地处理大多数有听力障碍的孩子的问题，而且诊断和治疗的费用都很低廉。我们建议应当尽快采取更加有效的国家政策来解决这个问题。

尽早发现发展障碍的重要性

你可能想知道为什么我要执着地坚持尽早发现发展方面存在的问题。主要的原因是如果从 3 岁才开始着手解决这些问题，就会事倍功半。对于由这些问题所引起的教育缺陷也是如此。等孩子到了 3 岁的时候，专业人士对孩子以前自然学习过程的缺陷的弥补所能起到的作用就非常有限了。

不幸的是，对新父母们来说，大多数国家的教育系统都迟迟没有认识到尽早发现儿童发展障碍的重要性。当然，也有一些令人振奋的情况。例如，密苏里州通过了一项立法，要求每个学区都要为所有 3 岁以下的儿童提供综合教育服务。其他大约 43 个州也在根据我所设计的“父母是孩子的老师项目”开展一些项目。不幸的是，没有一个项目为相关人员提供了充分的培训，而且大部分项目的资金都非常有限。

在我们的示范项目中，我们告诉父母们，我们要对孩子所有主要能力的发展进行监控。此外，如果出现了任何潜在的问题，我们将帮助父母获得他们需要的任何特殊帮助。我坚信，我们国家的教育系统应当向每个抚养儿童的家庭做出类似的承诺并认真履行。

我们提供给父母一个筛查程序：

头 3 年的能力筛查

年　龄	程　序
3 周	问卷：听觉和视觉问题的家庭史，以及有关出生过程的信息
4～5 个月	丹佛发展筛查测试（修订版）和尤因听力测试（修订版）
8～30 个月期间	哈佛学前项目社会能力量表（修订版）

12个月	丹佛发展筛查测试（修订版）和尤因听力测试（修订版）
14个月	哈佛学前项目语言能力测试（修订版）
24个月	丹佛发展筛查测试（修订版），尤因听力测试（修订版），哈佛学前项目语言能力测试（修订版）
30个月	丹佛发展筛查测试（修订版），尤因听力测试（修订版），哈佛学前项目语言能力测试（修订版）

但是，如果你无法参加这些第一流的项目该怎么办？你应当去哪里寻求帮助？应该怎么做？从20世纪70年代早期开始，无数以促进儿童早期发展为目标的项目就开始在美国和其他发达国家盛行。这些项目的存在使父母们有更多的机会获得帮助，尤其是居住在城市的家庭。但是有一个事实没有改变，即使你能够在居住的地区找到相关的父母支持项目或早期教育项目，也很难找到在这方面经过了充分培训的项目人员。换言之，对早期发展问题的诊断在很大程度上仍然要靠你自己。

正因为情况如此，我将与你一同对我们所推荐的发展问题诊断程序中的一些关键因素进行总结，以便你能够对问题不同方面的优先顺序有更好地了解。

在孩子3周大时，你所收集到的任何信息通常都不能也不应该作为你采取行动的依据。例如，出生过程较为困难通常并不表明医生没有采取正常的措施。这样的信息不够明确，因此不需要立即采取行动，并且实际上可能没有任何长期的意义。困难的接生过程对孩子发育的任何影响通常都要在出生后很久才能表现出来。例如，如果在1岁的时候，一个宝宝开始显现出发育上的迟缓，专业人士就会希望尽可能多地对宝宝的情况进行了解。收集出生过程信息的目的是尽可能对孩子的历史有一个完整的了解，以便区分是先天的原因还是后天的原因造成了孩子的发展障碍。

丹佛儿科发展问卷（PDQ）

在 4～5 个月的时候，我们使用儿科发展问卷来对孩子的发展情况作全面的了解。这个程序与儿科医生在进行婴儿健康检查时的程序相似。然而，儿科发展问卷是一个相对粗略的问卷，并不能为任何问题提供精确的答案。丹佛儿科发展问卷建立在像格赛尔发展量表那样的早期测试基础之上，使受过一定训练的人员在几分钟之内就能确定一个孩子在任何重要的发展方面是否正常。

在典型的家庭环境中，如果我们通过儿科发展问卷发现 4 个月或 5 个月大的宝宝有一项发展延迟，就可以肯定，造成这种障碍的原因是先天的问题，而不是父母在养育过程中的所作所为。

尤因听力测试

尤因测试，有时也被称为耳语测试，可以在孩子 4～5 个月时使用，以发现轻度到中度的听觉损失。（在宝宝 3 周大时收集的信息只能有助于我们发现相当严重的听觉损失。）

社会和语言能力发展筛查

我建议在 8～30 个月期间对孩子进行社会能力发展的定期筛查。社会能力，正如我们对它定义的那样，与人际技能——如何与人相处的技能——有关。阅读到此，你一定已经知道，我对儿童社会技能的重视程度不亚于对其智力的重视。

这方面的研究非常有限，尤其是与对智力、语言和身体技能的发展研究相比。但是，我们对健康的社会能力的发展进行了充分的研究，并且通过深入家庭获得了丰富的经验，能够敦促父母尽其所能在头几年中对孩子的社会能力的发展给予监控。

从前面描述社会能力发展的图表C-1中，你可以看到，在头两年中，我们重点关注五种行为，在第3年中关注另外三种社会能力。不幸的是，你很难在自己家庭所在的区域找到了解如何对这些能力发展进行监控的儿童早期专业人士。同样不幸的是，很少有父母会从对其他孩子发育过程的观察中获益，也很少有父母能够完全消除偏见。但是，这并不意味着作为父母的你完全无能为力。在本书的帮助下，你就能够找到一位胜任此工作的专业人士。即使你找不到这样的人，你也可以在本书的指导下对孩子的每个阶段进行观察。如果你发现孩子的某些能力发展欠佳，你就会希望在同他的交流中更多地关注这些能力，这样就已经足够了。

此外，一个孩子的社会能力也会受到其正在形成的不良社会风格①的负面影响。经常被忽视的孩子会较少向成年人寻求帮助。被宠坏的孩子会学会更多吸引并保持母亲注意力的复杂方法。要想发现这些区别，你就需要一名受过训练的专业人士。

在孩子1岁时，我们建议重新进行丹佛测试，以确保孩子的整体发展情况良好。同样，听力筛查程序也应重新进行，但不能太过频繁。最后，在14个月的时候，应当进行接受性语言发展的筛查。

接受性语言发展筛查与轻度至中度听力损失筛查相似，都十分重要而且经常被忽略。长期以来，人们习惯于把早期的说话能力和早期语言能力相提并论，这是错误的，你应当明确认识到两者之间存在的重要区别。在描述语言能力发展的图表B-1中，你会注意到说话能力的出现在很大程度上因人而异，有些孩子在1岁之前就开始说话，而另一些发育正常的孩子在2岁以后才开始说话。但是，接受性语言发育（对词语的理解能力）的出现时间比较一致。

一个不会说话的14个月大的孩子很有可能是正常的，但是，如果他不能理解至少24个单词，那么他的发展很有可能就是迟缓的。

到目前为止，针对14个月大儿童的接受性语言能力的筛查程序

---

①社会技能和社会风格之间有着重要的差别。向成年人寻求帮助是一种社会技能。而一个长期令人头疼的、闷闷不乐的2岁孩子是一种不幸的社会风格。

仅仅具有有限的实用价值。幸运的是，纽约州立大学的詹姆斯·考普兰（James Coplan）博士开发了一种非常好的设备，他称之为“早期语言阶段性成果测试”，或“ELM”。你的儿科医生可能知道这种设备。如果是这样，他就能使用这种设备，因为对于任何儿童发展方面的专业人士来说，它都非常容易操作。整个操作过程只需要不到 30 分钟。

你在想监控孩子的接受性语言发展时，可能会发现与社会技能发展方面类似的情况——具有资质的专业人士十分缺乏。

和前面一样，最好的资源还是你自己。如果你熟悉测试程序，你不仅会有更多的机会寻找到具有资质的专业人士，而且，如果你足够细心，还可以自己进行一些测试。

在进行接受性语言测试时，一个重要的要求是要避免使用手势。例如，如果你想要知道你 1 岁大的孩子是否了解“挥手再见”的意思，你一定不能在要求他回应时对他挥手。

让你 1 岁孩子坐好，在他面前放置六个常见的东西：例如，一个杯子、一些钥匙、一个瓶子、一个娃娃和一个球。让他把球给你，或是问他“球在哪儿?”但不要用手指向球或是看向球的方向。如果他拿起一个东西给你，不管是不是球，你都要称赞他，把那个东西放回去，然后再让他拿其他东西。你的测试可能并不完全专业，但你会发现这种练习非常有趣，而且很有教益。

不要被我的叙述所迷惑。语言的发展对于儿童头 3 年的良好发展是如此重要，以至于我强烈建议你让一名具有资质的专业人士在孩子 15～25 个月期间对他进行接受性语言能力测试。在宝宝满 15 个月以前，你可以要求你的儿科医生准备在适当的时候对他进行早期语言阶段性成果测试，或 ELM（见上文）。你家附近从事儿童发展研究或早期教育的机构中或许有熟悉这个测试的人或者愿意获得这种能力的人，可以对你的孩子进行测试。一个孩子到了 2 岁的时候在语言发展方面仍然没有什么进展，不但是一个悲剧，而且是可以避免的。

在孩子 2 岁到 2 岁半的时候，我们会再次进行很多筛查测试：

儿科发展问卷测试整体发展情况、尤因听力筛查，以及用ELM测试接受性语言能力。随着社会技能发展信息的不断获得，这些测试为我们以学习为核心的早期发展问题诊断建议划上了圆满的句号。

到孩子满3岁的时候，向具有资质的专业人士寻求帮助的可能性就大大提高了。这是因为儿童早期发展方面的研究大部分都侧重于30个月以上的儿童。

在结束关于教育障碍早期诊断的讨论之前，我不得不再次提到宠孩子这个重要的话题。在我们的研究工作中发现，通常是知识丰富、关心孩子的家长——那些把孩子放在生命中最重要地位的家长——最有可能在发现和治疗孩子中轻度听觉损失和宠孩子方面遇到问题。对于这两种情况，父母未能发现这些儿童在发育方面存在的问题毫无疑问应归咎于他们对孩子缺乏客观理性的爱、一种不愿承认这么好的孩子会有问题的态度。这是一种不易被察觉的危险，是明智的父母应当特别提高警惕的。

总结

有两个强有力的事实说明了对教育障碍的早期诊断给予密切注意的必要性。第一个事实是完全有据可查的——一旦孩子到了3岁，我们将无法弥补孩子早期发展存在的不足。第二个事实是好的一面——要知道，那些在3岁时能够很好地达到本书所描述的各项目标——智力、语言和社会能力——的孩子，在将来也会获得很好的发展，包括在学校取得优异的学习成绩。

这就是为什么我要在许多论坛上极力主张公共教育系统将首要目标设立为帮助每个孩子在头3年中实现最好的发展的原因。幸运的是，你的孩子要达到这个目标所拥有的机会要比30年前的孩子多得多。

母乳喂养的好处

在我儿童发展领域的早期经历中，母乳喂养与人工喂养的问题是很多专业人士和父母都非常关心的。30 年前，对专业人士所做的统计结果是，在这两种方法之间，选择哪种都不会有太大的差别。尽管母乳喂养看起来更加“自然”，但很多人不遗余力地指出，采取人工喂养的母亲也同样能轻松地在喂养过程中创造出爱的气氛。至于营养，采取人工喂养的父母也无需担心，因为市面上有大量营养搭配得当的配方奶粉。

当然，有些人表达了对在非家庭环境中成长的婴儿进行人工喂养的担忧。在这种情况下，奶瓶通常被用枕头或毯子垫起来，这样一个人就可以同时喂养 8 个或更多的婴儿。大量的研究者对缺少关注会给儿童造成的巨大伤害进行了研究，其中包括雷诺・史必滋（René Spitz），他提醒专业人士关注哺乳时与婴儿进行密切接触的重要性。

但是，尽管有了这些研究，在 20 世纪 50 年代到 60 年代之间，人们并没有进行特别的努力来赞扬母乳喂养相对于人工喂养的优点。毫无疑问，专业人士的观点受到了希望支持妇女们不管出于何种原因都不采用母乳喂养的影响。

在 20 世纪 60 年代末期，出现了一些变化。医学研究开始证明母乳喂养在很多重要的方面都优于人工喂养。尽管这些争论的细节超出了我的专业擅长，但母乳喂养的宝宝基本上都比人工喂养的宝宝更加健康。从那时起，大多数专业人士，至少是西方国家的专业人士，都开始越来越坚定地主张母乳喂养，基于医学方面的证据，我也强烈建议采用母乳喂养。

大约在 10 年前，我参加了母乳协会的一次年会。该协会是于 20 世纪 50 年代由 7 名美国中西部的母亲成立的，她们希望母乳喂养自己的孩子，但是无法获得朋友们和专家的支持。从任何意义上来说，母乳协会都取得了巨大的成功，现在它已经拥有的会员超过了100000名，并且在超过24个国家成立了分支机构。该协会的成员目前正在发展中国家进行宣传，希望帮助强化母乳喂养的概念。

我以前与母乳协会的接触非常有限。我知道这个协会的存在，也了解其成员为宣传母乳喂养所投入的热情，但是，她们巨大的热情反而使我在一定程度上对她们的工作持保留态度，因为这很容易导致对事实的夸大和毫无根据的主张。然而，尽管同它保持着一定的距离，但我仍然对该组织的人道主义目标及其对父母和子女间亲密关系的强调非常赞赏。

在我出席了那次年会之后，我有机会与协会的几个领导成员见面并交谈。在我们交谈的时候，我意识到她们对我仅凭医学方面的证据而支持母乳喂养感到惊讶，我不仅从营养的角度还从预防婴儿过敏反应的方面支持母乳喂养。几个成员坚持认为，母乳喂养的好处远远不止于此。

会议结束后不久，我就收到了几份关于母乳喂养与人工喂养的区别的研究报告。我现在认为这些信息是你应当认真关注的，因为关于这方面的研究有了一些非常重要的新信息。

在过去的10年中，在与各个家庭接触的时候，我们对中耳炎或中耳感染引起2岁以下儿童听觉损失的普遍危险十分敏感。毫无疑问，这种慢性感染造成很多儿童轻度至中度的听觉损失，其结果可能会很严重，并且会造成长期影响。尽管这种影响通常不会危及生命，但它的确会影响语言学习、智力能力的提高，以及有效社会技能的发展。

我收到的一份最重要的研究报告来自芬兰的赫尔辛基大学。其主要发现如下：该研究以237名母乳喂养和人工喂养的儿童为研究对象。反复发作的中耳炎与早期的人工喂养有极强的关联，相反的是，长期的母乳喂养（定义为6个月或6个月以上）能够对婴儿起到长期的保护作用，其影响会持续到3岁。有趣的是，这种现象只在男孩身上出现（男孩在婴儿期比女孩更容易患中耳疾病）。这份报告的作者们不清楚究竟是因为母乳保护了婴儿不受感染和过敏的侵扰，还是因为牛奶中包含有害物质。

这份报告以及另外两份报告，都是对加拿大和东印度婴儿进行的高水准研究，这些研究认为人工喂养与频繁的中轻度听觉损失之间具有密切的联系。在对一些国家的儿童进行的研究中所发现的这种联系，对于世界各地的儿童发育都具有潜在的重要意义。

这些研究还提出了一个关于替代看护的有趣观点。替代看护不仅会降低长期母乳喂养的可能性，而且群体看护的儿童比家庭看护的儿童更容易感染传染性疾病。

两篇基于在新西兰所进行的相关研究而撰写的文章指出，母乳喂养能够在很大程度上提高 5～6 岁儿童的语言清晰程度和阅读能力。在新西兰的研究中，这种发现仅适用于男孩。而且，近百年来，人们一再发现，与男孩相比，女孩在早期语言学习方面进步更快。

尽管目前这只是我们的设想，但是，如果我们能够降低男孩在头几年中的轻度至中度听觉损失发生的频率，就有可能缩小甚至消除男孩和女孩这种早期语言学习方面的差异。

这些研究以及其他一些相关的研究使我改变了以前的立场，我开始向所有新父母建议尽可能延长母乳喂养的时间。现在，我们不得不说母乳喂养是最好的方法。它的好处不仅限于营养方面，而且对于儿童的学习也有好处。如果出于任何原因使你无法进行母乳喂养，那么你就需要对中耳问题给予特别的注意，尤其是对于男孩。

儿童替代看护

早在 1979 年夏天，我回答了《洛杉矶时报》一名记者关于儿童替代看护的问题，从而陷入了一场争论之中。当时我说，现在我还要再说一遍，对于 3 岁以下的宝宝进行全天替代看护，尤其是对于只有几个月大的婴儿，在我看来并不是对待宝宝最好的方法。

让我试着解释一下我为什么坚持这个在一些人眼中颇有争议的看法。

在我们的文化传统中，女性一直承担着养育孩子的主要责任，尤其是在孩子出生后的头几年。今天，这种传统正在受到挑战。越来越多的婴儿和蹒跚学步的孩子在白天的大部分时间里都不是由直系家庭成员看护的。

作为一个研究儿童发展的专业人士，这种情况一直令我感到担忧。当然，我最担心的是对孩子造成的影响，但同时我也为那些选择不加入这个潮流的女性所面临的压力感到担忧。此外，我为很多人失去了生命中某些最甜蜜的快乐而感到悲哀，这种快乐是父母与自己的孩子共处时产生的。

我并不想假装成一个精通家庭生活的方方面面的专家，但是，我认为自己的确掌握一些关于儿童教育需求的专业知识。基于这种考虑，我坚持自己的立场：简单来说，我坚信如果孩子在出生后的头3年中，每天白天的大部分时间都由父母或其他核心家庭成员看护，他们就会有一个更好的人生起点。

然而，从一个婴儿学会了爬行到他不再挑战父母的权威这段时间里，我认为父母整天待在家里看护孩子对任何人来说都不是最好的选择。我强烈建议使用部分时间的替代看护——换言之，我建议孩子的主要看护人每天离开孩子几小时。这样做的原因很简单：整天同第五阶段和第六阶段的孩子待在一起会不可避免地造成强烈的压力和精神紧张感，而且这种压力和紧张感会持续好几个月。这种压力对任何人都是不公平的。如果能够经常地彼此分开一会儿，对父母和宝宝双方都有好处，尤其是在15～24个月期间。

在寻找替代看护人的时候，你首先应当寻找一个热情、敏感、富有经验和高度可信的人到你的家里，只看护你的宝宝。资格证明并不重要，重要的是她本人。尽量让替代看护的时间与宝宝的小睡时间重合。要知道，如果你仍然待在家里，希望在另一个房间里休息或工作，而如果你的宝宝已经拥有了行动能力，他就会尽一切努力到你身边去。因此你最好在这段时间离开家里。

我们还发现，聘请二十几岁的保姆的效果要比聘请年龄更大的保姆效果好。后者和孩子之间的严重冲突不仅是不可避免的，而且会更频繁。

第二个最好的选择是寻找一个同样的人，让她在她的家里只照顾你的宝宝。第三个最好的选择是加入谨慎选择的家庭日托，孩子与大人的比例越小越好。对于18个月以下的孩子，每个成年人最多只能照顾3个孩子。对于18～30个月大的孩子，我建议不超过4个；对于30个月至5岁的孩子，每个人最多照顾5个。在头两年中，尤其是由于传染性疾病的原因，我不建议你采用任何形式的群体看护。

婴幼儿的需求

人生的头3年与任何时期都不一样。在婴儿的情感发展方面，父母与宝宝之间的关系起着重要的作用，而这种关系是在头两年中形成的。

在20世纪，人们以在非家庭环境中长大的健康宝宝为对象进行了很多研究，在这种环境中，作为一种规则，每个宝宝都不是由一个成年人承担主要看护责任。这些研究几乎都得出了同样的结论，即在头几年中缺少主要看护人会导致严重的情感和心理问题。即使只有少数人赞成这种养育方式，这些研究也不是毫无意义的，但是，现在我们必须问这样一个问题：如果父母的关爱不足会怎样？

某些形式的部分替代看护——从英国保姆到以色列集体社区——已经存在了很长时间，我们可以从中学到一些东西。尽管这些和其他类似的方法声称来自家庭之外的成年人可以担负起宝宝的主要看护责任，而不会造成任何明显的不良后果，但我们还不能确切地知道不同形式的替代看护到底会带来什么结果。在英国和以色列教育系统中，对替代看护人的选择和培训通常都是非常谨慎的，而宝宝所得到的看护水准也都是较高的。

与之形成对比的是，对美国的儿童看护人薪水的调查显示，这些看护人所获得的平均每小时报酬刚刚超出最低工资标准，并且人员流动率非常高。在看护中心获得第一流看护的可能性非常低。尽管的确有很多聪明、训练有素和具有奉献精神的人在从事儿童看护的工作，但是，很多人甚至是大部分儿童看护人可能都不能满足我们的要求。

我们知道，很多其他恒温动物的幼仔生下来时非常柔弱，通常的法则是，新生的幼仔在早期阶段都是由父母看护的。我认为，这个自然界的事实明确地体现出父母的关爱是无可替代的。尽管我认为我们不能单单通过动物进行推断，也不能仅凭长期以来已经广泛确立的习惯而得出结论，但是，我把这些作为强有力的证据，我相信另一个事实也可以作为很好的证明，即西方国家很多进步项目的目标都是让父母能够在家里照顾孩子。

我自己对人类发展的研究也使我更加坚信这个观点。我曾经有机会对来自很多不同家庭的儿童的日常行为进行对比，我自己的观察明确显示，在同等条件下，孩子的父母和祖父母比其他任何人都能更好地满足孩子最重要的发展需要。

这些家庭成员所拥有的一个独特优势可以从所有健康宝宝的学步中体现出来。独立行走的能力通常出现在宝宝11个月或12个月大的时候。如果宝宝是在家庭环境中成长，尤其是如果他是家里的第一个孩子，他的父母以及其他核心家庭成员都会对这个重大事件怀着期待，甚至是忐忑不安的心情。当这一天到来时，它对家庭能产生巨大而令人兴奋的影响。父母们对此的心情是他们的朋友无法理解的，除非他们自己有过亲身经历。

对于孩子迈出的第一步，父母的典型反应通常是给予热情的赞扬，在我看来，这种伴随着强烈感情的经历是极其重要的。对于父母来说，这是他们为宝宝的付出所获得的回报；对于宝宝来说，这些赞扬为宝宝日后形成强烈的成就自豪感奠定了基础，这个基础就是宝宝的个人安全感和价值感。

在7～11个月期间，大部分宝宝都能学会坐起来、爬行、站起来、趴到地板上、攀登、在支撑下行走，以及最终独自行走。所有这些成就和很多其他成就都使父母有机会对宝宝倾注大量关注并进行热情的赞扬。在这个非常重要的养育过程中，父母与其他成年人相比具有天然的优势。尽管充满爱心的育儿工作者通常也会从宝宝的成就中获得快乐，并为他拍手喝彩，但是，他们的热情和兴奋远远无法和孩子的父母相比。毕竟，在一个人已经看到过 200 个宝宝迈出第一步之后，他对第 201 个宝宝的态度所包含的热情可能无法和宝宝的父母相比。

与替代看护人相比，父母具有优势的另一个方面是对宝宝好奇心的鼓励和满足。一旦宝宝学会了爬，他所能探索的世界范围就大大扩展了。在接下来的 1 年半时间里，他每天的主要行为包括仔细探索小物体及其运动、探索简单的机械装置、对人进行研究，以及用身体探索周围的环境。如果要使宝宝从这些探索经历中获得最大的好处，最好是使他得到一个较为年长的人的陪伴，这个人应当对他有着特殊的兴趣，并且能够热心地为他提供各种帮助。没有什么人比孩子的父母或祖父母更适合这个工作的了。

替代看护人有很多种，他们可以是训练有素、经验丰富、拥有早期发展硕士学位的儿童发展专家（如果是这样，他们的服务费用会很高）；也可以是接受过儿童发展方面特殊培训的中学毕业生；或是孩子的阿姨或姑姑、表哥表姐，甚至是哥哥姐姐。他们可能会看护一个宝宝或是一群宝宝，可以在宝宝自己的家里或是他们自己的家里看护宝宝，或者在非盈利性或盈利性服务中心工作。正如你所预想的那样，宝宝所得到的看护质量会因人而异，这些看护人有的热情、知识渊博，有的冷漠、不熟练。我们还不知道这些看护人会对宝宝产生怎样的影响。

从对儿童看护中心进行的一些调查中得出了复杂的结论，但是，我仍然不建议在头两年采用这种看护方式，有特殊情况的家庭除外。我所关心的不仅是避免明显的伤害，还有如何使每个宝宝都获得最好的发展，而到目前为止，没有一种评估涉及儿童最为有利的看护方式问题。

坦白地说，在对儿童发展进行了 38 年的研究之后，我不会考虑在自己的孩子或孙子孙女出生后的头几年中对他们采取任何全天替代看护，尤其是看护中心的看护。

在什么情况下采用全天替代看护

在两种情况下，替代看护可能是必要的：（1）父母不能抚养自己的孩子；（2）父母不愿意抚养自己的孩子。

第一种情况可能存在于酗酒者、吸毒者或残疾人家庭，在这种家庭中，父母无法自己抚养孩子。由于这些家庭的环境太差，对于他们的孩子来说，惟一的希望就是将他们带离家庭，到其他地方抚养。但是情况也不至于如此极端。不幸的是，对于每年出生在美国的400万左右的婴儿来说，他们的父母并不都是快乐、智慧、彼此相爱、在心理上适合养育子女的。很多婴儿的母亲年龄不足18岁，但是已经有了两三个孩子。在这些情况下，新生宝宝前途如此黯淡，以至于全天的高质量替代看护成为一种比较好的选择。一些由政府出资的高质量看护项目就是为这些情况而设计的。

第二种情况是一个家庭不愿意承担抚养孩子的重任，这种情况比较难以界定，但是这并不影响它的现实性。一些父母不愿意承担耗时费力的养育工作。这是一个心理问题，我不愿意对此加以评论，我只想说，我相信在这种情况下替代看护是更好的选择。

非全天看护

令一些人感到惊讶的是，我强烈主张所有愿意这样做的家庭从孩子7、8个月时开始采取非全天的替代看护。

在研究中我遇到了很多父母，他们认为在孩子的早年采取替代看护的形式是无法想象的：他们正和孩子一起度过如此美好的时光，因此非常害怕与孩子分离。尽管我在向这些父母提出替代看护的建议时非常谨慎，但是我相信，为了避免孩子对父母的过度依恋，偶尔请人来照顾孩子对于大部分初次抚养孩子的家庭来说是有好处的。

非全天的替代看护可以使父母双方或一方获得一些时间去赚钱养家，还可以使孩子的父母尤其是母亲有机会去工作、学习或做其他事情。但是在我看来，采取非全天的替代看护最重要的原因是它能够使父母偶尔从照顾孩子的责任中解脱出来轻松一下。

心理上的放松，不论是通过外出工作还是休息，对于全天照顾孩子的父母来说都非常重要。多年来，年轻的女性一直担负着照顾孩子的责任。对于很多人来说，这种情况看似十分正常，甚至不值得一提，但是，如果你对那些照顾宝宝的女性进行观察，正如我们所做的那样，你就会对她们所面临的巨大压力留下深刻的印象，尤其是有两个或两个以上年龄相差较小孩子的家庭。

在我们针对年轻家庭开展的一些项目中，最受欢迎的一点就是让人们有机会每周给自己放几个小时的假。这种做法不仅能够使他们得到心理上的放松，而且还可以利用这个机会与其他处在类似情况中的年轻父母进行交流。

父亲和祖父母也能做好照顾孩子的工作

没有任何研究显示母亲是惟一能够照顾孩子的人。我们见到过很多非常适合也非常愿意照顾孩子的父亲和祖父母，他们甚至非常热切地希望分担这份工作。很多父亲和祖父母只有有限的机会分享宝宝生活中很多令人兴奋而值得纪念的时刻，对此我一直为他们感到不公平。宝宝出生并开始认识这个世界只有一次，而且他会很快长大。

总结

如果你没有其他选择，只能对你的宝宝采取全天替代看护的方式，我也无话可说。但是，对于那些有幸可以做出选择的家庭来说，我确信在宝宝出生后的头 30 个月中，最好在大部分时间里让父母或祖父母看护宝宝。这是确保宝宝获得良好早期教育最可靠的方法。此外，养育孩子，尤其是与其他人分享养育经历，可以成为成年人一生中最有价值的经历。

早期行为出现的时间差异

发展正常的宝宝应当在多大的时候第一次开始爬行、说话、独自站立，并且展示上百个其他成就？挚爱孩子的父母们常常对学龄前孩子何时出现这些行为感到担忧。

在过去的几十年中，随着人们对儿童早期发展的重要性有了越来越多的认识，这种担心也就变得越来越普遍。从它体现出的父母的责任感以及对孩子在头几年中正常发展重要性的认识的角度来说，这种担忧是合理的，并且实际上是健康的。但大部分担心是因为缺乏对儿童早期发展的了解。

每个对儿童进行研究的人都知道，人类早期发展的一个定律是其多变性。毕竟，儿童不是生产线上制造的产品。你可以期望每辆福特车的外表和性能都基本相同，但是对于儿童就不是这样了。

以开始走路的年龄为例。一方面，在世界各地的儿童中，有的早在6、7个月时就开始走路；另一方面，也有很大比例相当正常的孩子直到1岁半才开始走路。但是，如果宝宝走路较晚，父母还是会担心。

父母担忧的程度也有很大的差异，这取决于他们对自己认识的其他孩子发展速度的了解。孩子开始走路的时间有着极大的差异性，但是除了非常极端的情况，否则这些差异对孩子未来的教育或身体健康都没有任何影响。

这并不是说你永远不用担心孩子何时开始走路。如果你的孩子到了18个月还不会走路，你当然应该让医生对他进行检查。但我对此不会太担心。只有在孩子到2岁的时候还不会走路，我才认为应该有某种值得担心的理由。

父母们对于宝宝何时开始说话常常表现出更多的担忧。对于正常的儿童来说，有意义的话语——也就是使用特定的称呼来指代一个物体或一个人——可以出现在7、8个月到2岁生日之间的任何时候。和走路的能力一样，在任何正常的宝宝当中，说话能力出现的时间也有很大差异。

如果一个 9～10 个月大的宝宝已经会说一些词语，可以被视为一件好事。但如果一个孩子在 16 个月之后还一个字都不说，我就要开始担心了。让专业人士对孩子进行检查是一个很好的主意，从孩子的接受性语言能力开始检查，如果检查结果不好，就应当继续进行全面的身体检查，尤其是听力检查。

与孩子的说话能力相比，语言理解能力的发展在各个孩子之间的差异性较小，并且更能准确地体现出儿童在头 3 年中的发展状况。孩子一般会在满 8 个月后不久开始懂得最初几个单词的含义。最初的进步通常很缓慢，因此，1 岁的孩子可能只能理解 5～10 个词。但是在第 2 年中，进步会开始加速，在第 3 年中甚至会发展得更快。

一个不会说话的 14 个月大的孩子可能是非常正常的，但是，如果一个 14 个月大的孩子不能理解至少 24 个词，那么他很可能是发育有些迟缓。

每个担负着养育责任的人都应当很好地了解某些标志性能力出现的正常时间范围。没有理由不让这些信息成为常识，而且，医生也应该为那些定期给孩子进行医学检查的父母提供这些信息。不幸的是，一些医生因为过多地使用万能的答案来敷衍父母们关于儿童各种能力何时出现的问题，从而失去了父母们的信任。很多父母向我抱怨说，他们的儿科医生总是用“迟开的花朵”来解释他们孩子的发育问题，并且总是告诉他们不用担心。从某种限度内来看，这毫无疑问是正确的结论，而且这些父母的确无需担心。但超出了一定限度，这种诊断就不是一种富有见识而有价值的回答了。

总之，你应当了解头 3 年中孩子的各种能力和其他现象出现的时间有巨大差异。第 9 章的图表说明了这些差异在儿童的发展中是普遍存在的，你可以看到广泛的差异存在于哪些方面，还可以看到哪些方面的发展差异性较小。

玩耍

孩子的玩耍，这个对于父母来说非常有趣的话题，却极少得到儿童发展研究者的关注。（两个值得注意的研究除外：布赖恩·萨顿-史密斯以及多罗西和杰罗姆·辛格的研究。）宝宝不需要去工作赚钱，因此当人们谈论宝宝的行为时，会自动用“玩耍”这个词来指代他们所做的大部分事情。正因为如此，宝宝们被认为比成年人玩耍要多。

但是情况真的如此吗？他们的哪些行为符合我们对这个词的准确定义？“玩耍”的准确定义又是什么？如果玩耍的行为与愉悦、自由自在、微笑、大笑、咯咯笑等等有关，那么我们就不能把宝宝的很多行为归类于玩耍。他们只是偶尔才出现这样的行为。宝宝每天会花大量的时间以各种方式表达他们的需要和不适——例如，饿了或尿湿了——而且，这两种行为加在一起占据了他们不到一半的清醒时间。那么在剩下的时间里他们做些什么呢？

当一个10个月大的孩子试图推动玩具上的摇杆，以便使其盖子弹起来的时候，他脸上的表情可能是非常严肃的。如果他成功了，可能得不到任何人的奖赏，而且，由于他的所作所为在我们看来并没有什么价值，因此我们可能会把这种行为视为一种“玩耍”。但是我认为，宝宝有权保持严肃，因为他所做的事情可能非常重要。实际上，埃瑞克·埃瑞克森（Erik Erikson）以令人信服的方式指出，婴儿的玩耍对于健康人格的发展具有非常重要的意义。

他认为，婴儿的玩耍行为使他们有机会在安全的情况下进行各种尝试。这些预演能够帮助孩子迎接以后所面临的挑战，这就像是小猫小狗的相互撕咬嬉戏一样，它们能够从中学到日后所需的生存技能。埃瑞克森还认为，婴儿在玩耍时的小小成功有助于他们建立起强烈的自我价值感。所有健康的婴儿都会表现出对感觉运动成就的强烈兴趣，在这一事实面前，我们很难辩驳这个观点。

那么，我们所说的儿童的玩耍是指什么呢？最保守的定义是“儿童积极参与的，并且能从中获得乐趣的活动”。例如，如果一个宝宝正在哈哈笑或咯咯笑着，但却什么也没有做，我们可以认为他很高兴，但这并不是真正的玩耍。这样的定义所带来的问题是，我们通常认为的儿童的大部分玩耍行为都被排除在外了。手-眼技能的练习——宝宝会花几百个小时进行这种活动，尤其是从第 2 个月开始到整个第 2 年——在大多数情况下都是一种严肃的活动，宝宝在进行这种活动时，脸上的表情通常都是认真严肃的，不管他们在玩什么玩具。

除了玩儿玩具和其他物品，儿童还喜欢和成年人一起进行简单的游戏。尽管这种行为更多地被归类于保持社会接触而不是有组织的游戏，但是孩子的心情一定很愉悦。同样，对大肌肉群的练习常常是出于好玩儿：在床上跳、跑、攀登。我们称之为以获得乐趣为目的的活动也可能与玩耍有关：呵痒、荡秋千、翻筋斗。随着孩子年龄的增长，这两种类型的玩耍活动通常都会增多。

任何新环境都有可能激发孩子的探索性玩耍。这就是为什么沙子、水或任何可塑材料，例如培乐多彩泥，都可以促成孩子的玩耍行为的原因。

那么“假扮”游戏呢？儿童在第 2 年和第 3 年会偶尔假装自己是某件东西或某个人物——这种行为占所有行为的 1%到 2%——与之形成对比的是探索行为和技能掌握行为，这两种行为共占据孩子 15%到 22%的清醒时间。我们在能力出众的 3～6 岁孩子身上所看到的“假扮”行为特别普遍。这种游戏涉及到角色扮演或者假扮——例如，扮演蝙蝠侠，或者模拟不现实的情景或物质——例如用培乐多彩泥玩“烤面包”游戏。这种行为最早出现在第 2 年中期，在整个第 3 年会稳定增加。

在我们的研究中发现，发展良好的孩子会比发展欠佳的孩子进行更多的“假扮”游戏。因此，父母应当鼓励这种行为，尤其是当它在孩子 1 岁生日过后第一次出现的时候。这种游戏的一个额外好处是它能给每个人带来巨大的乐趣。

在出生后的头10个月中，儿童在玩耍方面会出现有趣的发展。如果有机会，6个星期至8个月大的婴儿会在婴儿床上进行好几个小时的手-眼活动。我多次看到过2～4个月大的宝宝全神贯注地玩儿悬挂在婴儿床上的玩具，或是对自己在小镜子中的形象着迷。

从8个月到15个月，探索物体特性的活动比利用它们练习简单技能的活动更为常见。但是在18～36个月期间，探索性行为会逐渐减少。在同一时期，技能掌握行为尤其是手-眼练习会迅速增加。在发展非常好的孩子身上，这种掌握行为取代探索行为的速度会更快。

孩子到3岁时的发展在各方面注定会有很大不同，而他们在1岁时的主要行为看上去却是很相象的。

我们的研究显示，孩子在头3年中的发展与儿童利用小物品行为的质量有关。在这个意义上，宝宝的“玩耍”似乎是一件非常重要的事情，而其质量依赖于很多因素。这些因素包括主要看护人对待宝宝好奇心的方式、探索的自由度、成年人对孩子身体掌控行为的回应，以及孩子在日常生活中与其中心人物建立起的稳定社会关系。

通过孩子在头3年中玩耍发展的整个过程来审视，我认为探索行为和掌握行为就是学会学习的行为的例子，它们体现的是技能和信息的获得。这些行为又会促使一种新的行为在第3年快要结束时出现——孩子学会了创作作品。这种在幼儿园的3～4岁孩子身上十分常见的行为，可能早在孩子刚满3岁时就会出现，但是通常只出现在早熟的孩子身上。

孩子最初创作的作品不仅简单而且数量很少——用2、3块积木搭成的塔、一幅涂鸦画、完成一个简单的拼图——但是，这些作品都是儿童发展的里程碑。皮亚杰曾经描述并解释过这些发展的重要意义。他以及其他人的著作让我们看到了儿童发展的旅程，从第1个月对外面的世界几乎毫无兴趣，到练习用手够东西，再到掌握其他的手的基本技能，例如抓握、放开和扔出，最后到对世界中的物体的特性及其运动轨迹产生越来越浓厚的兴趣。

玩具

玩儿玩具在儿童发展的过程中起到怎样的作用？其贡献似乎是巨大的，因为我们的研究显示，宝宝在醒着的时间里，超过一半的时间都在进行非社会行为。尽管宝宝用其中的一些时间吃东西，并花很多时间注视东西或人，保护自己的领地，或是什么也不做，但大部分时间——几千个小时——都被用来探索大大小小的物体。进而，这种行为促成了婴儿同母亲之间的互动，为日后的语言和社会学习打下基础。下面的行为图表描述了儿童的时间分配。

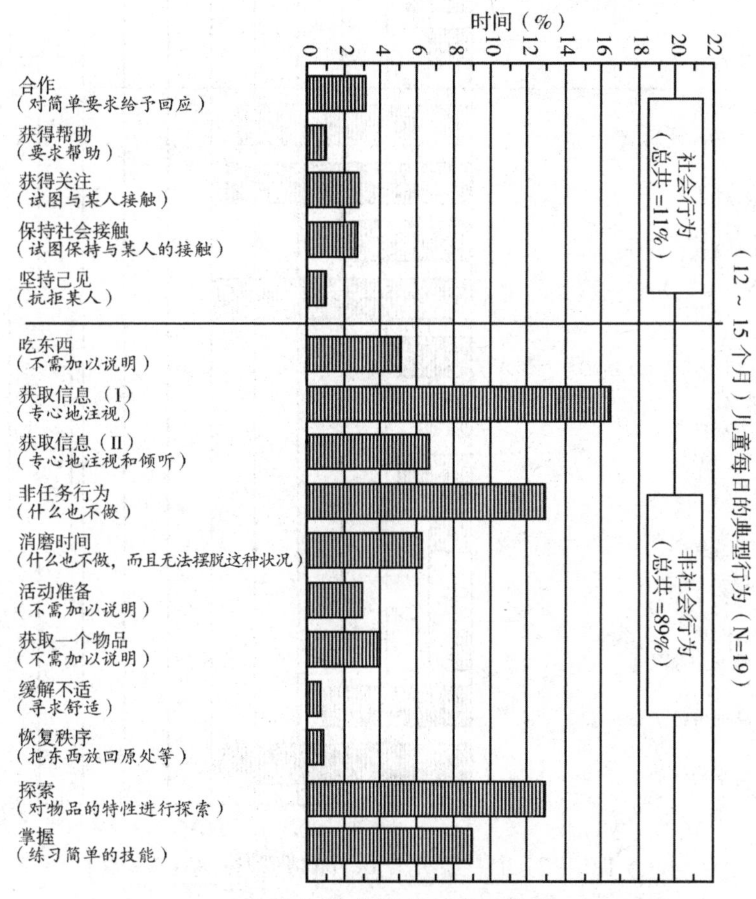

（12 ~ 15个月）儿童每日的典型行为（N=19）

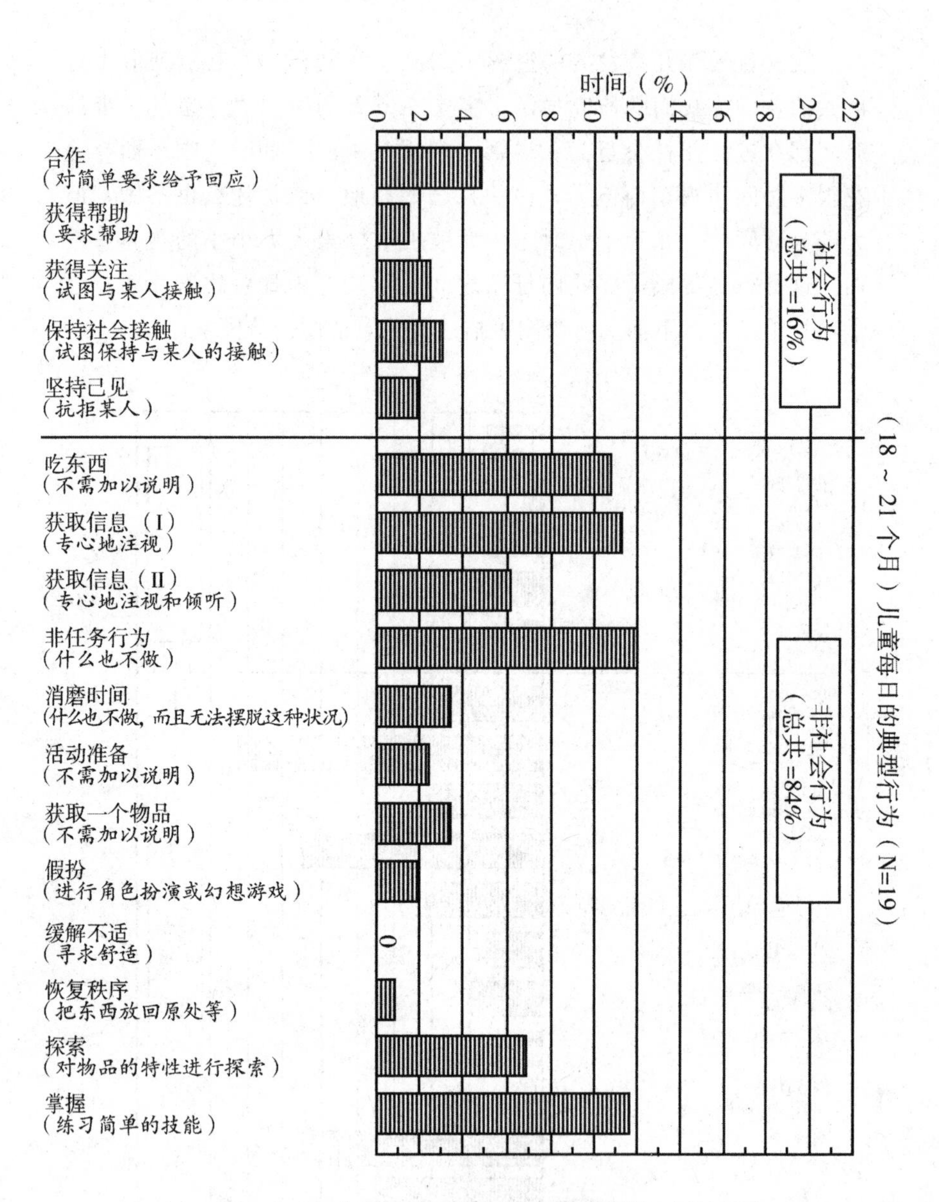

（18 ~ 21 个月）儿童每日的典型行为（N=19）

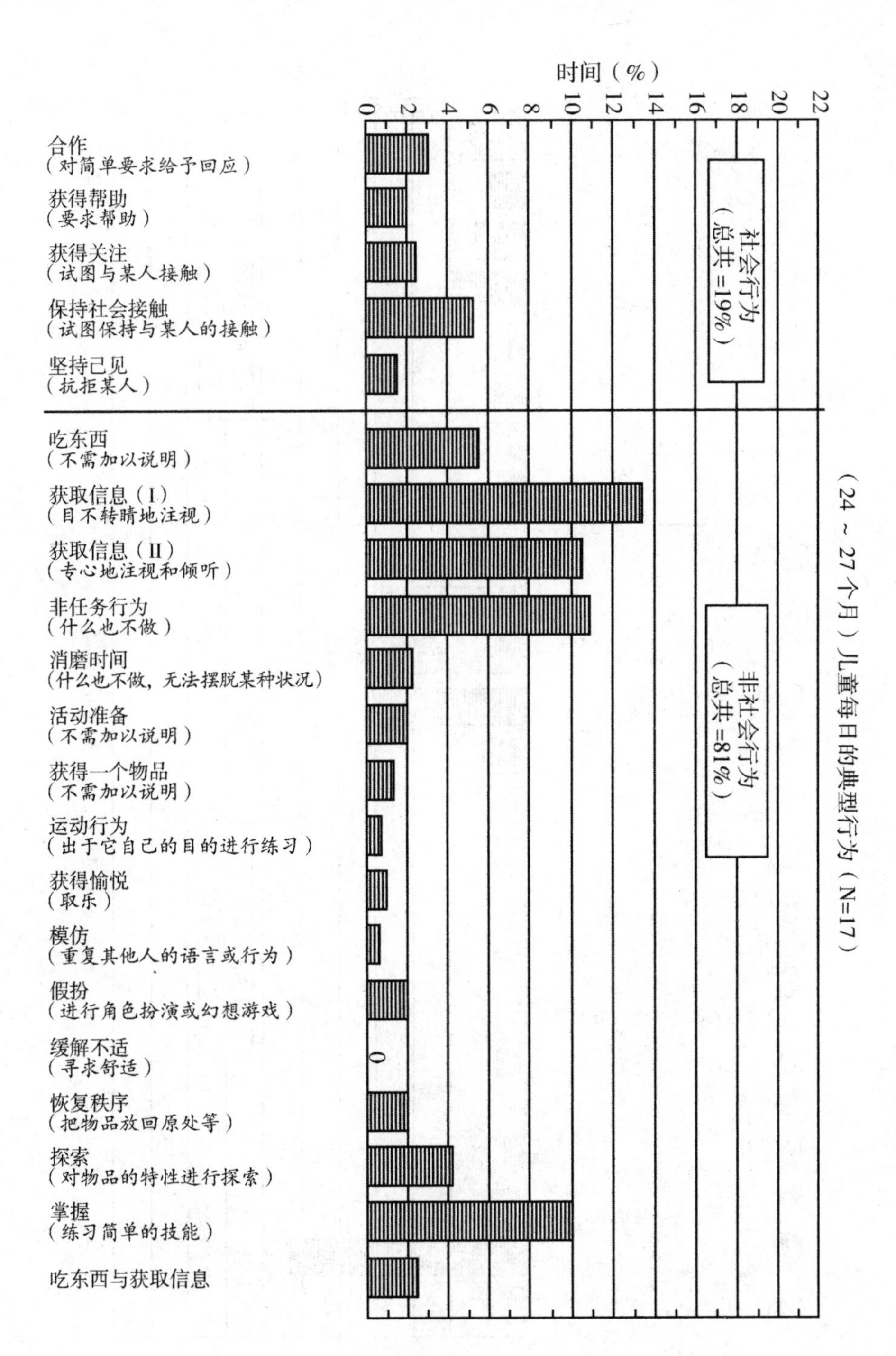

（24 ~ 27 个月）儿童每日的典型行为（N=17）

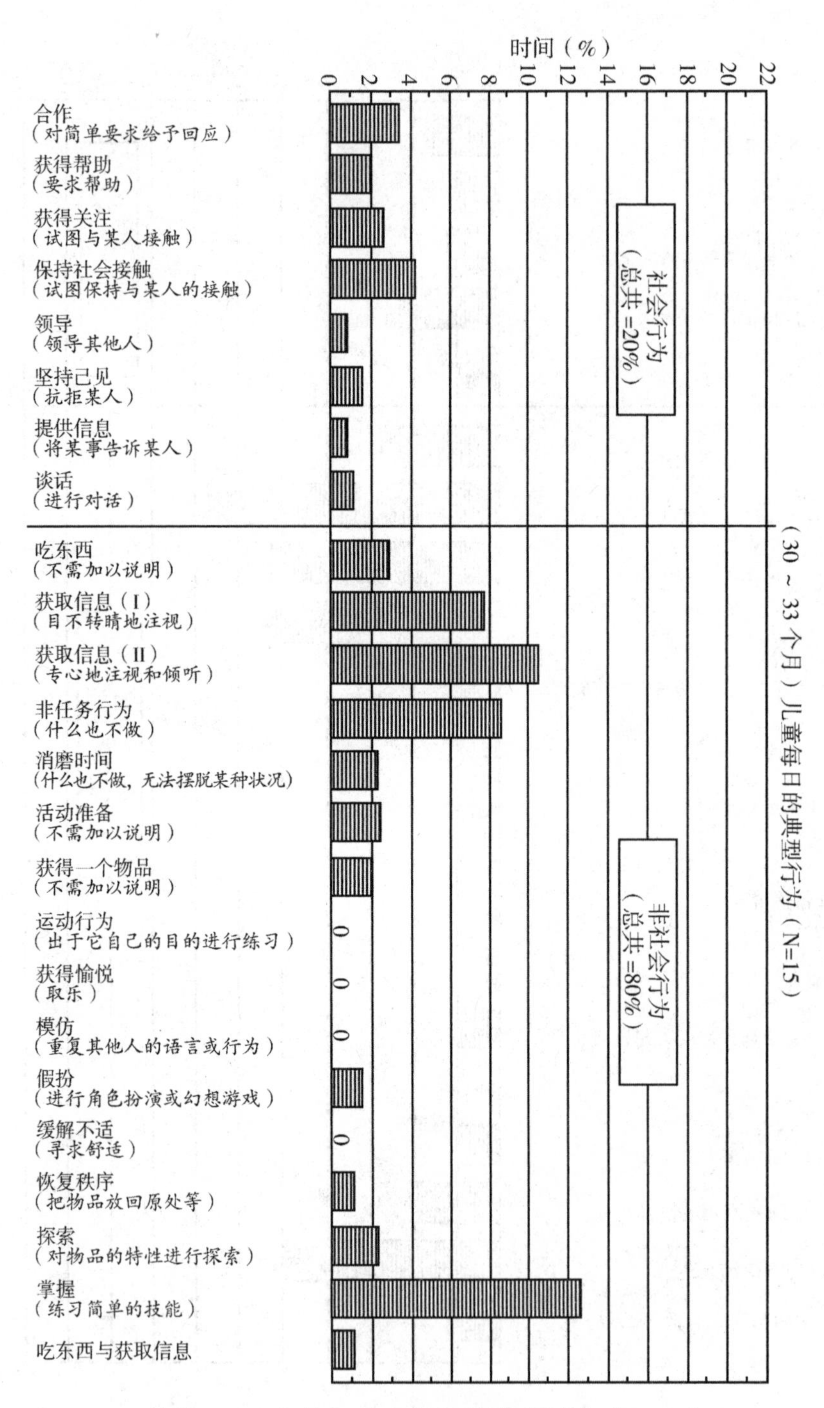

（30 ~ 33 个月）儿童每日的典型行为（N=15）

理想的玩具应当是安全而有趣的，适合孩子的发展水平，并且从刺激孩子身心的角度来说甚至有教育意义。

直到最近，如何发明一个好的玩具对于玩具行业中的大多数设计师来说都是巨大的挑战，但是这种情况正在逐渐改变。现在，我们已经可以买到很多适合于3岁以下儿童的真正不错的玩具。你仍然必须加以选择，而且，对你的孩子迅速发展的兴趣和能力的了解是选择玩具的最好的指导。

玩具可以包括真正的玩具和孩子玩儿的任何物品，不管它们预期的用途是什么。从这两种方式来说，玩具从孩子很小的时候开始就成了其生活的一部分。

在孩子的头3年中，我发现玩具对孩子来说有四个截然不同的时期。第一个时期，从出生到7个月左右，宝宝几乎不能自己活动，玩具有助于为宝宝提供一个有趣而富有启发性的环境。

在第二个时期，大约7～14个月左右，宝宝通常都是在为掌握自己身体的过程而感到兴奋并充满了挑战，尤其是移动和攀登。如果有机会，他们就会找到可供探索的新事物，社会能力发展也开始加速。在这个时期，玩具，尤其是从商店买来的玩具，在孩子的日常活动中所起的作用较小。有太多其他的东西吸引着他们的注意力。

第三个时期包括第2年剩余的时间，与儿童发展的第六阶段相重合。与主要看护人（通常是母亲）相关的社会能力发展成了孩子每天生活的中心。结果，他们最感兴趣的玩具就是那些对于社会行为有所帮助的玩具，尤其是那些能够与主要看护人进行互动的玩具。最明显的一个例子是图书。

第四个时期与儿童发展的第七阶段相一致，即孩子的第3年。由于孩子在语言、智力和想象力方面有了显著发展，因此，玩具在这个阶段起着非常重要的作用。在第3年当中，那些能够促成2岁孩子进行幻想游戏的玩具尤其具有价值。

在研究中，我们记录下了婴幼儿在自己家的自然环境中每时每刻的行为。我们还对他们在家中的探索行为和探索对象进行了观察。在这些年中，我曾经为很多给3岁以下儿童制造玩具的主要玩具厂商工作过，或提供过咨询。正是由于这个背景，我才能向你提供以下关于玩具的信息。

Mobile 玩具

很多年以来，父母们一直会购买或收到其他人赠送的 Mobile 玩具和摇铃作为孩子的第一个玩具。事实上，Mobile 玩具对于儿童有着很好的作用。在宝宝快满月的时候，他会第一次对探索周围的环境表现出明显的兴趣。由于他们的能力还非常有限，一个 Mobile 玩具是少数几个对不足 1 个月大的宝宝有意义的玩具之一。3～9 周大的宝宝在仰面躺着的时候，会出现颈紧张反射（TNR）姿势，他们的头在大部分时间里会转向一旁，通常是右边。在这段时间里，婴儿很少会看向自己的正上方。任何悬挂在婴儿床的正上方的玩具可能都不会被宝宝注意到，因此应当把玩具悬挂在左上方或右上方远一点的地方。Mobile 玩具应当设计得使其主要特征面向宝宝，此外，它还应当能够引起宝宝的兴趣。我们知道，宝宝特别喜欢看人脸的上半部分。一个设计良好的 Mobile 玩具应当包括一个此类图案。

另一个值得考虑的问题是，Mobile 玩具距离宝宝应当有多远。在观看四周的环境时，宝宝在 3～9 周的时候还无法像几个月大的时候那样看得很清楚。在 3～9 周这一阶段，他们最适合看 18～41 厘米远的物体。

将 Mobile 玩具至少放在 18～20 厘米远的地方的另一个原因是为了不让宝宝够着它们，这些最早期的 Mobile 玩具只是用来看的。当宝宝 8～10 周大的时候，他就不会满足于仅仅是注视了，他的兴趣会转向自己的手以及学习如何使用双手。从这个时候开始，你的宝宝需要一些他能够击打或用手拿的玩具。

市场上出售的玩具极少有在设计上考虑到了这些因素的，但是，你可以很轻松地自己制作一个更好的玩具。详细的指导请见第一阶段的相关内容（第 2 章）。

如果你后退一步，看看自己的作品，你可能会发现它做得不太像，但是过几天或几周之后，你的宝宝可能会花很多时间注视这些人脸图案。这里告诉你一个小窍门：一些人发现把这种 Mobile 玩具放在换尿布台的上方可以使换尿布的工作变得轻松一些。

不论你是否使用 Mobile 玩具，对于宝宝的发展都没有什么重要的影响。然而，如果你希望为宝宝设计一个适合于他迅速变化的兴趣和能力的环境，这就是一个开端。

摇铃

新生婴儿得到的另外一个传统玩具是摇铃，但这种玩具不适合刚出生几个月的宝宝。新生儿还不能清楚地看到、够到或抓住这样的小东西。新生儿甚至无法握住一个摇铃，除非你把它硬塞到他紧握的拳头中。如果你把摇铃放在他们手中，任何不满 2 个月的宝宝都不会去注意它。

一旦你的宝宝获得了一些手-眼技能，并且越来越喜欢啃咬各种东西的时候，摇铃就变得有用了。这通常发生在 4 个月左右。在接下来的几个月里，能够给你的宝宝有限的手-眼技能带来一些小小挑战的摇铃会引起他的兴趣。

地板和婴儿床健身架

当你的宝宝 10 周或 11 周大的时候，他会进入一个新阶段。他不会再满足于单纯的注视了：他会想要触摸、拿住和击打玩具。这种对物体进行探索的欲望最终会促成伸手够东西的能力的形成（大约在 5 个半月左右）。然而，在一开始，这个动作在大多数时候是用拳头击打物体。直到第 3 个月的某个时候，宝宝才能有效地运用自己的手指进行探索，因为直到这时，他们天生的抓握反射才开始消失，手指才能展开。然而，大约从第 7、8 周开始，你就应当在宝宝感觉舒适的时候在很近的距离内给他提供一些东西。

很多玩具都适用于这个目的。你要记住的核心事实是，一个

10～12周大的宝宝对于击打物体会表现出极大的兴趣，再大一点，他还会对用手指探索物体的形状和质地产生兴趣，当然他还会试图把东西放进嘴里。出于这个原因，用绳子悬挂的物体对于这个阶段的宝宝不太合适，你应当选择那些在击打时会稍稍变形，随后恢复原状的物体。对于一个刚开始学习伸手够东西的宝宝来说，用绳子悬挂的物体可能会使他产生挫折感。

多年来，用于击打和触摸的最好玩具一直是婴儿床健身架。在20世纪80年代，大部分婴儿床健身架被地板健身架取代了。地板健身架对于2个半月到6个月大的宝宝来说是很好的玩具。婴儿床健身架也很好，但已经不太容易买到了。很多地板健身架都很窄，可以放置在婴儿床上。

提示：在使用地板健身架时，要让你的宝宝坐在婴儿座椅上（儿童汽车座椅也行）。如果躺在地板健身架下面，宝宝就必须克服重力才能抬起胳膊触摸到悬挂的物体。

宝藏盒玩具

玩具制造商已经售出了数以百万计的宝藏盒，或者称为活动盒。在近年来，随着人们对小孩子兴趣的增加，一些玩具商设计出了三四种不同版本的宝藏盒。尽管有很多还在销售，但没有一种是适合婴儿的。

根据玩具公司的推荐，宝藏盒玩具适合6个月到2岁的孩子，但很少有这个年龄的孩子在这种玩具上花很多时间，他们最多在第一次见到这种玩具时会对它产生几分钟的兴趣。如果一个玩具值得购买，它必须具有内在的可玩性，至少让孩子会反复地玩，并且每次至少会玩几分钟。但是宝藏盒玩具做不到这一点。在我看来，这种玩具惟一吸引的就是成年人，成年人认为孩子会喜欢这种玩具。

一个2岁多一点的孩子可能会把任何一种玩具，包括这种玩具，作为吸引一个较为年长的人的工具。这没有什么不好，但这并不意味着这种玩具具有可玩的价值。我的建议是：不要购买宝藏盒玩具。

20年前，同样基于我们对各个家庭所进行的观察，我强烈建议为10～12个月大的孩子购买一种类似的玩具。这种玩具是生产宝藏盒的玩具制造商生产的，叫做“吃惊宝藏盒”。现在这种玩具仍然有售，但是已经改名为“迪斯尼宝藏盒”。它有一排相互分开的小格子，顶部可以弹开，每个盖子的操作机关各不相同。这种玩具通常会吸引8～14个月大的宝宝。不足1岁的宝宝只能操纵类似于电灯开关那样简单的杠杆机关，因为它更容易触发。但是到了14个月左右，宝宝通常就能操纵所有的开关了。在这6个月当中，你会看到宝宝多次主动玩这种玩具，但前提是你的宝宝必须能够轻松地操纵它。

这种玩具会吸引宝宝的明显原因是，宝宝对于挑战手-眼技能的任务具有强烈的兴趣，他对突然弹开的盖子会产生兴趣，对装有铰链和折页的东西普遍感兴趣，而且对能成功地打开盖子感到很快乐。此外，这些玩具非常结实，多次从椅子上或桌子上掉下去也不会摔坏。总之，这是一种非常好的玩具，但是它的最新款玩具——至少是我们进行过试验的一款——对于18个月以下的宝宝来说太难操纵。不幸的是，对于到了18个月的宝宝来说，这种玩具已经没有什么吸引力了。

还有一种很好的类似玩具，叫做“弹弹兔”。在过去的10年当中，有无数玩具的设计都借鉴了宝藏盒玩具的成功之处，这种玩具也是其中之一。这种玩具是一款最容易操纵的玩具。它是一个正方形的盒子，里面只有一个小室。要想让盖子弹出来，宝宝就必须击打一个水平的滚轮。当它旋转时，就会使盖子弹开，并弹出一个小兔子或小熊。如果宝宝满7个月了，你就可以给他玩这种玩具，尤其是当他能够独立坐着的时候。这种玩具产生的吸引力会持续两个月左右。

为什么没有更多设计优良的玩具可供选择呢？因为关于儿童发展的准确而详细的知识要经过很长时间才能形成，尽管我们现在已经掌握了足够多的此类知识，但是玩具公司还没有广泛地掌握这些知识，这也是我们为什么不能在养育过程中享受更多乐趣、更加轻松的原因。

我曾经花了很多时间与一流的玩具设计者进行交流。他们都是一些能力出众的人，对于影响玩具设计的经济因素了然于胸。他们知道玩具的每个部件和整个玩具的生产成本，知道这样的成本是否会对销售构成影响。他们对于材料与制造过程非常熟悉，也知道如何吸引玩具购买者——尤其是父母和祖父母。他们知道如何使玩具的包装更具吸引力，知道如何为一个玩具做广告。

在过去的几年中，玩具公司从婴儿玩具的销售中获取了大量利润。但是它们对于自己玩具的目标群体仍然没有足够的了解。在出生后的头3年中，宝宝的变化是非常迅速的，经历了他们人生中发展变化速度最快的时期。例如，你无法生产出一种适合2个月大宝宝的玩具并指望它对于2岁的宝宝仍然具有吸引力，尽管这样对于玩具制造商会非常有利。

我认为，毫无疑问，人们应当能够制造出更好的商业玩具。在过去的25年中，通过研究，我们掌握了很多真正具有价值的婴儿信息。通过更好地利用这些信息，玩具公司就能够提供更有价值的公共服务。

如果我关于早期教育重要性的看法具有一定的正确性，那么为0～3岁的儿童制造玩具的责任将来有一天会落在学校系统的肩上。但是在这一天到来之前，这个空隙应当由具有责任感的玩具厂商来填补。

在为婴幼儿选择玩具时，你应当将安全问题放在首位。对于质量不过关的玩具要多加小心，要特别注意那些可能卡在宝宝嘴里的小物品。容易从玩具上脱落的小部件与可以吞咽的小物品同样危险。任何一维小于4厘米的物体对孩子来说都是不安全的。你可以用一个小装置来测试小物品是否具有危险性，这个装置叫做“防吞咽管”。如果任何东西都能够放进这个管中，就说明它太小了，不安全。

如果你为孩子购买了重新上过油漆的二手玩具，那你就必须确保所用的油漆都没有毒。如果你对这个问题存有任何疑问，你就不要购买这个玩具。

头 3 年中应当准备的基本玩具和相关设备

1. **一个舒适的摇椅。**这是为你准备的，从宝宝出生后就可以用。帮助你安抚不高兴的宝宝并给大人和宝宝带来愉悦。亲密的身体接触伴随着有规律的摇摆对于任何年龄的人来说都是一种享受。对于出生后头几个月的宝宝来说，尤其具有安抚作用。

2. 6 个牙齿矫正安抚奶嘴。适用于从出生到 7 个月或更大的宝宝。帮助你安抚感到不适的宝宝。儿童齿科专家认为在头几年中使用安抚奶嘴不会带来任何问题。吮吸，即使吸不到液体，对于出生后几个月的宝宝来说也具有特殊的安抚作用。根据我的经验，安抚奶嘴缓解婴儿及父母压力的作用是难以估量的。你应当知道如何让宝宝开始使用安抚奶嘴。详情请见第一阶段的相关内容（第 2 章）。

3. **一个或一个以上的 Mobile 玩具。**只适用于第 3～9 周。为宝宝提供能够吸引他注意力的东西，让他在独自一人的时候观看。宝宝在快要满月的时候会对外部世界产生兴趣。一个 Mobile 玩具可以在接下来的两个月左右的时间里使宝宝产生很大的兴趣。如何自己制造这样的玩具请见第 2 章。

4. **两面高质量的防碎镜子，一面的对角线长度为 15 厘米左右(圆形或方形)，另一个面的尺寸为 20×31 厘米。**适用于从 3 周至 6 个月，之后的几个月可以偶尔使用。较小的镜子应当固定在婴儿床的一侧，使你的宝宝能够很容易看到自己。它应当向宝宝倾斜大约 10 度，这样，在宝宝仰面躺着的时候，他的视线就会与镜子垂直。较大的镜子应当被垂直固定在婴儿床的床头上，这样，当宝宝在距离镜子 13～15 厘米的地方俯卧的时候，如果把头抬起呈 30 度角，他就可以看见自己的上身。宝宝大约在 4～6 周的时候能这样做。我不推荐凸面镜。当一个宝宝正在努力了解身边的世界时，为什么要让他看到镜子中扭曲的世界呢？

5. **一个婴儿床健身架。**适用于 10 周到 6 个月。现在已经很少能买到婴儿床健身架了。要使用遮蔽胶带，以防止能够旋转的部件从宝宝面前转开，使他产生挫折感。婴儿床健身架使你的宝宝有机会探索身边的世界，同时在视觉的引导下学习使用自己的双手。不要选择那种用绳子悬挂玩具的健身架，因为这容易使婴儿产生挫折感。注意：如果宝宝能拉着东西坐起来，就不再适合使用婴儿床健身架了。

6. **一个地板健身架。**适用于2个半月至6个月。我不建议选择那种用塑料环悬挂玩具的健身架。因为婴儿太难抓住这些物品。也不要选择那种太宽的、无法放置在婴儿床上方的健身架。

7. **一个婴儿座椅。**适用于从出生至3个月。要确保其质量和牢固程度。4个月以上的宝宝常常容易把这种座椅弄翻。此外，这些宝宝最好待在毯子上或是安全的平坦表面上。这种座椅有很多款式，它们使你能轻松地推着宝宝在屋里活动。随着头部控制能力的提高，宝宝会越来越喜欢四下观望，婴儿座椅也能够增加成年人和宝宝面对面玩游戏的机会。可以用儿童汽车座椅取代婴儿座椅，而且它比婴儿座椅更好，因为一般的婴儿座椅的角度太浅，不适合3个月以上的宝宝使用。

8. **一个弹跳椅。**适用于4个月零1周至8个月左右。我不推荐全帆布座椅，最好选择那种带有衬垫的塑料框架的椅子。宝宝非常喜欢这种跳跃活动，也喜欢看到父母旁观时的兴奋。这种玩具还有助于控制以寻求陪伴为目的的故意啼哭的过度发展。

9. **一个轻便的、高质量的学步车。**适用于4个半月到爬行阶段。这种装置使宝宝能够自己移动，会缓解宝宝的无聊和挫折感，并且有助于控制以寻求陪伴为目的的故意啼哭的过度发展。这是一种非常有用的装置，但是只有在严密的看护下才能使用。

10. **弹弹兔或弹弹熊玩具。**适用于7～10个月。这种玩具有助于满足宝宝操纵简单机关的兴趣，并且可以作为在紧急情况下分散宝宝注意力的法宝。它是少数具有极大可玩儿价值的商业玩具之一。

11. **弹出式玩具。**这种玩具的作用和上面一种玩具类似，适合于9～14个月的宝宝。

12. **任何一种洗澡玩具。**适用于7个月至2岁。最好的洗澡玩具除了能浮在水面上以外，还应当有其他的功能。如果洗澡玩具带有水轮、喷水枪或可以制造泡泡，就会对宝宝产生最大的吸引力。宝宝喜欢玩水，洗澡玩具的种类多得数不清。这些玩具能够使宝宝度过快乐的洗澡时间，它们都具有很强的可玩儿性，而且非常结实。但是不要忘记躲闪宝宝的袭击。

13. **一个澡盆支撑座椅。**适用于 6～8 个月，在宝宝还不能完全独立坐着的时候使用。这种座椅是用吸盘固定在澡盆上的，使宝宝能够自由自在地享受洗澡的时光。

14. **一个格蒂球。**将这种柔软的、可充气的球吹至 15 厘米大。即使 7 个月大的宝宝也能把这种球拿起来，因为它是软的。这是一种最好的球类玩具。在宝宝满 14 个月之后就不要再让他玩儿这种球了。

15. **6 本左右硬纸板书（硬纸书）。**适用于 10～14 个月。在 10 个月大的时候，你的宝宝会通过分开并翻动书页来练习手-眼技能。他还会把书放进嘴里啃咬，有时会看书页上的内容。在 14 个月大的时候，他不会再花那么多时间用书练习技能和放进嘴里啃咬，而是会花更多的时间看书中的内容。宝宝在第 14 个月进入第六阶段之后，会更多地像成年人一样看书。

16. **一个玩具电话。**适用于 1～3 岁。这种玩具能够提高宝宝对“假扮”游戏的兴趣。（他会更喜欢玩儿真的电话。）

17. **6～12 个球，尤其是直径不超过 61 厘米的充气沙滩球——在此范围内越大越好。**乒乓球也有用处，但是只适合 14 个月以上的宝宝，并且在玩的时候必须有人在旁边看护。适用于 1 岁以上。在第 2 年当中，球是最好的玩具。它能很好地帮助宝宝学习物体的运动，练习投掷、追逐、捡起和携带的技能，并且可以和其他人一起玩。这是宝宝最好的玩具。

18. **锅碗瓢盆，所有用不着的此类东西都可以给宝宝玩，越多越好。**适用于 7～14 个月。如果缺了这些东西，任何玩具清单都是不完整的，它们能够满足孩子对物体和声音的好奇心。

19. **三扇楼梯门。**适用于 7 个月至 2 岁。在楼梯顶端安装一扇门。在从下面数的第3级台阶边缘安装第二扇门，以便让宝宝能够自由地练习爬楼梯，而无需担心和看护。在楼梯下面放置一个垫子，以防宝宝摔跤。在宝宝第一次尝试爬楼梯时要在一旁看护，并对他的成功大加赞扬。在学会上楼梯之后，宝宝还要练习几个星期才能学会下楼梯。你最好能对他进行一些指导。如果你接受我关于纪律约束问题的建议，在孩子14～22个月期间，你就会需要第三扇门。

20. **一个游戏围栏。**是的，一个游戏围栏。适用于5～15个月。这是为了使你能够在需要的时候把宝宝安全地放在一个地方并离开几分钟，例如地板是湿的，你烧的水又正好开了。但是，不要养成长时间把宝宝放在游戏围栏或任何其他限制性装置中的习惯。对于这种装置，"围栏"比"游戏"更能准确地反映它的性质。现在，制造商把这种装置叫做"游戏场"。

21. **带盖的塑料容器。**适用于7～15个月。空的冰淇淋罐子也很不错——此类东西越多越好。这是为了满足宝宝对掌握手-眼技能的强烈兴趣。这些容器还可以用来玩水。这个年龄段的宝宝对于他们发展中的手-眼技能有着强烈的兴趣。他们喜欢把盖子揭开再盖上。在此过程中，宝宝可能会产生一些挫折感，但是，你可以给他提供一些比较容易操控的东西。

22. **一个大塑料容器，装满或部分装满至少12个安全的小东西，如大线轴和塑料小摆设。**适用于7～15个月。这是为了使宝宝能够对小物体进行探索，并练习手-眼技能。你的宝宝会每次拿起一个东西玩，或者一次把所有的东西都倒出来。有时他会再把所有的东西都放回去。一个小的塑料洗衣篮是最理想的。

23. **一个低矮的小四轮玩具，带有一个类似于超市购物车那样的手柄，可以推动或坐在上面移动。**适用于11～15个月。市场上有很多不错的款式。此玩具以娱乐为目的。

24. **大的空箱子。**适用于1～2岁。目的：娱乐。

25. **一个儿童浅水池。**所有的宝宝都喜欢水，但是你的宝宝在使用浅水池时，必须有人在旁边看护。

26. **一个沙盒。**宝宝喜欢沙盒。不要忘记在不用的时候把盖子盖上。

27. **一个娃娃和娃娃马车或童车。**适用于14个月至3岁。为了满足孩子快速增长的想象力。这种玩具的价值已经经过了时间的证明。

28. **一个室外秋千。**适用于1～3岁。要确保秋千足够结实。大多数孩子都喜欢荡秋千。

29. **大约40本故事书和图画书（越多越好）。**适用于14个月至3岁。为了促进语言和好奇心的发展，并培养健康的社会生活。在满14个月之后，孩子的语言能力发展就使他能够听你讲故事了。孩子在第2年中强烈的社会兴趣也使他在听故事的过程中能获得极大的愉悦。你可以更早一点开始，但是，如果孩子在18个月之前对此表现出的兴趣非常有限，也是很正常的。

30. **电子书。**在书页的一侧有几张图画，按下每张图画，就能使书发出与故事相关的有趣声音。我喜欢这种书，大部分第六阶段的孩子也很喜欢。

31. **用于涂鸦的材料。**适用于18个月以上。用来鼓励孩子画画和写字。应购买可擦洗、无毒的蜡笔和记号笔。具象派的作品会出现在第3年。如果你的宝宝用蜡笔在不应该涂写的地方涂写，你也不要感到惊讶。

32. **拼图。**适用于14个半月以上。一共有四个难度级别，每个级别至少准备2～3个。拼图游戏对手-眼技能提出了简单的挑战，它还能给宝宝带来成就感，并且使父母有机会来强化孩子的成就感。要使拼图游戏的难度与孩子应付挫折感的能力相符，尤其是在17～20个月这个阶段。有的孩子能够非常熟练地完成拼图，甚至比成年人还快。

33. **家庭玩具屋或玩具车库，或是类似的场景类游戏（有很多种可供选择）。**适用于20个月至3岁。为了鼓励想象和幻想行为。这个年龄的宝宝已经能够玩儿涉及组织和主题的游戏了。出于这个原因以及其他原因，这些玩具是很好的选择。场景类游戏非常适合这个年龄的孩子。

34. **一个攀登式滑梯，带有阶梯，并且平台下面有游戏空间。**适用于18个月至3岁。用于锻炼大肌肉群的运动。在出生后的头几年中，宝宝对体操运动始终非常热衷。这些玩具都做得很好，而不幸的是它们的价格太贵，但是要记住，家里总能找到可供宝宝攀爬的地方。

35. **一个游戏厨房。**适用于18个月至3岁。当然，游戏厨房还应当配备食物、杂货和锅碗瓢盆。这些东西能够满足孩子对“假扮”游戏的兴趣，它们是非常好的玩具。

36. **一个矮桌和两把椅子，适合进行“下午茶游戏”。**适用于18个月至3岁。这是对游戏厨房的很好补充。这些玩具适用于这个年龄的男孩和女孩。

37. **一个小三轮车。**适用于2～3岁。在2岁以后，你就可以教会大多数孩子使用踏板了。

玩具与教育

在出生后的头3年中，玩具对孩子的吸引力取决于孩子的发展水平。在宝宝会爬之前，玩具对他具有更强的吸引力。这是因为，很小的婴儿无法改变自己的位置和他所看到的场景，也无法练习爬行、攀登、行走等运动技能。

从早期的爬行阶段到大约14个月左右，新的运动技能所带来的兴奋和挑战压倒了一切玩具的吸引力。从14个月到24个月，大多数孩子会对主要看护人产生越来越浓厚的兴趣。随着运动和视觉探索的继续，社会需要占据了优先地位。因此，那些能够引起社会互动的玩具开始变得更具吸引力。故事书和幻想游戏工具——例如电话和娃娃——在第二年的后半年逐渐变得更受孩子的喜爱。

最后，在第3年中，随着孩子在语言和智力方面的进步，以及第六阶段中的权力之争问题的解决，使得玩具开始对孩子产生更大的诱惑力。

在整个头3年当中，你应当努力保持孩子各种兴趣的平衡：不仅要让他有机会玩儿玩具和锅碗瓢盆等东西，而且还要让他有机会练习身体技能，同时还要让他有机会通过幻想游戏、球类游戏、阅读等活动与其他人进行交流。没有必要强迫孩子从一种活动转向另一种活动。当孩子对所做的事情感兴趣时，才能获得最好的学习效果。如果他对某种活动着迷，就可能意味着这种活动具有学习价值。

在早期的这几年中，孩子经常长时间地感到无聊并不是一个好现象。第一流的早期发展的基本特点是，从第 2 个月起一直到第 3 年，孩子都应当在大部分时间里进行有趣的活动。在这个时期，只有父母才能为孩子安排这样的活动。如果你了解孩子不断发展的兴趣和能力，这件工作就不会很困难。在此过程中，玩具会起到一些作用，但却不是必不可少的。

“教育”玩具

我可以信心十足地告诉你，要在头 3 年中让孩子得到良好的教育，你并不是必须为他买任何“教育”玩具。任何只要能够引起孩子兴趣的东西，哪怕是一个空冰淇淋盒子，都是有教育意义的。

很多父母想知道某些玩具是否有助于延长孩子的注意力的持续时间。儿童从事一项活动的时间长度由三个因素决定：（1）儿童保持对任何话题或物体注意力的基本能力；（2）一个话题或物体的吸引力或有趣程度；（3）儿童的个体差异。

对于儿童保持稳定注意的基本能力，一些专业人士认为，较小的儿童在这方面的能力非常有限，并且由于这种有限的能力，即使过了 6 岁生日可能也不适合去上学。对儿童的日常观察似乎也证明了这个观点。幼儿和学龄前儿童有时会比较大的儿童和成年人更快地从一项活动转向另一项活动。但是，任何年龄的人转移注意力的原因不仅取决于保持注意力的能力，至少还取决于这个人是否仍然对当前进行的活动感兴趣。但是注意力还取决于身体方面的情况，如疲劳或恐惧，以及是否存在分散注意力的事物。第一阶段的宝宝（从出生至 6 周）很少会对任何东西表现出持续的视觉注意力。当然，他们心里可能在思考这些东西，但这一点还需要有人去证明，而且证明这一点看来还不太可能。

然而，从第一阶段结束时起，宝宝保持注意的能力的提高非常明显。3个月大的宝宝能够并且的确会用长达10分钟的时间来研究自己的手和手指运动。他们之所以这样做，是因为学会把自己的手当成工具使用对所有的人都是非常重要的，手是人类进行学习的工具。换言之，长时间保持注意的基本能力在早期阶段就出现了。

由这一事实可以明确地得出一个结论，那就是，如果一个2岁的孩子缺乏持续的兴趣——不论是对一个玩具、一个故事，还是一个电视节目——可能并不是由于其保持注意的能力不足。但对于帮助孩子延长注意力的持续时间，不论是通过玩具还是任何其他媒介，恐怕我们对于如何做到这一点以及是否应该进行尝试知道的还很有限。

我们从两个相关的研究结果中找到了一条线索。在一个研究中，我们发现儿童专注地注视（物体或人）的时间长度与他们在日后的成就水平有着很强的正相关关系。另一项研究发现，当一个成年人与儿童谈论其正在注视的事物时，儿童稳定注视这个事物的时间长度与其日后的成就有更加密切的正相关关系。因此，与宝宝谈论他正在注意的东西，有助于提高他的注意力。我们对此还不是很确定，甚至无法证明这种关注能力是否越强越好。如果你认为如此，你并不是孤立的，我也持有这种观点。

环境与遗传：本性与教养之辩

在儿童早期发展的研究史上，环境与遗传之争占据着重要的位置。有时，这个争论似乎得到了暂时的解决，至少从表面上得到了解决，但是十年之后又会掀起更加汹涌的一波争论。

在19世纪末期，人们认为遗传因素对于一个人的成就起着最为重要的作用。孩子的天性在出生时就已经确定。弗洛伊德及其追随者和以俄罗斯心理学家伊凡·巴浦洛夫（Ivan Pavlov）为首的研究学习理论的学者，对这种传统观点进行了反驳。在20世纪20～30年代，人们越来越深刻地认识到儿童早期经历的重要性，尤其是出生后头5年的经历。

在20世纪30年代，阿诺德·格赛尔（Arnold Gesell）和斯波克博士（Dr. Spock）等人提出了相反的观点。他们通过很多试验说明了早期教育对儿童所起的作用是有限的。例如，在一些有趣的研究中，研究者通过同卵双胞胎来证明成熟的过程和遗传因素的重要性。在一项试验中，研究者让一对双胞胎中的一个孩子较早开始学习滑旱冰。但是，当这对双胞胎中的另一个孩子在更为适合的年龄（较晚）开始学习滑旱冰时，他很快就赶上了第一个孩子。

在使用剪刀和爬楼梯方面也进行过类似的试验。20世纪30年代，人们开始从强调早期经历的重要性转向了强调成熟和遗传因素。

在20世纪50年代和60年代，情况又发生了逆转。在当时，皮亚杰的研究开始具有越来越大的影响力，同时，民权运动也开始愈演愈烈。人们对于儿童的发展潜力所具有的永恒乐观态度又一次占了上风。越来越多的研究和实践开始以早期经历的重要性作为出发点。因此，在20世纪60年代，出现了一些以帮助儿童获得更好的早期教育经历为目的的项目，诸如“开端计划”。

今天，这场争论还远远没有平息。我们仍然没有足够可靠的证据来证明一个人的成就在多大程度上归因于后天的经历，又在多大程度上归因于天生的能力。如果用最简单的方式来表达我对这个问题的看法，我会说：儿童的天赋决定了他日后成就的上限，但他的天赋并不能对任何成就的取得都起到保证作用。一个天生具有最好中枢神经系统和身体器官的孩子有可能达不到平均能力水平，除非他有着必要的后天经历。如果你从来不让一个天赋最为出众的孩子听到语言，他就永远也学不会语言。这样的孩子永远也发挥不出他的智力潜力，他也无法成为一个有成就的社会个体。基因决定了每个儿童的成就上限，经历则决定每个儿童的潜力能够发挥出多少。

对于那些担负着养育责任的人来说，本性与教养之争对我们的影响并不大。不论孩子的天赋条件如何，我们都有义务竭尽自己的所能为孩子提供最好的成长环境，尤其是在出生后的头几年。

年龄较大才生第一个孩子

在我们所接触的家庭中，很多母亲都是到了30多岁才生第一个孩子。我们也经常接触四十几岁才生孩子的女性。我们是在一些很好的教育与支持项目中认识这些女性的。她们做得非常好。对于大部分这样的家庭来说，我们根本无需担心她们完成养育工作的能力。实际上，在通常的情况下，她们的成熟是一大优势。

但是，有一件事情会增加这些年龄较大的母亲的养育工作难度：少数这样的母亲比年轻女性更容易过度娇宠孩子。一旦出现这个问题，就需要引起重视。此外，出于显而易见的原因，年龄较大的母亲更容易产生尽快生第二个孩子的紧迫感，以降低孩子出现生理缺陷和其他身体问题的可能性。

第11章

其他问题

以促成儿童早慧为目的的项目

有些机构向父母们承诺，如果参加一个为期 4 天半的培训课程，就可以使宝宝变得更加聪明，能力更加出众。20 年前，有人就建议父母们通过一套特殊的工具让宝宝在婴儿时期就开始学习阅读。

专业人士对此的反应是困惑或愤怒。难道这些机构了解育儿的更好方法吗？如果父母没有从孩子一出生起就对他的发展给予密切的关注和刺激，是否就犯下了错误？父母对子女成长的焦虑心情和望子成龙的热望是否被利用了？美国基督教青年会对于那些教婴儿游泳的课程也有着类似的担忧。

另一方面，接受过铃木培训法训练的学龄前儿童所展现出来的高超的小提琴和钢琴技巧给很多人留下了深刻印象。这些都说明了什么？

不同的人们希望自己的孩子取得的成就是各不相同的，有的传统、有的极端。大多数家长都希望自己的孩子没有身体上的残疾，能力优秀，发展平衡，充满自信，善于与人交往。“能为优秀”的定义通常是在天生潜能允许的范围内远远高出平均水平。大多数家长的期望通常不包括一些专业领域的技能，诸如网球、滑冰、音乐或数学方面的杰出造诣。这并不是说父母们不看重这些技能，而是说他们通常不会为孩子设定这样的目标并热切地去追求。

然而，也有一些人非常希望自己的孩子取得很高的成就。他们对孩子有各种各样的期望，从3岁以前学会阅读到很早就掌握大量的词汇，从婴儿时期学会游泳到学习演奏乐器。这样的成就真的能实现吗？对于人生头3年智力发展的研究，最被人们所接受的就是皮亚杰的著作，但是，他的著作中根本没有直接提到过如何帮助一个孩子在很小的时候就变得非常聪明。他对这个课题不感兴趣。现在，人们正在对天资优秀的儿童进行很多研究，但对于如何带来天赋仍然所知甚少。

我们的哈佛学前项目是一项与之相关的研究，该项目有充足的人员和资金支持。我们花了13年的时间对一些极为优秀的学龄前儿童进行了研究。但是，我们关注的是儿童的平衡发展，实际上，我们有意将那些在智力或艺术能力方面早慧，但在社会能力方面平平或在其他任何主要发展方面发展较差的儿童排除在外。

我们的研究没有让我们了解如何培养早慧的儿童。它向我们显示的是，帮助大多数宝宝变得聪明是一件很容易的事，但我们一直非常重视健康的社会能力发展，至少与其他任何目标一样给予同样的重视。有趣的是，我不相信任何承诺培养早慧孩子的项目会将社会能力、同情心和快乐等重要目标放在首要位置。对于那些承诺能提高儿童智力天赋的项目，我们的研究以及其他任何人的研究都不能为其提供直接的基础。

那么，是否存在着一种建立在实践之上的依据，能够指导父母们促进孩子的早慧呢？在蒙台梭利幼儿园中对学龄前儿童进行读写教学的成功在过去几十年中一再得到了证实。在堪萨斯大学幼儿园，让学龄前儿童学会自己系鞋带（这不是一个简单的任务）也多次获得了成功。这些例子坚定了人们多年来的信念：我们可以让孩子在比普通孩子早得多的年龄学会某些技能。但更为复杂的问题是：这样做有意义吗？我们会为此付出什么代价？

每个做出成功保证的项目都需要频繁、大量的教学和练习。没有一个项目接受过受控条件下的测试，没有一个项目关注过儿童对学习的内在兴趣是否受到了影响，也没有一个项目关心过没有取得预期的成功对父母和孩子造成的心理影响。换言之，我们对于其副作用一无所知。

对于这些项目的长期效果也同样所知甚少。《被催赶的孩子》一书的作者大卫·艾尔凯恩也是一名受尊敬的儿童发展研究者，他表示，过早地培养孩子的阅读能力往往会给日后的学习带来问题。他着重强调，父母不应追求孩子发展方面的早慧。

铃木培训法又是怎么回事呢？与某些机构不同，铃木培训法并不以促成儿童在各个主要发展方面的出众成就为目的。多年来，该方法已经在各地取得了巨大的成功（仅在音乐培训方面），该方法没有什么秘密可言，可以接受任何人的检验。

针对幼儿的特殊培训课程具有哪些潜在的危害呢？如果一个课程要求父母和孩子在很长的一个阶段里，每天花好几个小时进行练习，我相信孩子学习的天然兴趣和愉悦感就有可能被破坏。如果孩子必须花大量时间来练习某种技能，如网球、滑冰、音乐或阅读，我相信他在其他方面的发展很有可能就会受到严重影响，学习积极性也会受到破坏。在这种情况下，对孩子的评价会过度看重孩子所取得的成就，或是他是否完成了某个课程所设定的目标，而不是孩子自身的价值。我认为，这对于任何儿童的生活都是一个严重的负面因素。

在很小的时候，孩子会学习建立人际关系的基本方式。这种学习需要花费很多时间。他们还要学习如何使用自己的身体，这种学习也很耗费时间。

我们接触过很多快乐而聪明的学龄前儿童。他们都将大部分时间用来做自己选择的事情。他们甚至会花大量的时间放松和休息。

任何承诺培养早慧儿童的课程最终都需要接受这样的评判，即它对于其他重要的，甚至是决定性的学习机会造成了多大的影响。出于这些原因，我不会向你推荐任何此类课程。

然而，有一些很好的低强度课程可供选择。在过去的25年中，成千上万个与早期学习有关的父母支持课程如雨后春笋般出现，但是这些课程并不以打破婴儿成就的新纪录为目标。

让婴儿学游泳：要小心！

随着对婴儿教育兴趣的与日俱增，人们开始越来越多地关注让婴儿学习游泳，或至少是让婴儿学会在水中求生的能力。我已经表达了我对高强度早期成就训练的一般看法，你一定不难想象我对于这种课程并不热心。

实际上，这个话题应当属于一个特殊情况，与游泳相关的安全性与娱乐性相互冲突，这使人更加困惑。对于通过这种训练避免婴儿溺水的愿望，没有人会加以否定，也没有人会反对这种能够使父母和孩子共享快乐时光的活动。

但是，现在出现了一个新的问题，这个问题非常重要，必须引起每个照顾婴儿的人的注意。它叫做“水中毒”。

基督教青年会的《发现》杂志里有一篇文章提到，美国基督教青年会水上运动教练马乔里·M·墨菲和助理编辑查尔斯·菲斯克对婴儿游泳课程给予了很大的关注，并列举了在这些课程中出现的一些重大危险。其中一种危险就是婴儿吞咽下过量的水，从而导致水中毒。因此，基督教青年会支持国家水上运动合作委员会的一条原则就是——“3岁以下儿童不应参加有组织的游泳训练课程”。国家水上运动合作委员会发布了与3岁以下儿童训练课程的安全有关的10条指导方针。由于这个问题非常重要，因此，我认为有必要在此详细引用基督教青年会的文章：

水中毒是指一个人由于喝下大量的水而使血液中的含盐量（钠

含量）大大降低。这将引起大脑肿胀，从而引起意识的模糊，程度从无力到昏迷不等，也有可能引发惊厥。只要不在惊厥、呕吐或窒息的过程中由于长时间呼吸停止而造成缺氧，并得到适当的治疗，情况就能得到恢复。水中毒的症状包括烦躁、乏力、恶心、肌肉痉挛、惊厥和昏迷。

在水中玩耍时，发生水中毒的儿童通常不会表现出危险的迹象——呛水或气喘。医生在他们的肺中也没有发现水。

成年人和较大的儿童通常不会喝下太多的水以导致水中毒。但是较小的婴儿容易发生水中毒，原因有两个：一是他们的体重（以及血液量）较轻；一是婴儿会吞下进入口中的任何东西的自然反射。游泳专家认为，在沉入水中时，婴儿会自动屏住呼吸，但他们会张开嘴，并吞下进入嘴里的水。

在很多年前，水中毒现象就已经被医生们发现了，但是，直到最近他们才注意到水中毒会在游泳的过程中发生。他们过去看到的水中毒情况通常是由于不当喂养造成的，即出于某种原因，父母给婴儿喝下大量的水或稀释的配方奶。水中毒的症状会在喝下水之后的3～8小时内表现出来，因此很多游泳教练从来没有见到过这种症状。轻微的症状如无力或烦躁等常常被视为婴儿疲倦的正常反应。在这样的情况下，孩子在游泳时玩得兴高采烈，但问题会在随后表现出来……

最后，我们无法证明婴儿游泳课程所追求的目标具有长期的影响力。很早就开始学习游泳的孩子也没有被证明比后学游泳的孩子具有长期的优势。在一个孩子到了懂事的年龄之前——即他真正懂得如果他在水中划动四肢，就可以使自己向着特定的方向移动，如果他只是在水中漂浮，就只能待在原地等等——对他进行防止溺水的训练根本毫无意义。

水中毒的危险无疑压倒了婴儿游泳课程所带来的任何好处。基于我们现有的经验，在任何（游泳）课程中确实存在着发生水中毒的危险。基督教青年会强烈建议为 3 岁以下儿童开设的课程应当让一名家长陪同参加，对于年龄很小的儿童，不应允许其没入水中或喝下游泳池中的水。

我非常赞同这一点：任何涉及潜入水中的婴儿训练课程都是我们不推荐的。

父亲的作用

有关儿童发展过程中父亲的作用问题，已经出版了一些书籍。另外，一些重要杂志发表的研究报告、重要会议的观点和大众媒体也对于父亲在儿童发展过程中的重要性给予了关注。不幸的是，关于这个话题的很多结论都是缺乏理论依据且相互矛盾的。

最根本的问题是，父亲的缺席是否会对一个孩子的成长造成重大影响。由于传统上大部分直接养育工作都是由女性承担的，因此我们自然会问，父亲或其他男性对于早期养育工作的圆满成功是否必不可少？

如果父亲不是必不可少的，那么接下来所有问题的重要程度都会随之改变，而很多独自抚养孩子的女性也就可以松一口气了。另一方面，如果父亲的角色非常重要，不论他的作用是直接在孩子身上体现，还是通过母亲间接地体现，一连串的问题都会随之而来。例如，父亲的养育方式是否与母亲不同？父亲对孩子的发展应当具有多少直接的影响？父亲的养育方式对母亲的养育方式有什么影响？父亲的养育方式对孩子的成长又有着什么影响？

我对这些问题的看法如何？和全天婴儿替代看护一样，关于这个问题的现有研究过于缺乏，无法提供任何理论依据。一些人以某些较早的研究为基础，声称父亲长期不在身边会导致男孩和女孩出现性别方面的问题，使男孩缺少男子气概，女孩缺少女性气质。然而，这种观点还未发展成为一种被广泛接受的理论，仍然只是一种有趣的推测。

在我们的哈佛学前项目研究中，有少数发展良好的孩子是在没有父亲的家庭里长大的，但是这部分孩子的数量太少，不具有普遍意义。在接下来的几年中，我开始坚信，在没有男人的情况下，女性也可以出色地完成养育工作，但是，和任何具有高度压力并偶尔会带来极度兴奋感的工作一样，你最好能够和某个人一起分担这个工作。

尽管男性较少参与养育工作中比较无趣的事情——如换尿布、纪律约束和处理日常压力——但他们从日常养育工作中分享回报的机会也同样较少。同一个健康的宝宝相处无疑会给主要的看护人带来极大的愉悦。

在我们的父母教育示范项目中，我们做了很多角色逆转的试验，即让父亲成为主要看护人。据我所见，父亲和母亲作为育儿者的惟一区别就在于父亲无法进行母乳喂养。除了这一点之外，出色的养育工作并不只限于女性才能完成。

对于大多数人来说，全天照顾宝宝有时是一件非常困难的工作。出于很多原因，我强烈建议父母平等地分担养育工作。在我看来，理想的养育状况应当包括（1）父母二人用同样多的时间承担养育工作；（2）当宝宝到了 7、8 个月大的时候，父母二人都花 2/3 左右的时间担任兼职工作；（3）偶尔使用高质量的替代看护。

关于亲情心理联结（Bonding）

亲情心理联结的概念大约在 20 年前开始引起公众和专业人士的关注，起源于凯斯西储大学两名医师马歇尔·K·克劳斯博士和约翰·H·肯奈尔博士的研究工作。他们报告说，如果在孩子刚刚出生的时候让母亲和孩子在一起多进行 16 个小时的接触，那么母亲和孩子之间的关系就会使双方受益更多。在通常的情况下，在婴儿出生后的第一天，母亲和孩子在一起的时间非常有限。

克劳斯和肯奈尔报告说，在出生后的几年中，那些在产后卧床阶段花更多时间与新生婴儿进行亲密接触的母亲，往往会对她们的孩子更加爱护、更加关心，也更加温柔。因此，亲情心理联结的概念就随之产生了：在出生后的几小时内，新生儿与其母亲之间强烈而健康的依恋关系的迅速发展。

这个引人注目的结论似乎提供了振奋人心的新信息，它立刻被大众所接受。很多医院迅速进行了改革，以便让年轻的母亲和她们的新生宝宝在产后能够尽可能多地亲密接触。

在最初的亲情心理联结现象的研究中，作为研究对象的母亲是居住在克利夫兰的低收入家庭的母亲。在斯坦福大学，研究者们以中产阶级的母亲为对象进行了一次研究，试图验证这一发现。斯坦福大学的研究发现，在第一个月的养育工作中，与新生儿进行更多接触的母亲会更多地拥抱她们的宝宝，并且通过身体语言表现出对宝宝更多的爱。她们作为母亲的信心也似乎更强一些。但是，到了孩子1岁的时候，这些母亲和其他母亲之间行为上的差别似乎就消失了。最重要的是，在孩子身上也没有发现任何差别。斯坦福项目因此得出结论，认为父母的社会经济地位和婴儿的性别等因素对于养育方式的影响远远大于早期的亲密接触。在科罗拉多大学医学中心，人们又一次试图验证最初的研究结果，这次是以中低阶层的母亲为对象，这次研究得出的结果与斯坦福研究的结果很相似。

除了这三个研究以外，对于亲情心理联结没有做过其他直接的实验。如果仅仅出于这个原因，我们在接受这个原始结论的时候就应当更加谨慎。

当研究者们正在为是否接受这个新发现而举棋不定的时候，他们又开始寻找其他相关的已知证据。很多已知的信息都间接涉及到亲情心理联结问题。一些证据涉及到孩子在出生后头两年中同父母建立依恋关系的过程。还有一些证据与新生儿及其母亲的天性有关。

在依恋过程方面，我们拥有来自对很多儿童进行的研究以及对其他动物幼崽的研究证据，这些研究都明确显示，早期经历对于终生的情感与社会健康非常重要，而良好的早期依恋关系的建立对于身体、情感和教育发展都是至关重要的。同样，也有很多证据显示，在出生后的头3～4个月里，宝宝仍然处于非常原始的状态。也就是说，他们还无法理解身边的事情，也无法准确地辨认出任何人。新生婴儿会同任何花大量时间和他在一起的较为年长的人建立起依恋关系，因为只有这样，他们才能生存下去，因此，从 2 个月左右的时候开始，他们就会对任何人做出友好的表示。

直到第 4 个月，宝宝才会开始有选择地对周围的人表示友好，通常是他的妈妈。从这时起，依恋关系变得更加固定，到了第 2 年末期，宝宝每天的生活都会围绕着他的妈妈或其他主要看护人转。

从宝宝的角度来看，这种依恋关系的发展过程并不能说明出生后的头几个小时具有特殊的重要意义。但是，从母亲的角度来看，这几个小时的确是一段特殊的时间。尽管从智力、感情和社会能力的角度来看，新生儿是非常简单而原始的生物，但对于婴儿的父母来说情况就不同了。在产后的第一天，母亲很有可能就会有一些独特而重要的经历，这会对她日后的养育方式和对宝宝的感情产生持续的影响。

那么，我们应当怎样看待在出生后第一天建立亲情心理联结这个论点呢？我们只有一项以个别母亲为对象的研究支持这一论点，而另外两个研究却不支持这一结论。此外，还有很多其他证据显示，亲情心理联结的概念应当被纳入依恋关系这个更为广泛的概念之中予以考虑，在大多数情况下，依恋关系是一个在宝宝出生后头两年完成的过程，这个过程对于种群的生存非常重要，因此依恋关系的成功建立不太可能取决于几天之内所发生的事情。

如果我们假设亲情心理联结的建立在很大程度上取决于宝宝出生后第一天所发生的事，并以此为基础采取行动的话，那么将会发生什么呢？如果这样只会促使父母在宝宝出生后的头几个小时里多花些时间陪伴宝宝，是没有什么不好的。实际上，他们会因此而获得很多乐趣。但是这样一来，任何在产后无法与宝宝进行亲密接触的母亲可能会害怕因此无法与宝宝建立起最亲密的关系。

由于各种原因，很多年轻母亲在产后的几天无法与她们的宝宝在一起，因此这种担忧心理会变得十分普遍，并带来一定的危害。对于领养孩子的父母来说，情况也是如此，因为他们无法在孩子出生后的头几个小时里和孩子在一起。

为所有这些父母考虑，我认为我们应当用保留的态度来看待亲情心理联结这个概念。它只是一个假设，并且是一个没有太多证据的假设。

在这里，我还要说一下，我在研究人类早期发展的 38 年中，曾经听到过很多非同寻常的关于生产和养育的想法，其中大部分都是无法证明的。例如，几年前，非洲的一名产科医生曾经对他的患者使用过一台减压机，它类似于一个倒置的金属罐，其中的空气压力较低。其设计理念是把它套在妊娠晚期的妇女肚子上，这样，较低的空气压力就能减轻腹壁所受到的外部压力。怀孕的妇女每次使用这种仪器约半个小时，在孕期的最后三个月每周使用几次。

这名医生在刊物上发表文章声称，使用过这种仪器的妇女产下的孩子要比一般的孩子更健康、更敏捷，各方面的情况更好。此外，他还声称，这些孩子在 1 岁时的发育状况也比一般孩子要好。

你可以想象这篇文章所产生的影响。世界各地的人们都想要知道到哪里能找到有减压机的医生。但是，流行一时的减压机很快就销声匿迹了，今天，你再也听不到关于这方面的消息了。同样，也许有一天，这种在几小时之内建立亲情心理联结的说法也会难觅其踪。

总的来说，在出生后的头几个月中，与宝宝的身体接触越多，对所有的人就越好。但毫无疑问的是，如果在宝宝出生后的第一天无法与他进行 16 小时的亲密身体接触，也不会给父母和子女间健康的依恋关系的形成带来任何危害。

婴幼儿的游戏小组

游戏小组是为还未到上幼儿园年龄的宝宝组成的集体。传统上，这是指 2 岁半以下的孩子，尽管最近有的幼儿园已经开始接收 2 岁的孩子。实际上，随着人们对早期教育重要性的深刻认识，已经有一些为更小的孩子而设立的“教育”项目。

大部分游戏小组都是建立在相互合作的基础之上的，即每个家庭轮流负责照顾这个小组。小组中孩子的年龄可以相差很大，但是，我不赞成让 12～30 个月大的孩子们在一起玩。

在对 30 个月以下的孩子所进行的研究中，我们一再发现，让他们在一起客客气气地玩耍的想法是错误的，他们还没有为客气做好准备。12～22 个月大的孩子还没有什么社会技能。至今为止，他们的大部分社会经验都是围绕着一两个对他们充满爱心的成年人的。他们不仅不懂人情世故，而且同龄小伙伴也同样不谙世事。在无人看护的情况下，幼儿的行为可能会更像一群小猴子而不是小天使，他们会用武力来决定谁是老大。此外，那些有兄弟姐妹的孩子，尤其是有年龄相近的兄弟姐妹的孩子，会比独生子女具有更多的攻击性和警觉性。

毫无疑问，我们没有任何理由让一个宝宝受到另一个孩子的欺负。如果你的孩子遭到了另一个学龄前儿童的欺负，你不要试图教给他怎样应对，而是要避免让他再接触那个孩子。如果你自己的孩子喜欢欺负别人，你就要制止他的行为，并限制他与同龄孩子的接触，除非有成年人的密切看护。

如果你的孩子参加了一个游戏小组，你必须要记住，能够防止一些孩子遭受欺负的惟一方法是进行密切的看护。不要想当然地认为孩子得到了这样的看护。如果你的孩子闷闷不乐，并且有迹象显示其他孩子欺负了他，你就应当进行一番调查，如果有必要，就不要让你的孩子再参加这个小组。

参加一个游戏小组会给孩子带来什么好处吗？目前的一种观点认为，与同龄人的社会接触能够促进孩子的社会能力发展。另一种观点是，群体行为能够刺激宝宝的智力发展。但是，至今还没有人能够提出任何证据来支持这两种观点，因此，在我看来，父母们不应当期望游戏小组能够带来这些好处。

在通常情况下，在第 3 年当中，孩子会把注意力从家庭、父母和兄弟姐妹身上转移到同龄的小伙伴身上。随着孩子渐渐长大，这种新产生的兴趣会越来越强烈，但是，游戏小组对于两岁半以下的孩子是否有益还很难说。

父母是否能从30个月以下孩子的游戏小组中获益呢？答案毫无疑问是肯定的。通过游戏小组，父母可以经常性地暂时从照顾孩子的责任中解脱出来，尤其是在第二年。但是，如果决定让你12～30个月大的孩子参加一个游戏小组，你就一定要认清潜在的危险。

双语家庭

很多父母曾经问我，在双语家庭中，应当如何让孩子学习语言。由于我不是这方面的权威，因此我咨询了一些语言学习方面的专家。我发现，尽管没有人对双语家庭中的语言习得进行过研究，但是，语言习得方面的专家对某些观点都有着一致的看法。他们说，如果两种语言都说得很好，那么从一开始就应当自然地对孩子使用这两种语言。此外，他们还建议一个家长始终说一种语言，另一个家长始终说另一种语言。

理论上的结果应当是：在头2～3年中，双语家庭孩子的语言习得能力会比单语家庭的孩子发展得缓慢一些，但是到了满4岁或5岁时，他们不仅能够赶上其他孩子，而且还能掌握两种语言。

由于没有更多的信息，我们只能将这个建议转达给与我们进行接触的家庭。在我们的新父母项目中，有24个家庭接受了这个建议，猜猜结果如何？这些家庭中的每个孩子不仅都掌握了两种语言，而且他们在两种语言上都比语言能力发展良好的单语家庭的孩子发展更快。有一些孩子甚至在满2岁时就掌握了三种语言。

不久以前，一个生活在英语、波斯语和阿拉伯语环境中的孩子因为一个客人的行为而感到不高兴。这个26个月大的孩子生气地用波斯语告诉她停下来，但是她没有停下，他又用英语告诉她停下来，她还是没有停下。随后，他又用阿拉伯语说了一遍。对他父亲的朋友，他只说阿拉伯语，这是他家里的主要语言。有时，在别人用波斯语与他交谈的时候，他会正确地用英语回答。

我发现所有这些行为都是很不寻常的。而且，这个孩子与我们观察过的其他孩子并没有太大不同。婴幼儿显然拥有比我们所想象的更强的语言学习能力。另外，这个会说三种语言的儿童的父母并没有花额外的功夫去教他的孩子这三种语言。他们只是接受了我们给所有父母的一般建议，也就是本段开头的建议。

在一个相关研究中，我听说由聋哑父母抚养长大的孩子在1岁生日前学会的手语词汇要比一般孩子习得的接受性词汇更多。

新生儿有什么惊人的本事？

大约12年前，一份研究报告宣称，2个月以下的婴儿可以对其他人的动作进行一些模仿，包括伸舌头。大约在同一时期，另一些研究报告指出，新生儿会准确地转头寻找声音的来源，并且会注视父母的动作。有人写了一本轰动一时的书，内容是关于婴儿在子宫内的学习。这本书宣称，胎儿在出生前的几个月就能够倾听并记住一些特殊的想法和词汇。这是否意味着新生儿拥有的能力超出了我们以前的认识呢？

在20世纪60年代之前，人们通常认为新生儿在出生前一直生活在一个威廉·詹姆斯所谓的“充满嗡嗡声和隆隆声的混沌世界”。现在，一些研究人类发展的学者希望你相信，宝宝在出生以前就能够感知妈妈的想法和感觉。另一些学者则在讨论婴儿在出生过程中的体验。还有一些学者坚持认为新生儿在出生后的头几个星期里就能看、能听，能够进行比较并做出决定。

胎儿和很小的婴儿究竟能做什么呢？他们在1岁以前头脑中都能感知到什么？关于这些话题的分析讨论可以并且已经被写成了几本书。即便如此，我们希望了解的大部分知识仍然有待探索。现有的证据来自几个方面：对中枢神经系统发育的解剖学研究；对婴儿、较大孩子和动物解决问题行为的研究；皮亚杰对智力发展的研究；

以及对人类胎儿和婴儿行为的观察研究。

对视觉的研究，尤其是罗伯特·范兹发表于20世纪60年代早期的研究报告，第一次极大地改变了长期盛行的对早期人类能力的看法。范兹证明婴儿可以在出生后的第一个月分辨出不同的物体。但是，我们不知道他们是否会对不同的物体进行比较，还是仅仅会注视那些他们能够分辨出的物体。我们也不知道他们是否能够形成对“人脸”的认识，还是仅仅形成对一个复杂事物的认识。无论如何，范兹都使大部分人相信，婴儿的视觉能力比威廉·詹姆斯所认为的要强，尤其是在两个月之后。

在视觉发育方面，两个半月似乎是一个分水岭。我自己的早期研究结果倾向于肯定范兹的结论。

大约在10周的时候，婴儿的视觉聚焦和追踪能力开始形成，他们的双眼已经可以对近距离的物体细节进行聚焦。大约在同一时期，婴儿会开始研究自己的双手。他们第一次在注视一个物体时将视线来回移动，以观察物体的特征。尽管这种行为令人印象深刻，但还不能称之为复杂的行为。

对于听觉能力，尽管在某些非常特殊的情况下，新生儿的确可以将头转向声音的来源，但这种行为一般要到4、5个月以后才会出现。除非婴儿采取俯卧姿势，并且听到某种特殊的声音，否则出生后几周的婴儿对声音的反应通常仅仅是眨眼、惊吓或停止动作。

对于大多数研究人类发展的人来说，皮亚杰对智力发育的分析仍然是迄今最准确的分析。他通过对自己三个孩子的持续观察得出的结论，在之后的几十年里得到了很多研究的证实。尽管出生后第一个月的婴儿会模仿伸舌头的动作现在已经被证实，并与皮亚杰的观点相抵触，但是，与几百个验证了他关于智力发育理论的研究相比，这一个与之相抵触的发现也算不了什么。而且在任何情况下，在出生后的头几周里，婴儿用舌头进行的模拟动作并不伴随着此类模仿行为的持续增长，到了婴儿2～3个月大的时候，这种模仿行为就完全消失了。

模仿行为确实会在其后不久重新出现，但它是皮亚杰所谓的

“准模仿行为”。例如，如果一个婴儿在用自己的口水发出声音玩儿，他的父母可以在他停下来的时候模仿他的声音，这样就能使他继续发出这种声音。如皮亚杰所说，真正的模仿行为出现在7～9个月期间，并且从那时起，在数量和种类上都有所增加，尤其是在第二年和第三年。

伸舌头的模仿动作确实令人惊异。但是，它只是新生婴儿众多难以解释的行为之一。在人类和其他动物身上很多天生的行为虽然令人惊叹，但是不能归入到成熟的心理能力之列。正如我们所看到的，红袋鼠的宝宝在胚胎发育的早期就依靠自己的力量离开妈妈的子宫，尽管它什么也看不见，而且重量还不足18克，但它还是奋力地通过宫颈，钻出阴道口，爬上腹壁，越过育儿袋的边缘，最后进入袋中。随后，它找到一个乳头，衔住它，重新开始胚胎发育的过程。我们是否能说这种生物具有高度的智慧？

根据皮亚杰的观点，婴儿最初的动作是出生时的抓搔动作。他们不会像较大的孩子或成年人那样有意识地思考或处理具体的感受。他们没有与生俱来的记忆力或是对周围世界的欣赏能力。在出生后的几个月里，他们既不会做出决定，也不会做出任何有意识的行为。第一次有意识地解决问题的行为大约出现在6个月或7个月的时候，那时，宝宝会移开一个障碍物，以便拿到另一个他想要的东西。到了8、9个月的时候，宝宝的短期记忆才开始发育。然后，到了18～24个月的时候，他们会开始通过思考来解决问题。

这种对婴儿智力能力发展的描述比任何其他对胎儿和婴儿的描述更符合大量的现有证据。对新生儿拥有惊人能力的描述可能是诱人的，但是，如果不考虑其合理性或与之相抵触的证据就全盘接受这些观点是毫无意义的。实际上，不加批判地接受这些观点可能会给新父母或望子成龙的父母带来负面影响。

影片《令人惊异的新生儿》展示了新生儿的一些模仿行为，例如伸舌头，以及其他一些非典型的行为，影片在最后向观众声明，不要期望在自己的孩子身上看到这些行为。然而，我无法想象新父母们不会试图让自己的宝宝做出电影中的行为，并且不会因为宝宝无法做到这些而感到失望。

与对新生儿的夸大描述相比，我更不赞成对未出生胎儿的夸大描述。关于胎儿能够在子宫中感知母亲的想法和感觉，并且这种感知会对婴儿出生后的心理和情感健康造成重要的长期影响的说法，不仅是未经证实的，而且是非常不可能的。同对“令人惊异”的婴儿的描述一样，对胎儿的不现实的期望也会造成不必要的担心。我强烈建议你不要轻信对新生儿和胎儿的“令人惊异”的心理和情感能力的描述，并且在接受革命性的养育方法时一定要慎重。

大小便训练：何时以及如何进行

在大小便训练问题上也存在着同样的问题——观点很多，相关证据很少。根据弗洛伊德以及其后很多心理学专业人士的看法，大小便训练会引发持久的情感问题并且会影响个人性格。

在很多人（包括我）看来，弗洛伊德是一个天才，他关于心理疾病的根源和指引人类生活的动机的看法毫无疑问代表着人类知识的进步。但是，我认为他关于婴儿性欲的理论在很大程度上没有得到证明。

弗洛伊德认为，在幼儿所处的性心理发展阶段，他们主要的满足感来自肛门区域的快感。如果扰乱或影响了这种肛门区的满足感，就有可能对幼儿的心理发展造成长期的影响。弗洛伊德说，那些在对婴儿进行大小便训练时以羞耻感和罪恶感对其进行说教的家长，很有可能会对孩子的情感发展造成严重的长期影响。

如果试图在12～24个月期间进行大小便训练，你就会遇到困难，因为这一时期的孩子通常都很任性，他们会反抗成年人的意志。根据弗洛伊德的理论，这样做可能会使孩子在涉及到肛门的功能方面产生终生的内心冲突。

自然而然地，那些受到弗洛伊德理论影响的心理学家都十分关心大小便训练问题。在20世纪50年代和60年代，埃瑞克·埃瑞克森秉承弗洛伊德的传统，强调了大小便训练的重要性。但是，这些理论分析从未得到过任何证据的支持。

根据我们现有的知识，在大小便训练这个问题上，无需进行长篇累牍的论述，也无需担心什么严重的后果。它只是所有家长都需要进行的众多日常工作之一。

在我们所进行的研究中，大多数发展良好的孩子在2岁之前都没有接受过大小便训练。这就意味着父母需要为他们换大量的尿布，进行大量的清洁或采购工作，但是，总而言之，孩子在2岁以后开始接受大小便训练会使每个人都感到轻松不少。清理尿布比清理衣服、床单、家具等等要容易得多。在2岁左右的时候，大多数孩子就会自发地开始学习使用厕所。放在地板上的儿童马桶能激发孩子接受训练的兴趣。如果家里有一个较大的孩子，较小的孩子希望模仿哥哥姐姐的欲望就会促使他学习使用厕所，有可能他自己就能完成这种训练。如果孩子的每次成功都能获得父母的夸奖，孩子就会加快这个训练过程。但是责备孩子会适得其反。

宝宝满36个月之后会发生什么?

有时候，当我阐述关于婴幼儿早期发展重要性的观点时，常常会在一些父母的脸上看到忧虑的表情。这样的表情通常会伴随着相同的问题："过了3岁，一切就都结束了吗？在此之后我还能做些什么来帮助孩子的发展吗？对于我可能已经犯下的错误，是否没有办法弥补了？"对于我来说，回答这些问题是非常困难的，因为在某种程度上，我的确认为在孩子3岁以后再进行弥补就已经太迟了。但是，我在这句话中设定的限制条件是很重要的。

儿童在3岁以后当然会继续发展。实际上，我倾向于赞同埃瑞克·埃瑞克森等心理学家的观点，他们认为人类一生都在经历着重要的发展。然而，基于近40年的人类发展研究，我确实相信人类具有的灵活性程度，他们改变生活方式和智力能力的根本潜能都将随着年龄的增长而逐渐降低。这一直是许多儿童发展研究的主题，在我所认识的人中，没有一个从事人类发展研究的人不同意这一观点。

存在争论的只是，在人生中的各个阶段的灵活性程度，以及作为个人和社会，我们最优利用这种灵活性的能力。在这方面，好莱坞电影可能对我们产生了误导。

在很多人都花大量时间看电影的好莱坞黄金年代，一个常见的电影主题就是某人在错误的人生道路上出现了突然而富有戏剧性的转变。在银幕上，我们会亲眼看到成年人从下流、不道德、心胸狭隘的人，因为一个戏剧性的事件转变为文明、道德高尚的人。通常，这些电影的主线都是偏离了人生道路的十几岁的男孩或女孩，在遇到某个像斯宾塞·特雷西（Spencer Tracy）或埃德蒙·格温（Edmund Gwenn）这样的人之后，突然“找到了正确的道路”。

影片《劣根》（The Bad Seed）描述了一个小孩，他在很小的时候就是一个恶魔，坏得让观众感到震惊。这样的观点似乎有悖于美国的各项原则，诸如“希望是永恒的”，“任何时候都有进步的余地”，“我们永远追求最好”，以及“永远都不会太迟”。而事实的真相却没有那么令人欣慰。

我的感觉是，一旦一个孩子到了2岁时，他的主要社会方向就已经确立，从这时起，就越来越难以使之有较大的改变。例如，如果一个孩子认为世界仅仅围绕着他运转，如果他不让步，他的父母就会妥协，那么他在日后的人际关系中就会遵循一种以自我为中心的方式。

这并不意味着一个被宠坏的3岁孩子不能被改变，但是这确实意味着要改变他可能不会太容易，并且会随着他年龄的增大而越来越困难——从某种意义上来说，这样的改变或许是不可能的。在任何儿童发展研究中，都没有人能证明自己具有极大地改变早期性格、社会态度或智力水平的能力。当然，尽管缺乏这样的证明，但我们仍然不应放弃尝试。

在我看来，每个承担着指导儿童成长和发展责任的人都必须随时尽自己最大的努力让每个孩子得到最好的发展，除此之外别无选择。实际上，尽管我无法证明，但我相信，在孩子3岁以后，使之发生重大改变甚至是戏剧性进步的可能性是存在的。但是，由于缺乏证据，并且出于谨慎的态度，我相信应当尽最大努力来预防这些困难的出现，而不是希望在以后能进行弥补。

我们对0～6岁儿童的研究发现，在发展良好的3岁孩子身上，已经能够看到那些使优秀的6岁孩子区别于其他孩子的主要能力要素。在3岁到6岁儿童身上，我们发现较为显著的不是新能力的出现，而是现有能力的提高。因此，本书对发展良好的3岁儿童特点的描述也同样适用于发展良好的6岁儿童，其区别只是程度的不同。

对于3～6岁的孩子，另一个需要强调的问题是这一时期对同龄人行为的兴趣的增长。对同龄人的真正社会兴趣似乎始于2岁，并且会随着年龄稳定增长，所以到孩子进入青春期的时候，你会经常发现，他对同龄人对他的看法比父母对他的看法更加看重。孩子的兴趣从主要家庭成员向同龄人的转移是一个漫长的过程，在这个过程中，完全依赖父母的孩子会发展为像我们一样独立的人。

皮亚杰认为，儿童会在6～8岁期间进入一个特别重要的稳定期，此时，他们的思维方式会摆脱自我为中心的模式，进入他所谓的“社会化的思维方式”。随着孩子开始重视同龄人的看法，他会开始希望自己在同他们说话时能够被理解。到了7、8岁的时候，他这种被理解的需要会促使他开始思考如何组织他的想法，以便使其他人能够理解。与之相反的是，3岁的孩子不会进行这样的准备步骤。毕竟，在家里的时候，他无须特别留意自己所说的话，父母也会使他的需要得到满足。

在皮亚杰的体系中，下一个稳定期出现在青春期的早期，此时，孩子们建立了成年人的思维方式，并且开始变为成熟而有理性的人。有趣的是，早在几个世纪以前，卢梭就建议我们，关于早期教育我们所能做的最好的事情就是小心提防，直到孩子进入青春期的早期，理性开始成熟。一些现代教育理论相信他所说的是正确的。

幼儿园

幼儿园通常接收2岁半至5岁的孩子。在一个学年中，幼儿园通常每周开放5天，每天3～4小时。幼儿园的承诺各有不同，但是，大部分都声称能为孩子提供愉快而富有挑战性的集体生活经历，并且还声称会使孩子受到良好的教育。大部分幼儿园更多地关注于提供从家庭到小学的转换期的社会经历，而不是为今后的学习进行训练。

但是，有的父母相信孩子今后的学术成就需要良好的幼儿园教育作为基础，对于这些父母来说，那些承诺会带给儿童长期教育收益的幼儿园又是怎样的呢？

当然，一个经营有方的幼儿园可以为孩子提供很多有趣的经历。对于一个孩子来说，幼儿园的设施、日常安排和其他的孩子都能够给他带来极大的乐趣。此外，孩子在幼儿园确实会学到很多东西。他们可以在上小学之前学习阅读和写字。很多孩子甚至能学会自己系鞋带。当然，他们在与人的交往中能够对人有更多的了解。

但是，这些经历具有长期效果吗？一个上了一流幼儿园的孩子会在以后的学习中比其他孩子更加优秀吗？答案是否定的。没有任何幼儿园的课程被证明能够使儿童获得任何长期的教育优势，甚至也不会使儿童在社会经历的调整方面占有优势。那么，就没有理由让孩子上幼儿园了吗？

任何一个父母都会希望偶尔从养育工作中解脱出来，这对父母来说并不丢脸。对于父母来说，尤其是对于母亲来说，幼儿园作为一种给父母自己留出一些时间的手段是很重要的。我曾经把我们的4个孩子都送到了幼儿园。这不是因为我认为上幼儿园能够使他们在日后变得更加优秀，而是因为我们有时觉得自己快要崩溃了。我们接触了一些经营有方的幼儿园，那里的工作人员都是富有爱心、知识丰富的人，我们相信我们的孩子会喜欢那里的生活，在那里能够接触到有趣的人、事物和活动。事实也确实如此。

结 语

在大部分地区，人们是从20世纪60年代后期才开始对婴幼儿教育的有关信息产生真正兴趣的。即使是那些因为孩子在头几年中的很多新发展而兴奋不已的父母和祖父母们，对于这些早期成就的长期教育意义也没有太多的认识。我们都仅仅是非常爱我们的宝宝。然而，在过去30年左右的时间里，情况发生了变化。我们仍然爱自己的宝宝，但是现在大多数人，尤其是有知识的人，都认识到宝宝每天不仅仅是玩耍和长大，他们还会学习很多东西。此外，很多人都相信，宝宝的早期经历会对他以后的学习产生重要影响。

不仅仅是父母和祖父母们在这一领域获得了新的想法。研究工作者、图书和杂志编辑、广播和电视制作人、玩具制造商以及学校和政界人士都对这一领域产生了新的兴趣。很多政治家甚至包括总统都发表了关于早期经历重要性的讲话。毫无疑问，在这一方面，全社会的观点都改变了。

一些社会关心的问题出现了，随之又很快消失了。然而，人们对早期学习的兴趣没有减少。这么多人参与其中，新的信息和趋势不断涌现。为了使这方面的图书能够具有准确性并跟得上时代，定期进行修订很有必要。这并不意味着先前版本中的所有信息都过时了。毕竟，婴儿仍然面临着和过去一样的发展挑战：掌握自己的身体、探索世界、学会交流，以及最重要的，同至少一个较为年长的人建立起亲密的关系。本书的第一版出版于20多年前。新版中包含了很多新知识，我相信这些知识是非常有用的。我还发现有必要对原版本中的一些内容进行修订。对于本书中的材料，我非常满意。实际上，写这本书给我带来了极大的愉悦。

真理难知

公众需要并希望得到能指导自己的养育实践的信息。不幸的是，他们了解的一些事实不会给他们带来简单而清晰的答案，而需要了解的信息又太多。有无数次，电台和电视台的人曾经请求我在一个6分钟的短节目里描述人类发展的概况。如果一名作家或电视制片人向一名资深专家请教如何设计一辆新汽车，或者是更简单一点的问题，诸如如何使轮胎更加牢固，这名专家很可能会说："你问我的是一个很奇怪的问题。如果要以负责任的方式回答这个问题，我就必须涉及到一些你作为外行人根本听不懂的话题，因此，你要么得到一个肤浅的答案，要么就不要问这样的问题，因为你要弄懂这个复杂的问题，就必须做很多准备工作，而且你根本没有机会把你所学到的东西传达给公众。"虽然这个比喻乍看有些牵强，但我认为它能够说明一些问题。

写有关儿童早期发展的书的人形形色色，包括医生、父母、心理学家等等。一些作者以写书为生，基本上没有接受过教育或心理学方面的训练，但是他们具有很高的智商，并且搜寻最新和最好的信息，以此编辑成书呈现给公众。电视研究人员也属于这一类人。

在过去的这些年中，我和几十个这样的人打过交道。他们都聪明而勤奋，通常都有充足的预算。他们的任务很艰巨，因为他们要在半小时或一个小时的节目里（其间还要插播广告）教授或解释在一个研究生院要花一个学期或一年以上时间所教授的内容。我觉得他们的任务是难以完成的。

电视台、杂志社和报社的人、写书的人、政治家以及大部分与儿童相关的医疗从业者都面临着同样的任务，在我看来，他们最后常常是以失败而告终。我提出的问题是如何对早期养育和为儿童提供良好的人生开端这样的现实问题做出最准确和最可靠的判断。

那么，这些工作都应包括什么呢？我们可以对研究的质量、研究者的声誉以及研究结果与该领域现有信息之间的关系进行检查。这种检查是任何训练有素的儿童发展专业人士都期待的。但是，外行人不具备批判性的评估能力，不管他们有多聪明。

这本书并不像有些书那样以介绍最新研究成果为目标。我们在过去10年中读过的一些书中大量引用了各种研究结果，批判性的态度也适用于这些书。实际上，在我们的父母培训项目中，我们建议父母们在墙上贴个纸条："白纸黑字印在书上的不一定都是真的！"

那么，事实由什么来决定呢？在大多数科学领域，一个标准化的要求就是重复性。我在一些书中看到的所谓"新发现"都不具有重复性。当某件独特的、令人兴奋的、富有戏剧性的事情被一个研究小组公布之后，它就会引起人们的兴趣，但我们不应该立刻相信。如果同样的结果被3个、4个、5个或10个独立的研究小组所发现，那么它的可信度就大大提高了。

在确定一项论述的可信性时，另外一些方面可供参考，例如提出这项论述的人的声誉。要注意的一点是：有一些最著名的作者也会根据明显错误的证据妄下结论，或是具备不实的研究资格，即使他们的社会地位很高。不幸的是，除了该领域的专业人士外，一般人无法区分那些作为一名严谨科学家而受到同事尊敬的著名人物和那些私下被认为能力不足或不诚实可信的人。但是，我们无法阻止任何人将自己的观点公之于众。

另一个判断依据是看论述的观点是否与该领域中现有的信息一致。当然，如果相关的现有信息较少，那些缺乏事实依据的、戏剧性的观点就更容易流行，有时会持续较长一段时间。例如，在20世纪60年代早期，人们一直对出生后头几个月的婴儿行为十分感兴趣。当时在医学界十分盛行的一个观点是，出生后头几天里亲密的身体接触会使婴儿获益良多。虽然后来的研究并没有支持这一观点，但是，很多年之后，人们才着手对这一观点进行验证。今天，在研究团体中，已经没有人坚持认为产后亲密的身体接触会造就“超级亲子关系”。这样，很多领养孩子的父母终于松了一口气。

养育工作中最困难的三个部分

只有一个孩子的父母会面临两个尤为困难的工作：避免对孩子的过度放纵和过度管束。对于那些有两个年龄相近的孩子（年龄相差不到3年）的父母来说，同胞竞争成为第三个困难。这些结论源于我30多年来深入家庭所进行的研究。

帮助一个孩子获得优秀的语言能力相当容易。强化孩子的智力发展也相当容易。当然，遗传的作用也不可忽视。有些孩子将永远达不到最高的能力水平，尽管他们在出生时与其他孩子没什么不同。

帮助一个孩子掌握身体控制技能和手-眼协调技能似乎是毫无必要的。对于孩子的视觉和听觉能力的发展也同样无需给予特殊的帮助。不论你采用什么养育方法——当然，虐待和忽视除外——都不会影响这些方面的良好发展。这些技能都使孩子可以自己学习或到成熟时就会掌握。

避免过度放纵是另外一个问题。大多数溺爱孩子的父母都会在这方面遇到问题，尤其是对于第一个孩子。本书对这个问题进行了描述并提供了解决方法。我在此只想表明避免过度放纵是养育工作中一个最困难的方面。

对于另外两个问题，情况也是如此——纪律约束和同胞竞争的问题仍然没有得到解决。此外，最近出现的另一个社会趋势使这三个问题变得更加复杂，这个趋势就是很多女性到了三十几岁甚至更晚才生第一个孩子。

如果你36岁时生下第一个孩子，那么与年轻的父母相比，你对孩子过度放纵的可能性就会比较大，对他进行管教时你的心理斗争也会更加激烈。如果你在36岁时有一个1岁大的孩子，你就会有一种尽快生第二个孩子的紧迫感（这与生物钟有关）。但不幸的是，不管你的生物钟感觉如何，2岁大的孩子就是不喜欢1岁的弟弟妹妹。很多年轻的夫妻都焦虑地询问如何处理同胞竞争的问题，他们十分希望我所说的广泛存在的危险没有那么严重。但令人悲哀的事实是，不管他们的需求如何，也不管我怎样强调，规则仍然是无法改变的。很容易理解，较大的孩子会对家里的新宝宝产生嫉妒心理，从而导致心情不快。这样，每个人——较大的孩子、较小的孩子，以及父亲和母亲——都不得不为此付出代价。

一流的父母教育能够有所帮助，但是，它对于消除同胞竞争的强有力的后果无能为力。如果不对第一个孩子过度放纵，你就可能会使所有人的生活更加轻松。如果一个孩子从小就知道有时需要等待才能得到自己想要的东西，知道有时他的要求会被拒绝，并且从小就学会尊重父母的权利，与从小就被宠坏的孩子相比，这样的孩子会比较容易接受他的弟弟或妹妹。

[美]特蕾西·霍格
梅林达·布劳　著
北京联合出版公司
定价:42.00 元

《实用程序育儿法》

宝宝耳语专家教你解决宝宝喂养、睡眠、情感、教育难题

《妈妈宝宝》、《年轻妈妈之友》、《父母必读》、“北京汇智源教育”联合推荐

本书倡导从宝宝的角度考虑问题，要观察、尊重宝宝，和宝宝沟通——即使宝宝还不会说话。在本书中，她集自己近30年的经验，详细解释了0~3岁宝宝的喂养、睡眠、情感、教育等各方面问题的有效解决方法。

特蕾西·霍格(Tracy Hogg)世界闻名的实战型育儿专家，被称为“宝宝耳语专家”——她能“听懂”婴儿说话，理解婴儿的感受，看懂婴儿的真正需要。她致力于从婴幼儿的角度考虑问题，在帮助不计其数的新父母和婴幼儿解决问题的过程中，发展了一套独特而有效的育儿和护理方法。

梅林达·布劳，美国《孩子》杂志“新家庭(New Family)专栏”的专栏作家，记者。

[美]简·尼尔森　谢丽尔·欧文
罗丝琳·安·达菲　著
花莹莹　译
北京联合出版公司
定价:42.00 元

《0~3 岁孩子的正面管教》

养育 0~3 岁孩子的“黄金准则”

家庭教育畅销书《正面管教》作者简·尼尔森力作

从出生到3岁，是对孩子的一生具有极其重要影响的3年，是孩子的身体、大脑、情感发育和发展的一个至关重要的阶段，也是会让父母们感到疑惑、劳神费力、充满挑战，甚至艰难的一段时期。

正面管教是一种有效而充满关爱、支持的养育方式，自1981年问世以来，已经成为了养育孩子的“黄金准则”，其理论、理念和方法在全世界各地都被越来越多的父母和老师们接受，受到了越来越多父母和老师们的欢迎。

本书全面、详细地介绍了0~3岁孩子的身体、大脑、情感发育和发展的特点，以及如何将正面管教的理念和工具应用于0~3岁孩子的养育中。它将给你提供一种有效而充满关爱、支持的方式，指导你和孩子一起度过这忙碌而令人兴奋的三年。

无论你是一位父母、幼儿园老师，还是一位照料孩子的人，本书都会使你和孩子受益终生。

《如何培养孩子的社会能力》

教孩子学会解决冲突和与人相处的技巧

简单小游戏 成就一生大能力
美国全国畅销书(The National Bestseller)
荣获四项美国国家级大奖的经典之作
美国“家长的选择(Parents'Choice Award)”图书奖

[美]默娜·B·舒尔 特里萨·弗伊·迪吉若尼莫 著
张雪兰 译
京华出版社出版
定价:22.00 元

社会能力就是孩子解决冲突和与人相处的能力，人是社会动物,没有社会能力的孩子很难取得成功。舒尔博士提出的“我能解决问题”法,以教给孩子解决冲突和与人相处的思考技巧为核心,在长达 30 多年的时间里,在全美各地以及许多其他国家,让家长和孩子们获益匪浅。与其他的养育办法不同,“我能解决问题”法不是由家长或老师告诉孩子怎么想或者怎么做,而是通过对话、游戏和活动等独特的方式教给孩子自己学会怎样解决问题，如何处理与朋友、老师和家人之间的日常冲突,以及寻找各种解决办法并考虑后果,并且能够理解别人的感受。让孩子学会与人和谐相处,成长为一个社会能力强、充满自信的人。

默娜·B·舒尔博士,儿童发展心理学家,美国亚拉尼大学心理学教授。她为家长和老师们设计的一套“我能解决问题”训练计划,以及她和乔治·斯派维克(George Spivack)一起所做出的开创性研究,荣获了一项美国心理健康协会大奖、三项美国心理学协会大奖。

《如何培养孩子的社会能力(II)》

教 8~12 岁孩子学会解决冲突和与人相处的技巧

全美畅销书《如何培养孩子的社会能力》作者的又一部力作!
让怯懦、内向的孩子变得勇敢、开朗!
让脾气大、攻击性强的孩子变得平和、可亲!
培养一个快乐、自信、社会适应能力强、情商高的孩子

[美]默娜·B·舒尔 著
刘荣杰 译
北京联合出版公司出版
定价:28.00 元

8~12 岁，是孩子进入青春期反叛之前的一个重要时期,是孩子身体、行为、情感和社会能力发展的一个重要分水岭。同时,这也是父母的一个极好的契机——教会孩子自己做出正确决定,自己解决与同龄人、老师、父母的冲突,培养一个快乐、自信、社会适应能力强、情商高的孩子——以便孩子把精力更多地集中在学习上,为他们期待而又担心的中学生活做好准备。

本书详细、具体地介绍了将“我能解决问题”法运用于 8~12 岁孩子的方法和效果。

《孩子，把你的手给我（Ⅲ）》

老师与学生实现真正有效沟通的方法

《孩子，把你的手给我》作者最后一部经典巨著
以 31 种语言畅销全球
彻底改变老师与学生的沟通方式
美国父母和教师协会推荐读物

[美]海姆·G·吉诺特　著
张雪兰　译
京华出版社　中央编译出版社
定价：27.00 元

本书是海姆·G·吉诺特博士的最后一部经典著作，彻底改变了老师与学生的沟通方式，是美国父母和教师协会推荐给全美教师和父母的读物。

老师如何与学生沟通，具有决定性的重要意义。老师们需要具体的技巧，以便有效而人性化地处理教学中随时都会出现的事情——令人烦恼的小事、日常的冲突和突然的危机。在出现问题时，理论是没有用的，有用的只有技巧，如何获得这些技巧来改善教学状况和课堂生活就是本书的主要内容。

书中所讲述的沟通技巧，不仅适用于老师与学生、家长与孩子之间的交流，而且也可以灵活运用于所有的人际交往中，是一种普遍适用的沟通技巧。

《莫扎特效应》

用音乐唤醒孩子的头脑、健康和创造力

从胎儿到 10 岁，用音乐的力量帮助孩子成长！
享誉全球的权威指导，被翻译成 13 种语言！

[美]唐·坎贝尔　著
高慧雯　王玲月　娟子　译
北京联合出版公司出版
定价：32.00 元

在本书中，作者全面介绍了音乐对于从胎儿至 10 岁左右儿童的大脑、身体、情感、社会交往等各方面能力的影响。

本书详细介绍了如何用古典音乐，特别是莫扎特的音乐，以及儿歌的节奏和韵律来促进孩子从出生前到童年中期乃至更大年龄阶段的发展，提高他们的各种学习能力、情感能力和社会交往能力。对于孩子在每个年龄段（出生前到出生，从出生到 6 个月，从 6 个月到 18 个月，从 18 个月到 3 岁，从 4 岁到 6 岁，从 6 岁到 8 岁，从 8 岁到 10 岁）的发展适合哪些音乐以及这些音乐的作用都进行了详细的说明。

唐·坎贝尔，古典音乐家、教育家、作家、教师，数十年来致力于研究音乐及其在教育和健康方面的作用，用音乐帮助全世界 30 多个国家的孩子提高了学习能力和创造性，并体验到了音乐给生活带来的快乐。他是该领域闻名全球、首屈一指的权威。

[美]简·尼尔森　琳·洛特
斯蒂芬·格伦　著
花莹莹　译
北京联合出版公司
定价:45.00 元

《正面管教 A-Z》

日常养育难题的 1001 个解决方案

养育畅销书《正面管教》作者力作
以实例讲解不惩罚、不娇纵管教孩子的"黄金准则"

无论你多么爱自己的孩子,在日常养育中,都会有一些让你愤怒、沮丧的时刻,也会有让你绝望的时候。

你是怎么做的?

本书译自英文原版的第 3 版(2007 年出版),包括了最新的信息。你会从中找到不惩罚、不娇纵地解决各种日常养育挑战的实用办法。主题目录,按照 A-Z 的汉语拼音顺序排列,方便查找。你可以迅速找到自己面临的问题,挑出来阅读;也可以通读整本书,为将来可能遇到的问题及其预防做好准备。每个养育难题,都包括 6 步详细的指导:理解你的孩子、你自己和情形,建议,预防问题的出现,孩子们能够学到的生活技能,养育要点,开阔思路。

[美]简·尼尔森
琳·洛特　著
尹莉莉　译
北京联合出版公司出版
定价:35.00 元

《十几岁孩子的正面管教》

教给十几岁的孩子人生技能

养育畅销书《正面管教》作者力作
养育十几岁孩子的"黄金准则"

度过十几岁的阶段,对你和自己青春期的孩子来说,可能会像经过一个"战区"。青春期是成长中的一个重要过程。在这个阶段,十几岁的孩子会努力探究自己是谁,并要独立于父母。

你的责任,是让自己十几岁的孩子为人生做好准备。

问题是,大多数父母在这个阶段对孩子采用的养育方法,使得情况不是更好,而是更糟了……

本书将帮助你在一种肯定你自己的价值、肯定孩子价值的相互尊重的环境中,教育、支持你的十几岁的孩子,并接受这个过程中的挑战,帮助你的十几岁的孩子最大限度地成为具有高度适应能力的成年人。

[美]简·尼尔森　琳·洛特
斯蒂芬·格伦　著
梁帅　译
北京联合出版公司出版
定价:30.00 元

《教室里的正面管教》

培养孩子们学习的勇气、激情和人生技能

家庭教育畅销书《正面管教》作者力作

造就理想班级氛围的“黄金准则”

本书入选中国教育新闻网、中国教师报联合推荐

2014 年度“影响教师 100 本书”TOP10

很多人认为学校的目的就是学习功课,而各种纪律规定应该以学生取得优异的学习成绩为目的。因此,老师们普遍实行的是以奖励和惩罚为基础的管教方法,其目的是为了控制学生。然而,研究表明,除非教给孩子们社会和情感技能,否则他们学习起来会很艰难,并且纪律问题会越来越多。

正面管教是一种不同的方式,它把重点放在创建一个相互尊重和支持的班集体,激发学生们的内在动力去追求学业和社会的成功,使教室成为一个培育人、愉悦和快乐的学习和成长的场所。

这是一种经过数十年实践检验,使全世界数以百万计的教师和学生受益的黄金准则。

[美]　奥黛丽·里克尔
卡洛琳·克劳德　著
张悦　译
北京联合出版公司
定价:20.00 元

《孩子顶嘴,父母怎么办?》

简单 4 步法,终结孩子的顶嘴行为

全美畅销书

顶嘴是一种不尊重人的行为，它会毁掉孩子拥有成功、幸福的一生的机会,会使孩子失去父母、朋友、老师等的尊重。

本书是一本专门针对孩子顶嘴问题的畅销家教经典。作者里克尔博士和克劳德博士以著名心理学家阿尔弗雷德·阿德勒的行为学理论为基础,结合自己在家庭教育领域数十年的心理咨询经验,总结出了一套简单、对各个年龄段孩子都能产生最佳效果,而且不会对孩子造成伤害的“四步法”,可以让家长在消耗最少精力的情况下,轻松终结孩子粗鲁的顶嘴行为,为孩子学会正确地与人交流和交往的方式——不仅仅是和家长,也包括他的朋友、老师和未来的上级——奠定良好的基础。

本书包含大量真实案例,可以让读者在最直观而贴近生活的情境中学习如何使用四步法。

奥黛丽·里克尔博士,美国著名心理学家,既是一名经验丰富的教师,也是一名母亲,终生与孩子打交道。卡洛琳·克劳德博士,管理咨询专家,美国白宫儿童与父母会议主席,全国志愿者中心理事。